1　ヒマラヤの高峰を背景に、氷盤に覆われた早春のプマユム湖（標高 5,030 m）を 5,500 m から俯瞰する（撮影：街道久憲）

2　遥か下方に見えるヤルツァンポーの河床（標高 3,600 m）からカンパ峠（標高 4,700 m）へのつづら折りの道を越える第一次調査隊の車列（2001 年 4 月初旬）（撮影：街道久憲）

3　早春のプマユム湖に到着した第一次調査隊。左方向にクーラカンリ峰が眩しい（撮影：街道久憲）

4　第一次調査隊のベースキャンプから湖の西方を見る（撮影：筆者）

5　氷で覆われた湖岸に調査準備の足場作りを開始（撮影：街道久憲）

6　湖底の物理探査や柱状堆積物の採掘に使用するための台船の準備風景（撮影：街道久憲）

7　湖底の物理探査をする様子（撮影：街道久憲）

8　水質やプランクトンなどの湖沼調査を開始（撮影：街道久憲）

9　湖岸の 5,000 m 下での太陽光スペクトルおよび紫外線量を測定する様子（撮影：街道久憲）

10　湖北東部の水深約 50 m の地点へ柱状堆積物の採取に出かける台船（撮影：街道久憲）

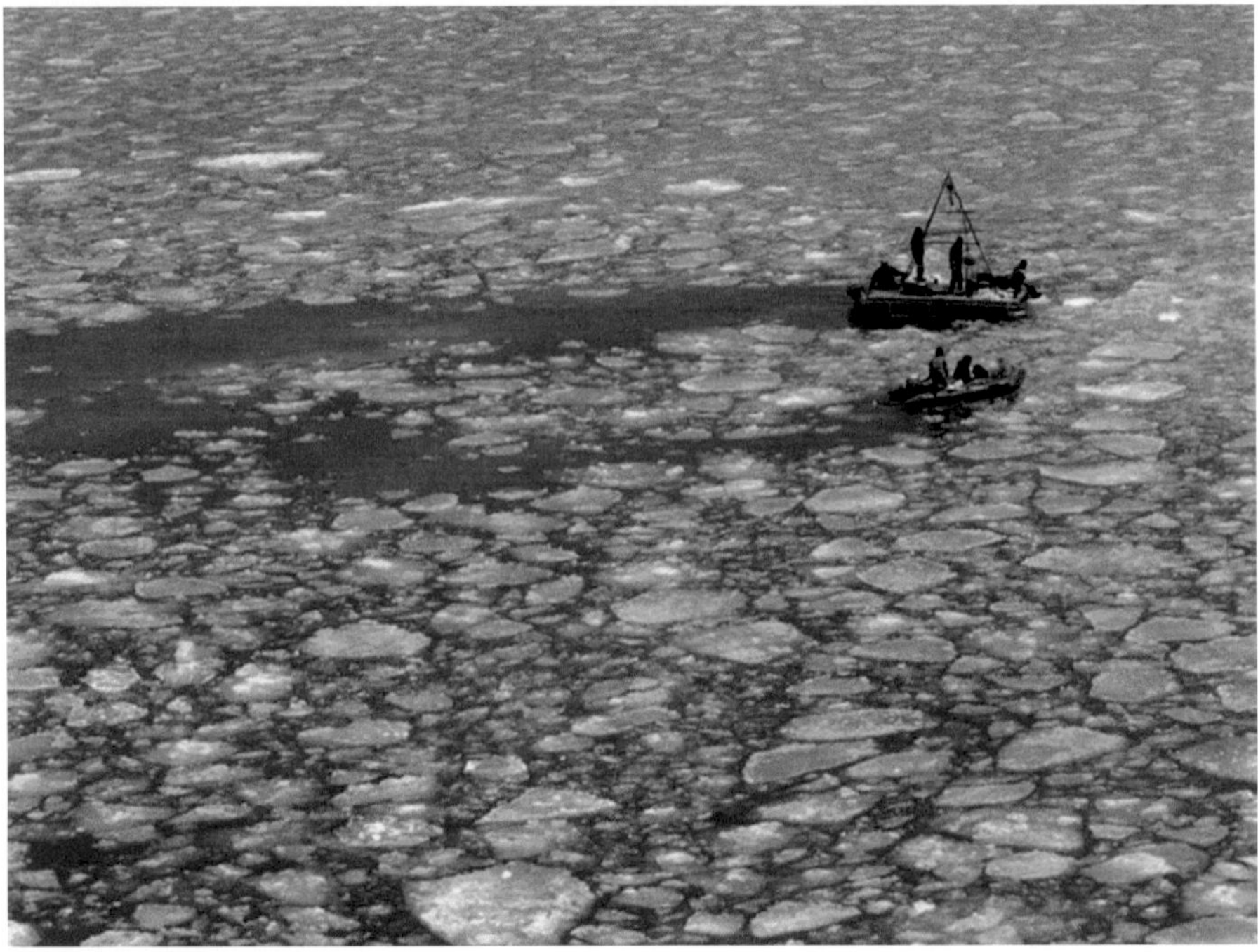

11　堆積物採取目標地点に近づくも風が強くなり、氷盤に取り囲まれ前進不能（撮影：中村光一）

13　4 m の柱状堆積物を無事、台船上に引き上げ一息つく日中の隊員（撮影：街道久憲）

12　約 4 m の柱状堆積物の採取が確認された瞬間（撮影：中村光一）

14　柱状堆積物を 1 m 間隔に切断する作業（撮影：渡邊隆広）

15　音波測深装置や GPS を装着し湖盆形測定に出かける日中の隊員（第二章）（撮影：筆者）

16　約 50 m の水深部に係留していた沈降粒子捕集装置（セジメント・トラップ）を無事回収（第三章）（撮影：渡邊隆広）

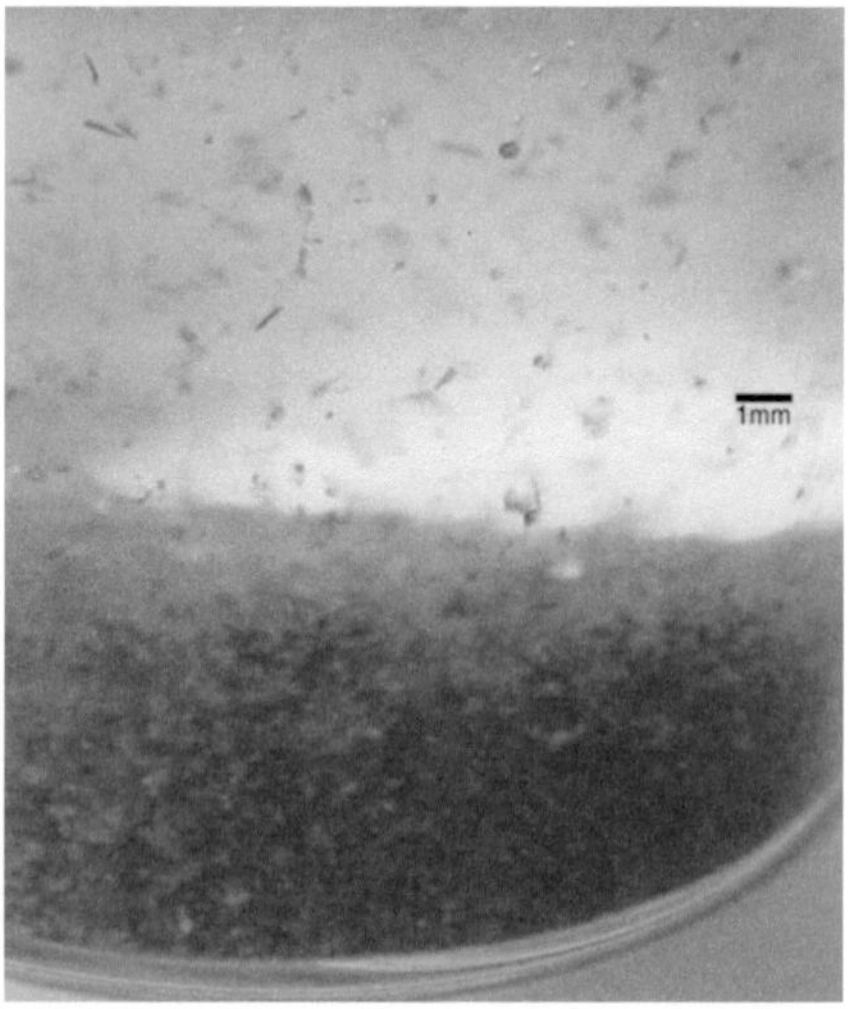

17　チベット高原のオールドカーボン問題を解決に導いた、湖底堆積物から採集された陸上植物微細片（第三章）（撮影：筆者）

18　活発な積乱雲の発達（撮影：筆者）

19　麗しき菜の花畑と麦畑（撮影：筆者）

20　カロ峠に顔を出す、ノイジンカンサン峰からの氷河（撮影：筆者）

チベット南部域の中でも特に「低緯度帯域」に、活発な積乱雲を発達させ、畑地や河川を潤し、氷河を涵養させるインドモンスーンは、ヤルツァンポー渓谷経由でやってくると言われているが、本当であろうか？（第六章）

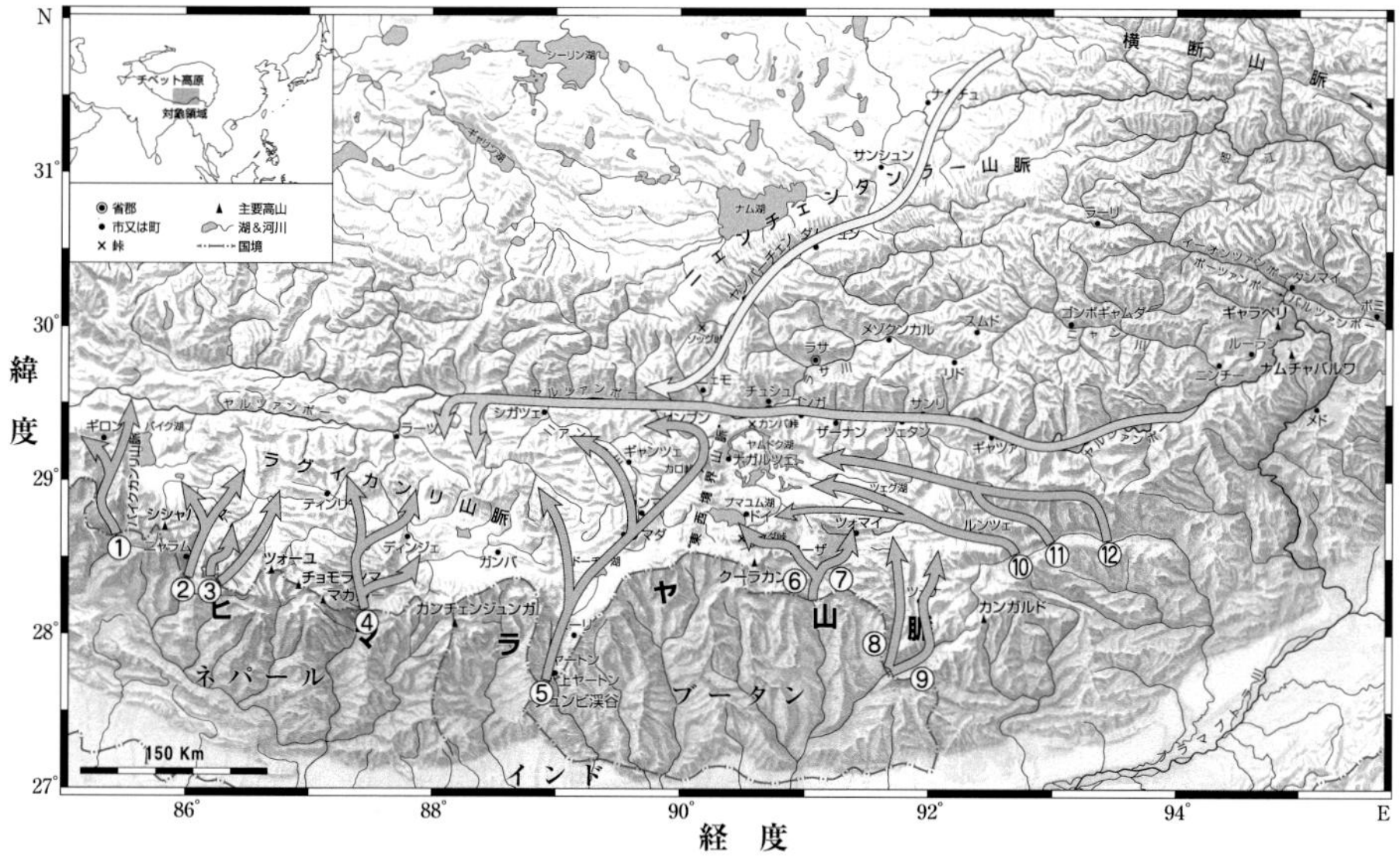

21　チベット南部域の「低緯度帯域」に降水をもたらすインドモンスーンは、ヤルツァンポー渓谷ではなく、主としてヒマラヤ山脈を横切る 12 本の「ヒマラヤ南北横断渓谷」（①ギロンツァンポー、②マーザンツァンポー、③ロンシャツァンポー、④ペン川、⑤カンブーマ川、⑥ローザヌー川、⑦ローザシャ川、⑧ニャンジャン川、⑨ダワン川、⑩ション川、⑪ジャボ川、および⑫ザーリ川）を通じてインド洋から引き込まれてくる（青矢印）（第七章）。ピンク色と黄色の矢印は、それぞれヤルツァンポー渓谷と横断山脈の渓谷沿いに入ってくるインドモンスーンを示す [Nishimura et al., 2020]

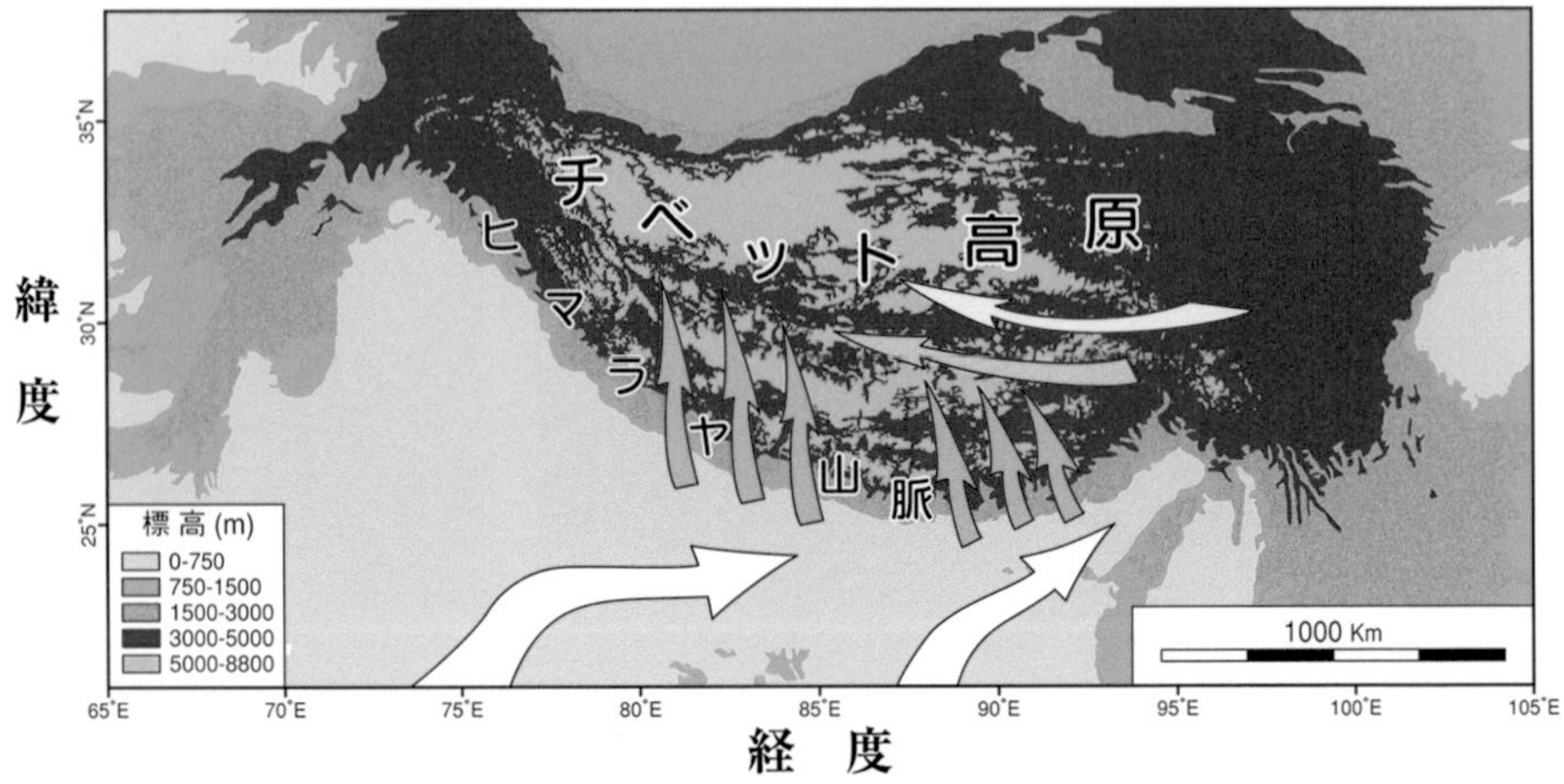

22　ヒマラヤ山脈を南北に横切る主に 12 本の「ヒマラヤ南北横断渓谷」を通じて、インド洋からチベット高原に直接引き込まれるインドモンスーンの新しい経路（青矢印）と共に、これまで知られているヤルツァンポー渓谷経由（ピンク色矢印）、および横断山脈渓谷経由（黄色矢印）からのインドモンスーンの侵入路を示す（第七章）[Nishimura et al., 2020]

23　チベット高原の森林限界は約 4,600 m と言われる。この言に従えば、例えば、チベット南部域に属する「低緯度帯域」の一部を写す上記の写真の全体の 4 分の 3 は森林に覆われていておかしくない。このようにチベット高原の森林限界内のほとんどに森林は見られない。これは3000 ～ 4000年前から始まった自然の気候・環境悪化によるのか、それとも人為的な植生破壊によるのだろうか？（第八章）（撮影：筆者）

チベット森羅紀行
天空を巡る

西村弥亜
Mitsugu Nishimura

三省堂書店／創英社

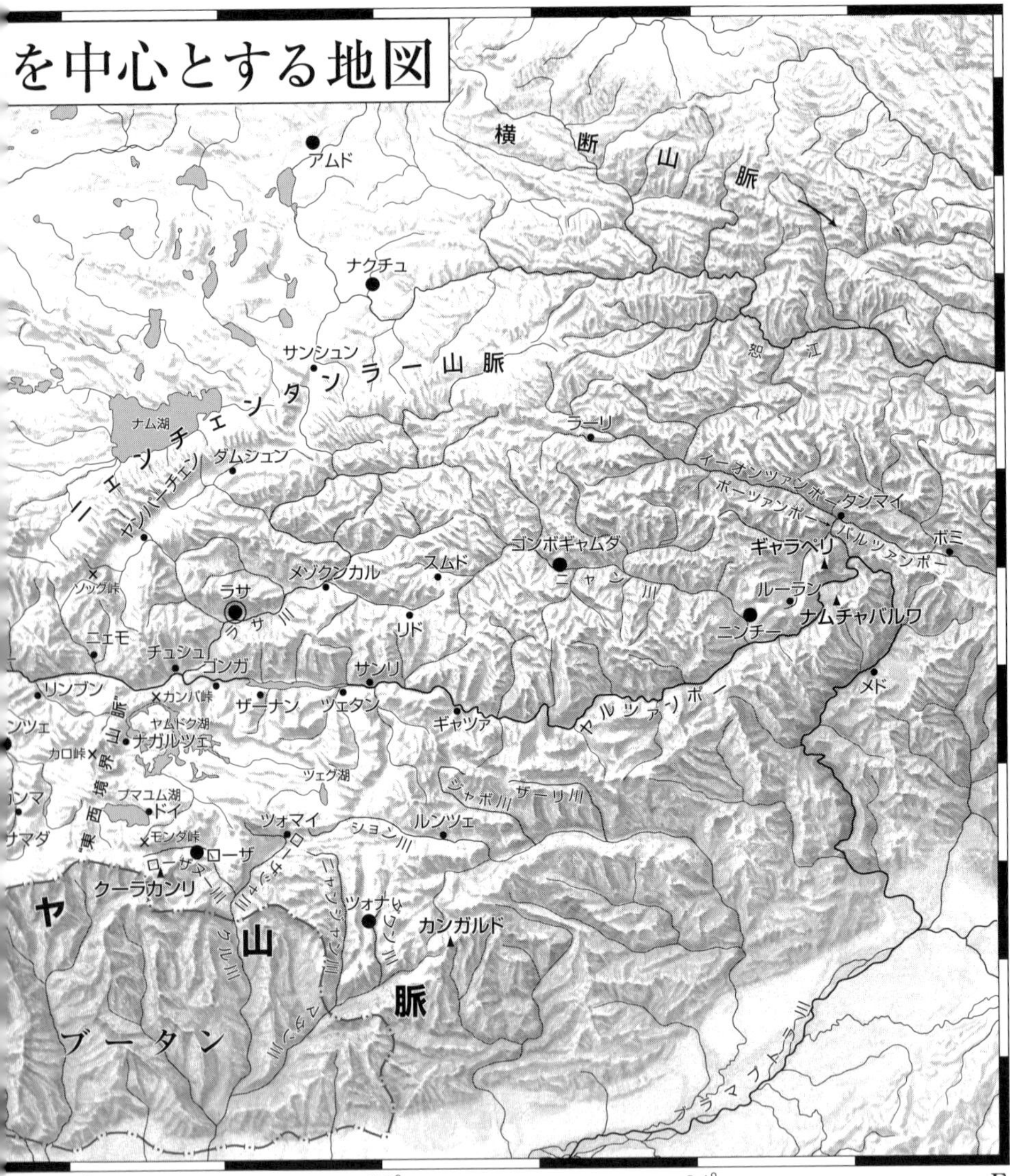
を中心とする地図
横断山脈
アムド
ナクチュ
サンシュン
ニェンチェンタンラー山脈
ナム湖
ダムシュン
ヤンパーチェン
ソッグ峠
ラサ
ラサ川
メゾクンカル
スムド
リド
ゴンボギャムダ
ニャン川
ラーリ
怒江
イーオンツァンポー
タンマイ
ポーツァンポー
パルツァンポー
ボミ
ギャラペリ
ルーラン
ニンチー
ナムチャバルワ
メド
ヤルツァンポー
ニェモ
チュシュ
ゴンガ
サンリ
リンブン
カンバ峠
ザーナン
ツェタン
ギャツァ
ヤムドク湖
ナガルツェ
カロ峠
東西境界山脈
ツェグ湖
ジャボ川
ザーリ川
プマユム湖
ドイ
モンダ峠
ローザ
ローザ川
クーラカンリ
ツォマイ
ションン川
ルンツェ
ツォナ
カンガルド
ヒマラヤ山脈
ブータン
クル川
ブラマプトラ川
90°
92°
94°
E

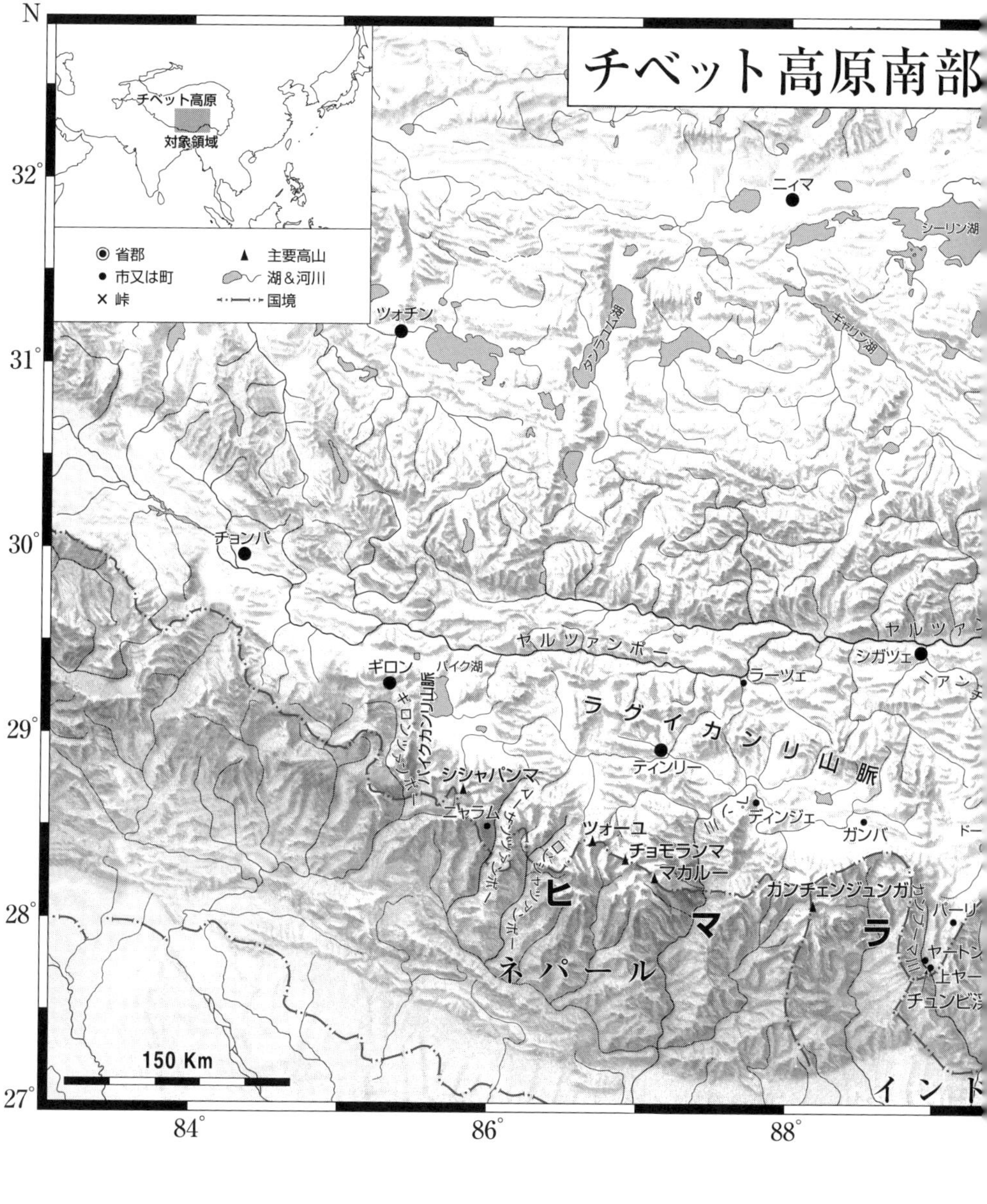

チベット高原南部
チベット高原
対象領域
省郡
市又は町
峠
主要高山
湖＆河川
国境
N
32°
31°
30°
29°
28°
27°
84°
86°
88°
ニィマ
シーリン湖
ツォチン
タンラユム湖
ギャリン湖
チョンパ
ヤルツァンポー
ヤルツァン
ギロン
パイク湖
ギロンツァンポー
パイクカンリ山脈
シガツェ
ラーツェ
ラグィカシリ山脈
ティンリー
シシャパンマ
ニャラム
ツォーユ
チョモランマ
マカルー
ディンジェ
ガンバ
カンチェンジュンガ
パーリ
ヤートン
上ヤー
チュンビ渓
ヒ
マ
ラ
ネパール
インド
150 Km

目次

第七章

第八章

終　章

序　章

チベット高原南部域を中心とした学術調査・研究の背景

一　はじめに

チベットとの出会い

チベットという国が初めて記憶に記《しる》されたのは中学生の頃である。一九世紀半ば以来鎖国政策をとっていたチベットの秘密のヴェールの内側へ入り込もうと、氷河の融水が滔々《とうとう》と流れる大河ヤルツァンポーを肩までつかって渡り、身体が凍てついてゆく河口慧海《かわぐちえかい》（今から一〇〇年余り前仏教の原典を求め、禁断の国、チベットの聖都ラサに日本人として初めて潜入した人物）の姿を描いた「チベット旅行記」の一節が、国語の教科書に載っていた。毎日遊び惚《ほう》けていた田舎の少年が、謎めいたチベットという国と慧海の覚悟の行動にいたく心を動かされた。それがきっかけとなって、チベットの自然や社会状況に対する興味を次第に持ち始めた記憶が蘇《よみがえ》ってくる。

チベットは、アジア大陸の南東部寄りにそびえ立ち、日本の約六倍の面積を占め、その南から東側にかけては、ヒマラヤ山脈に続き、横断山脈やバヤンカラ山脈など三千メートルから八千メートルにおよぶ険しい山々、北側には広大なタクラマカン砂漠と共に、チーリン（祁連）山脈やコンロン（崑崙）山脈、西方にもパミール高原やカラコルム山脈と、東西南北に越え難い天然の要害が立ちはだかった平均標高四五〇〇メートルの広大な高原である（図1）。このようなチベットを探検の対象とする人達が、一七世紀初め頃から現れ、数少ない探検家達を通して、チベットの内側が断片的に語り伝えられるようになった。そして、時代の流れと共に、例えば、ダイナミックな地殻変動に想いを巡らせる地形、果てしなく続く壮大な草原の起伏、神秘的で美しいたたずまいを見せる数々の湖、珍しい植物種の存在、断崖絶壁下に怒濤《どとう》渦巻く渓谷、五千メートルの標高からさらに、膨大な氷河をくねらせてそびえ立つ岩峰などなど、平地ではほとんど見られない自然の景観や、また、長い歴史を持つチベット特有のラマ教による政権体制、そこから漂ってくる濃密な秘教的雰囲気、そして、そんな背景の中で培われてきた民衆の文化や風土が少しずつ世界に知られるようになった。

しかし、一九世紀半ば頃からチベットの植民地化を目《もく》論《ろ》むイギリス、ロシア、中国などによる干渉やスパイ行為が強まり、チベットはついに鎖国政策を取るに至った。加えて、中国やイギリスは、外国人がチベットに接近することを禁ずる厳しい方針を打ち出した。かくして、チベットへ向かおうとする人達は、命を賭《と》して、二重、三重の苦難を越えなければならなくなり、チベット高原はさらに人跡まれな地、すなわち「天空の秘境」と

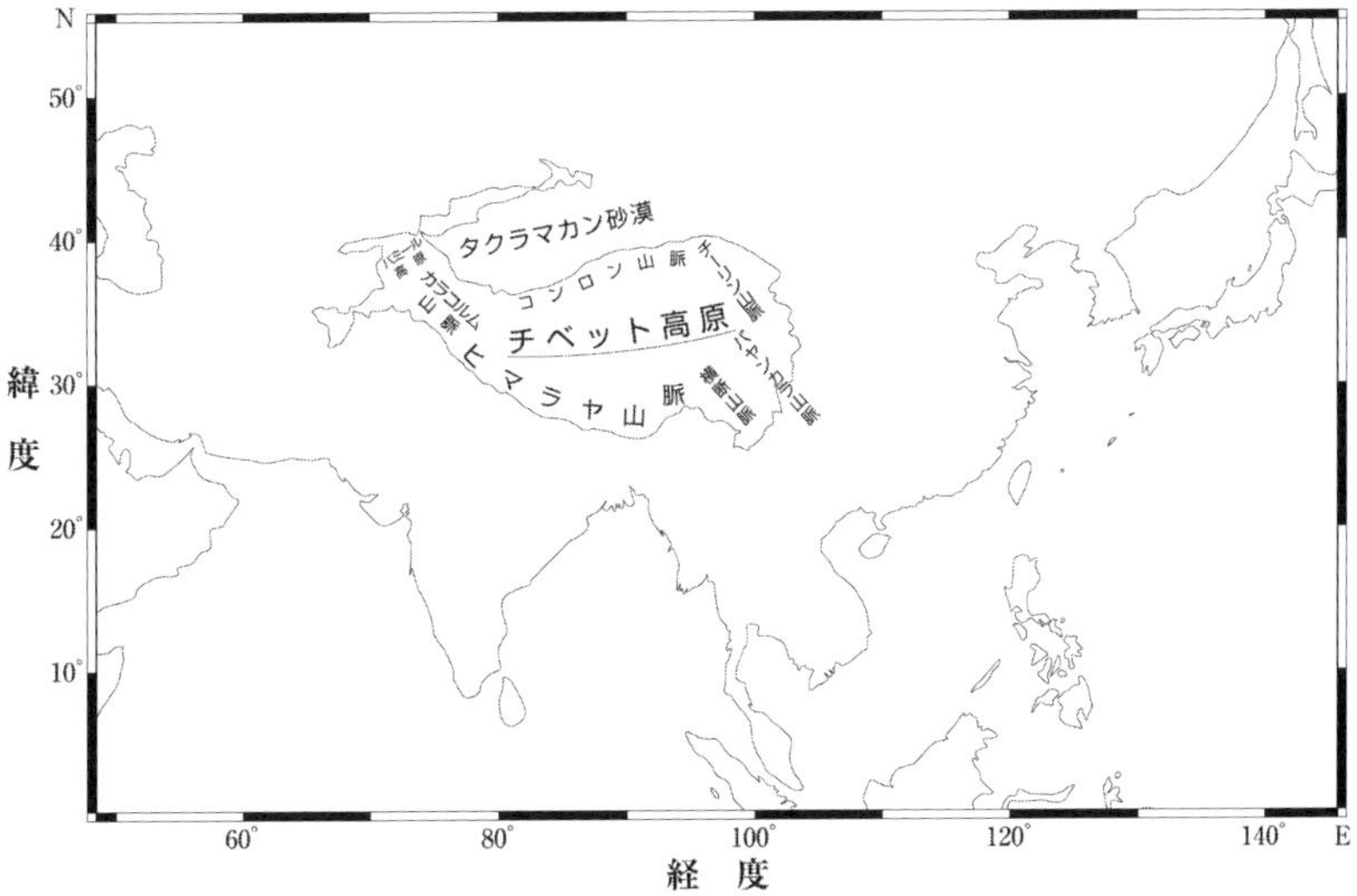

図１　チベット高原を取り巻く主な山脈と砂漠

呼ばれるようになった。そして、これまでの少数の探検家による限られた知見は、一方でさまざまな憶測を呼び、想像を掻き立て、「天空の秘境」との呼称に、言わば、チベットは「閉じられた神秘的な国」、あるいは「文化果つる所」との印象が益々強められていったと思われる。こうした言葉が世に広まったのは、他宗教などからの偏見による所が大きいと言われているが、チベットには長い歴史によって培われてきたさまざまな文化・文明を象徴する大僧院があちこちに特有の威風を放って存在するし、世にも稀で神秘的な事象が、チベット社会に特別、垣間みられた訳でもない。ただ、確かに、チベットには古来、多くのチベット人やネパール、ブータン、インドなど隣国の人々を、ヤルツァンポーの密林やヒマラヤ山麓にさ迷わせてきた秘密の理想郷(シャングリ・ラ)の存在が語り継がれてきたと言われる。そうした伝説も「天空の秘境」との呼称を後押ししたのかも知れない。しかし、それよりも、稀な高い山々に囲まれ、チベット人以外にとっては、住むにはかなり苛酷な高地という自然環境と社会的内情の不明さとが、往々にして、そのようなチベットに対する特別な認識を広めてきたと思われる。

そんな歴史的背景を持つチベットに対する筆者の理解は、二十代を過ぎても、例にもれず、険しい自然と政治的な障壁が立ちはだかり、世界の時代の潮流から依然として取り残されたミステリアスな国とのイメージから基本的に脱することはなかったように思う。

かなりの歳月を経て、研究上の関係から、「天空の秘境」に改めて強く引かれることになった。一九九〇年頃である。当時、海洋や湖沼から掘削した柱状堆積物《たいせきぶつ》に記録された気候・環境の歴史を読み解き、将来の気候・環境変動を考える研究にたずさわる中で、チベット高原上の氷床の発達によって地球の氷期が一〇万年ごとに開始されるという、壮大な「チベット氷床」説に出会ったからである。この説は、一世紀近くも前にドイツのトリンクラー（E. Trinkler）という学者が提唱した説であるが、これについては少し説明が必要であろう。

図2に示すように、現在、地球は、百万年程前から極めて寒冷な時期（氷期）と、温暖な時期（間氷期）とが一〇万年のサイクルで繰り返される状態に置かれていることが知られている。このサイクルは、主に地球の公転軌道の変化に起因して、一〇万年周期で起こる地球への日射量の増減によって引き起こされる、いわゆるミランコヴィッチ・サイクル（セルビアの地球物理学者ミランコヴィッチによって提唱され、地球の自転と軌道の変化とによって、太陽から地球への日射量が主として一〇万年、四万三〇〇〇年、二万四〇〇〇年、および一万九〇〇〇年の各周期で変化する気候変動サイクルの総称）の一つであるとされる。しかし、この考えの問題点は、気候・環境の支配要因であると考えられる日射量の変化が、氷期・間氷期のサイクルを直接決定する程の熱量までには至らな

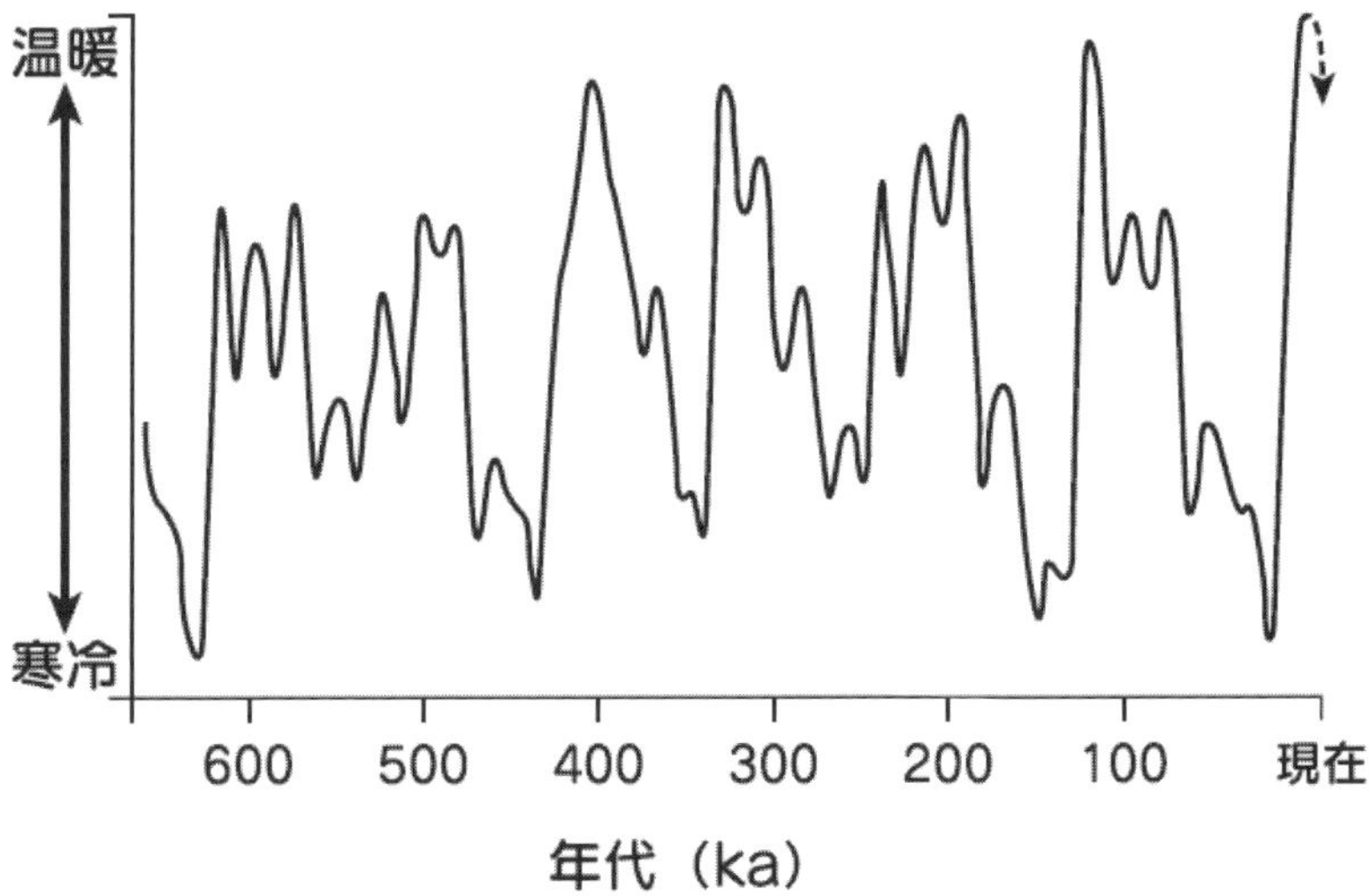

図2　地球の過去約60万年間の気候変動周期（Imbrie et al., 1984をもとに改変）。ka（kilo anneé の略）のkは1000、aは年の意、つまり1000年前を表す

いことである。したがって、地球の自転と軌道の変化による日射量の変化はあくまでも、小規模な気温変化しか起こさないのだが、それがきっかけとなって、地球規模の大きな変化、すなわち、氷期、間氷期をもたらすと説明されている。つまり、間氷期から氷期への移行は、まず日射量の減少によって局地的に気温低下が引き起こされ、それが引き金となって地球全体の寒冷化へと増幅される仕組みが地球のどこかに存在すると考えられている。その寒冷化をさらに強める働きをする仕組み、つまり増幅装置がチベット高原であるとするのが、「チベット氷床」説である。すなわち、日射量の減少で、標高が特別高く、かつ、中緯度から低緯度帯におよぶ広大なチベット高原がまず雪氷に覆われる。ついで、その広大な雪氷による太陽光の反射によって地球へ届く熱量が大幅に減少し、高緯度帯（特に、北極や南極）での雪氷域の拡大よりも効率的に、地球全体を氷期へと寒冷化させることになるという。

「チベット氷床」説の議論は古く、一九三〇年に遡《さかのぼ》るが具体的な証拠が乏しく、久しく顧みられなかった。時を経て、ドイツのクーレ（M.Kuhle）が広域の現地調査を踏まえ、一九八七年以来、この説を新たな議論の俎上《そじょう》にのせたのである。しかしながら、第四章で述べるように、その新しい「チベット氷床」説も、依然として解決すべき多くの問題点を残していたのである。

「天空の秘境」への道

このように、「チベット氷床」説は地球の気候・環境変動の基本的な原理の一つと深く関わることから、機会があれば「天空の秘境」に出かけ、この説に直接関係する研究と共に、未だ明らかになっていないチベット固有の気候・環境研究に携わり、研究のスケールを広げてみたいとの憧れに近い気持ちを持ち始めていた。

それから七年近くが過ぎた二〇〇〇年五月半ばの朝、何の前触れもなく、この憧れが現実となる方向に動き出した。ヒマラヤ山脈の東端に近く、チベット高原南部の標高五〇三〇メートルに位置するプマユム湖（巻頭のチベット地図と図3）という未踏査の大湖（東西三七キロメートル、南北一五キロメートル：琵琶湖の約半分）と、それを中心とした周辺域の学術調査の機会が訪れた。一年後の二〇〇一年に、東海大学―チベット大学クーラカンリ峰友好登山遠征が計画された。その一環として、登山隊が目指す未踏峰ヒマラヤ山脈クーラカンリ峰（七五三八メートル）へ向かう途中に横たわるその湖を対象とした、日中共同チベット・プマユム湖学術調査・研究隊が組織されることになり、その隊長の任を受けることになった。多くの問題があった。しかし、五〇〇〇メートル余りにある未踏査の大湖で、かつあのチベット高原となれば、誰ぞ心を動かさざらん

図3　プマユム湖と周囲の地形を写すランドサット衛星写真（東海大学情報技術センター提供）

やである。それ以来、東海大学海洋学部を中心にその他数大学が参加し、中国科学院・チベット高原研究所との共同で、その未知の湖を中心とする、東西南北の広い地域の自然を対象に、後述する調査・研究を行うことになった。

「未知の自然」は残されているか

振り返れば、「未知の自然」を求めた人類のいわゆる探検活動は、遥か一万年以上も前から旧大陸の各地で新天地を求める民族移動のかたちで、すでに行われていたらしい。その後の古代から中世を経て今日に至るまでの探検の潮流は、その歴史を語らずして世界史を語ることはできない程である。しかし、その西欧を中心とした探検の主たる目的は、他国の資源、その他の財産、奴隷などを獲得し、また領土拡張や植民地の獲得におかれてきた。その中で、一七世紀頃から、生物学、地質学、考古学、博物学など自然の調査・研究も小規模ながら行われ、動植物の種類の分布や多様性、ならびに、それらの歴史（進化）についてなど、多くの事柄が次第に明らかにされ、世界の耳目を引くことになったことはよく知られている。そのような世界の辺境の自然を学術的な研究対象として調査する傾向は、二〇世紀に入っていよいよ盛んになり、現在に至っては国外の特徴的な自然のほとんどは研究し尽くされた感がある。

そんな状況の中で、これまで知られていなかった知の扉が開かれ、驚きと感動をもたらす「未知の自然」としての魅力が、チベット高原にどれ程残されているのだろうか。当時、その状況に通じていなかった我々にはほとんど分からなかった。むしろ、一七世紀から始まるヨーロッパや日本などの各国による種々のチベット探検によって多くのことが明らかにされ、我々の興味を引きつける「未知の自然」は、もうほとんど残されていないのではと思わせる。しかしながら、これまでの探検史によれば、チベットを探検した人達のほとんどは、キリスト教の布教をはじめとし、仏教の教典を求めたり、軍事上の秘密を探ることなどを主たる目的とし、自然に対する学術的課題をもって旅をしていた訳ではなかった。急に明るみに出たような感になり、これまでの自然の調査に関する実情を少し詳しく辿ってみることにした。

先に述べた使命を携えた人達が、チベットへの旅ついでに行った、湖、植物、地質などの自然の観察の記録が残されている。その中には、興味を引かれる多くの事象が記されているが、そのほとんどは、狭い範囲、あるいは断片的な自然観察に限定され、チベットのある地域の自然に広く、深く迫るような調査・研究が行われることはほぼなかったと思われる。一方、中国による、いわゆるチベット解放が行われた一九五〇年代以降、資源探査を中心とした目的で、チベット高原のかなりの領域にわたる地形、地質、および地層構造などについての調査が、大々的になされたが、それ以外の分野での調査・研究はそれ程進んでいる訳ではなかった。したがって、チベット高原の自然の主要部を構成する草原、森林、湖、河川、砂漠、山々、氷河などの多くは、今なお、ほとんど手つかずの「未知の自然」として残されていると考えてよいであろう。つまり、本来の意味での「天空の秘境」である。そうした自然の中に、それぞれチベット特有の在り方、歴史、多様な生物の営みなどを保った姿が、未だ知られないままに息づいていると考えられる。

このように、多くの人々がチベットに関心を持ちながらも、その自然がほぼ未知のまま保たれてきたのは、その平均標高四五〇〇メートルにおける自然の厳しさ（序章二の「平均標高約四五〇〇メートルの気候・環境」の項を参照）と、その起伏に富んだ大地の壮大なスケールによるところがもっとも大きいと言ってよい。調査・研究に際しては、まず、その苛酷で広大な自然を、高低差の大きい上り下りを繰り返しながら延々と乗り越えて行かなければならない。自動車が発達していなかった時代は、それを人馬やヤクを使って行わねばならなかったが、普通の人にはとてもできることではない。一方、世界の荒野を走れるというランドクルーザーのような四輪駆動車が発達した現在、移動は比較的楽になったが、標高四〇〇〇～五〇〇〇メートル近辺での実際の長期の調査活動には、まず人並みはずれた忍耐力と肉体的な適応力が求められる。こうした様々な困難を越えて調査・研究や探検を敢行する人は、今もなお多くはない。チベットが「天空の秘境」と呼ばれてきた所以《ゆえん》がここにある。

このような背景をもとに、気候・環境変動を対象とする地球化学分野以外に、大きく分けて、植物学、動物学、陸水学、地質学など数分野からの研究者もこの学術調査行に加わることになった。

学術調査への期待と方向

遠い異国の辺境に自然の調査・研究に出かける時は、不安を持ちながらも、まずは現地までの旅を楽しみにする。そして、ほとんど記録されたことがない現象を目にし、また、これまで誰も手にしたことがない種々の試料を発見・採集することなどへの多くの期待に胸を膨らませる。ましてや、対象とする地域の気候・環境が自国と大きく違っていればいるほど、その期待は探検的好奇心をも募らせながら増してくる。日本とは全く異なったいくつもの苛酷な環境が立ちはだかることを考えれば、このチベット行は、まさにそのケースであった。そのような期待の中で、我々は以下の考え方に立って、主に二種類の調査・研究を目指した。

チベット高原でも比較的赤道に近く、標高五〇〇〇メートル余りもある気候・環境下では、例えば、陸上、河川、湖などにおける、特に生物の種類、分布、生活史などに、自国やその他の地域のそれらと大きく異なった特徴を発見したり、それと関係する新たな生物学的現象に巡り合う可能性は高い。そうした新しい知見をもとに、自然界における種々の生物のあり方と環境とのつながりに関する地域特性や普遍性を、新たに引き出す道が開けてくるチャンスがあるかも知れない。さらに、生物の地理的分布から、ある種の生物の進化や退化に関する議論に発展する可能性もある。ひるがえって、そうした異境の地で新たに分かったことから、我々が日常生活を営む地における種々の生物の本来の在り方を、より深く理解する視点に気付かされることになる。そして、自然とより調和した人間の新たな在り方に考えが及ぶことも期待されよう。このような観点から、まず、平均標高五〇〇〇メートル下のチベット高原南部や、その他の地域の生き物の存在分布や活動の特徴を陸上、河川、および湖を対象に明らかにし、比較研究することは大いに意義があるであろう。

特に、湖について、二〇〇〇年当時、山岳にある高山湖の研究例は多数あったが、そのほとんどは標高二〇〇〇〜三〇〇〇メートル内にある湖が対象であった。それよりも高所にある高々山湖についての詳細な研究がなされたのは、三八〇〇メートルのチチカカ湖（ペルー／ボリビア国境）の例を除いてほとんど知られていなかった。我々が向かう、森林限界を遥かに越えた五〇三〇メートルにあるプマユム湖については、現在、どんな物理学的、化学的、および地学的な環境下で、どんな生態学的特徴を持った生命の小宇宙が造り上げられているのか、特に、その生態学的な構造を土台に、湖内で物質とエネルギーの、どのような移動・循環系が成立しているかを明らかにすることを目指す。

一方、未知への期待は、現在の事象に関することばかりではない。過去に関することについても同様である。例えば、対象となる地に湖や陸上を問わず、日々様々な生物・非生物起源の物質が堆積《たいせき》し、数千年間、数万年間、さらにはそれ以上にわたって連続した堆積物が形成される。その一連の堆積層を乱すことなく採取し、堆積した種々の物質の詳細な起源や量的変化を時間軸に沿って明らかにすると同時に、各層の正確な年代を決定することができれば、遥か遠い過去から現在にかけての、その地域や地球規模の気候・環境の歴史を読み解くことができる。このような研究は、現在から少なくとも数万年前までの時間スケール内であれば、現在起こっている自然現象は過去にも起こっていたとする、いわゆる斉一説《せいいつせつ》的な古環境解釈ができるものとの前提に立って行う。したがって、ある場所に形成された一連の堆積層は、その地域の気候・環境変動を記録した「古文書」、あるいはテープレコーダの一本のテープに喩《たと》えられる。そのような記録をもとに、地域の文化や風土を培い、支えてきた固有の気候・環境の成り立ち、その他の地域との違いや共通性、地球規模の気候・環境変動に対する各地の応答などについて比較研究することができることになる。

以上のようにして得られた研究結果は、ただ過去の記録を明らかにすることに止まらず、さらに将来、気候・環境がどのように変化していくかを予測することに役立てられる。このようなことから、調査・研究の軸をチベット高原の過去と将来の気候・環境解析におくこととした。

少々具体的に述べよう。チベット高原の存在によって引き起こされる規模の大きい現象の一つとして、アジアモンスーンがある。これは、簡単に言えば、夏にインド洋と西太平洋の二方向からチベット高原に吹き込む雨を伴った季節風のことである。そのモンスーンの活発化と衰退は、少なくとも四十億人余りを擁するアジア主要経済圏の将来の水需要や治水の鍵を握っていると言われる。しかし、アジアモンスーンの将来予測にむけて、その発生（回復）、および発達・拡大（進化）、あるいは衰退の仕組みは、今なお十分に明らかになっていない。そうした理由から、チベットの湖の堆積物と言う「古文書」に記録された、これまでの気候・環境の歴史を読み解き、チベット高原を中心とするアジアモンスーンの発生や発達、および衰退の過程や仕組みに関する手掛かりを得ると共に、「チベット氷床」説の可能性をも検討することとした。

調査に向けての問題点

二〇〇一年の三月末に予定された調査行の出発に向け、一〇か月を切った二〇〇〇年六月から具体的な準備に取りかかる。当然のことながら、考え、実行すべきことの多さ、準備期間の短さなどで、日ごと様々な心配が積み重なってきた。調査・研究の大枠は見えてきたが、心配の源は、調査の対象となる湖や周辺地域の情報がほとんど得られないことであった。当初、チベットの地図、中でもインドやブータンとの国境に近い南部域の地図は軍事機密として中国からは出版されておらず、戦後、ソビエト（現ロシア）によって作られた地図を岐阜の「地図図書館」に求め、ようやく我々が向かう地域の位置、おおよその地形、湖の規模などを確認できた。しかし、最も困ったことは、プマユム湖や南部域が、計画している学術調査に相応しい場所であるか否かの手掛かりがほとんど得られないことであった。フィールドサイエンスをやる場合、まずは明確な目的があって、それに対して、どんな場所を選ぶかを考える。今回は逆で、まず、未調査の湖とチベット南部域ありきとなった。一般にどんな湖でも地域でも調査をすれば、学術的に面白いことが引き出されてくる訳ではない。それは、特別なケースであって、プマユム湖とその周辺域がそのようなケースになりうるかどうかの保証はないに等しかった。実際のチベットを知らずに立てた調査計画が、机上の空論になる怖れがある。つまり、プマユム湖の湖底に「チベット氷床」説やアジアモンスーンをはじめとする気候・環境変化の歴史を遥か過去にまで遡《さかのぼ》って記《しる》した「古文書」が存在するのだろうか？　チベット高原南部にある湖や地域だからこそ、あるいは、五〇〇〇メートルの高度にある地域だからこそ、はじめて問題にできる自然は実際にあるのだろうか？　が当面の最大の問題であった。

これらのうち、プマユム湖の問題に関する決め手は、「湖がどれくらい古い歴史を持っているか？」を知ることである。数千年や二～三万年程度ではなく、我々としては、次の二つの理由から少なくとも一〇万年に近い歴史を持っていることを期待した。まず一つは、それ位の歴史があれば、その湖固有の安定した生き物の世界（生態系）が確立されているはずで、それが森林限界を大きく越えた五〇〇〇メートル余りの高度の大湖では、どのような姿をし、どんな生態学的仕組みによって支えられているのか、を問題にできる。もう一つの理由は、もしチベット高原南部域における一〇万年程度の気候・環境の連続的な記録があれば、地球全体に強い影響力を持つチベット高原の気候・環境の歴史的変化に関する知見を掘り下げ、種々の議論を引き出すことができる。当時、各国の研究グループによって、同高原の様々な湖を対象に同様の試みが行われていたが、詳細な解析がなされた最も古い堆積物の年代は高々約一万四〇〇〇年前までにしか至っていなかった。

湖の年代の手掛かりは、東海大学の宇宙情報センターから提供された、プマユム湖を中心とする南部域の鮮明なランドサット衛星画像（図3）から引き出された。画像からは、湖の西方から東へと、湖の北側を横切る形で、はっきりと判別できる規模の活断層が走っている様子をとらえることができる。この特徴は、この湖が寿命の短い、単なる〝水溜まり〟的な存在ではなく、時代と共に水深が次第に深まり、かつ湖水を収容している地形、すなわち湖盆が拡大されていく、いわゆる構造湖であることを示している。つまり、プマユム湖は、アジア大陸にインド亜大陸が衝突することによる断層によって生じる構造湖の一つであると推察された。そこで、当湖と同様にインド亜大陸の衝突による地殻変動に起源を持つロシアのバイカル湖の面積と年齢をもとに、プマユム湖の年齢を概算すると約二〇万年の年数が得られる。これは、あくまでも概算値であるが、当湖の誕生以来少なくとも一〇万年程度は経過していることを示唆し、プマユム湖を調査する価値がありそうだと判断させた。

チベット高原南部域の予備調査へ

その年代の感触に加え、湖の様々な状況、例えば、深度、湖岸までのアプローチ、風が強いと言われるチベットの日中の風の変化、湖周辺域の植生、その他の気象状況等々を確認するために、二〇〇〇年のモンスーン明けが間近な九月下旬、プマユム湖とその周辺域の予備調査を行うことにした。以前、現地を訪れたことのある登山隊長の出利葉義次氏と共に、チベットでの案内役を中国登山協会の交流部長ジャン・ユアン（張江援）氏にお願いし、九月二四日、慌ただしくも出かけることになった。途中の北京で、共同研究を組むことになった中国科学院・地理&資源研究所（現チベット高原研究所）を訪れ、調査・研究の打ち合わせを行った。その際、初めて、中国科学院・地理研究所作成による、チベット高原全体を俯瞰《ふかん》でき、山々の連なり、起伏、主要な湖沼や河川など、地形や気候・環境を一見して把握し易く作られた三百万分の一の地図（青蔵《せいぞう》〔青海省とチベット自治区とを合わせた地域を指す用語〕高原自然景観図）が贈られた。この地図は、予備調査はもちろんのこと、その後の調査の展開に大いに役立った。

当時、チベットはモンスーン季（六～九月）の終わりに近い時節であったが、日本の見慣れた自然とは程遠く、降り立ったラサ空港の周囲の山々には疎《まば》らな草本と灌木《かんぼく》しか見られず、砂漠的な高山ステップの印象を受けた。砂礫《されき》や岩石の風景が茫々《ぼうぼう》と広がり、デコボコ道が延々と続く高原に砂煙をあげながら、ラサからヒマラヤ山脈に近い湖のある南に向かうにつれ、その印象を深くした。しかしながら、入手した地図と高度計とを見ながら、移り変わっていく疎らな草本を観察していると、標高の大きな変化や、規模の大きい河川や湖沼の広がりの有無によって、特に草本の密度や形態にかなり違いがあることに気付かされる。おそらく、地域の気温や乾湿に応じて植物の分布に、それなりの違いが生じていると考えられる。例えば、我々の辿った南部域への道程（距離約五〇〇キロメートル、高低差一四〇〇メートル）にしたがって、ラサに近いヤルツァンポー周辺域（標高約三七〇〇メートル）、ヤムドク湖周辺域（標高約四三〇〇メートル）、プマユム湖周辺域（標高約五一〇〇メートル）、およびヒマラヤ・クーラカンリ峰の麓の河川周辺域（標高約四三〇〇メートル）では標高が高くなるにつれ植物の分布がより疎らになり、植生もかなり異なっていくこと、これらの地域に挟《はさ》まれた、より乾燥した地域間でも、同様な傾向が判別できた。とすれば、ラサからヒマラヤ山脈に至る地域での植物学的、および気象学的な比較研究は、大いに意義がありそうに思えてきた。例の地図に目を落としていると、さらに、調査の視点が広がってきた。

インド洋からチベット高原への水分（インドモンスーン）の供給は、ヒマラヤ山脈の東端に深い渓谷を切り開き、インド側のブラマプトラ河につながる、チベットの母なる河ヤルツァンポーを主な通気道として行われていると言われる。それならば、ヤルツァンポーを東西の軸とし、インドモンスーン（水分）の高原への広がりを念頭に、北はタンラ峠（標高五二三〇メートル）からナクチュ（標高約四五〇〇メートル）辺りまで（距離五〇〇〜七〇〇キロメートル）と、南はヒマラヤ山脈との間（距離約四〇〇キロメートル）で、また、東はボミ（標高約三〇〇〇メートル、ラサからの距離約六〇〇キロメートル）近辺までと、西はシガツェ（標高約四〇〇〇メートル、ラサからの距離約三〇〇キロメートル）辺りまでの、比較的広範な四地域（巻頭のチベット地図参照）を対象とした植生の分布と気候の比較調査も意味がありそうである。それによって、たとえば、植物種の構成の違いとモンスーン気団の動きとの関連性などが引き出されてくるように思われる。

九月二六日午後三時過ぎ、胸を高鳴らせながら、プマユム湖を目の前にした。湖は全域の半分も見渡せぬ形状をしているが、湖面に東から西方向に、丸みを帯びた大、中、小の三つの島を浮かせ、澄んだ群青をたたえていた。そして、それを取り巻く丸みをおびながらも古い地層を露《あら》わにし、湖に険しく迫り、落ち込む山々の見慣れぬ光景に圧倒された（図４）。これまで訪れた数々の湖の場合と違い、その近寄り難い景観は、湖にただならぬモノが潜んでいるような、人の心を乱す魔力を感じさせる。一方、湖を中心としたその大パノラマは、風化が大いに進行し、いかにも長い年月を重ねた様子で、我々が期待する湖の古さに十分に達していることを予感させた（実際に、翌年の本調査から、プマユム湖誕生は、少なくとも二〇

図４　古層を剥き出しにしてプマユム湖に落ち込む北側の山々

〜三〇万年前に遡ることが明らかになった）。明くる日の正午過ぎ、晴天の下、筆者とジャン氏は、高原を吹き渡る風が比較的弱い時間を選び、魔力を秘めた湖の中心部へと、船外機つきの二人用ボートを慎重に繰り出し、湖の状況視察と共に、水深、水温などの測定や、水、プランクトン、水草、湖底堆積物などの試料採取を行った。群青の湖水から、透明度が極めて高く感じられ、生物が乏しい環境であろうと思われた。しかし、湖底の表層堆積物の有機炭素量（一・五〜二％）の高さと、湖底堆積物採取機（グラビティ・コアラー：内径四センチ）で偶然採集されてきた生物達（車軸藻《しやじくも》、ユスリカの幼虫、鮎の仲間の稚魚など）から、森林限界（約四六〇〇メートル）を大きく越えた五〇〇〇メートル余りの非生物的と思われる高度環境にしては、不思議にも、高い一次生産量（プランクトン生産量）と生物の多様性を持った生き物の世界が、この湖に存在していることが推察された。一方、湖に浮かぶ島々の上部の丸みとは対照的に、三つある島のうち、特に大島と小島の南側には、刃物で削ぎ落としたような大小の断崖が切り立っていて、今もなお活発な地殻変動を続けている構造湖であることを強く印象づけた。

思い掛けない調査の展開

以上の予備調査などを踏まえ、我々の第一次チベット学術調査は、二〇〇一年三月二四日からスタートした。チベット高原までの距離的隔たりに加え、政治情勢の不安定化によるチベットへの外国人の入境制限や軍事的理由による特定地域の立ち入り禁止などが重なって、特に二〇〇一年以降、チベットは、日本から思うように行き着くことができない遠い所という印象が行く度ごとに強まった。さらに、現地での特に低酸素による様々な高度障害なども加わり、調査は難航し、メンバーの多くは疲れ、苦しい体験を余儀なくされた。それにもかかわらず、回数を重ねるごとに研究者達の興味が深まっていくという、いわば、チベットの自然に魅せられ、アカデミックロマンを追っている感があった。当初、このプロジェクトは長くても五〜六年程度で終了するつもりであったが、様々な問題にぶつかりながらも、次々湧き起こる興味に引かれ、調査行はいつの間にか第六次を数え、二〇一一年にまでわたってチベットの大地を踏み続けることになった。

そこに至るまでの調査・研究は、日本や中国の多くの方々による思い掛けない熱い後押しに支えられた。そうした支えを受けて、我々は、チベット高原南部域を中心とする興味深い自然の在り方や、チベット高原とアジア、北半球、さらには地球規模におよぶ現象との関わりの一端に触れることができたとの思いは今なお強い。

ところで、かつての「チベット独立運動」の再燃を思わせた「ラサ暴動」（一九八七年）以来、チベットに多くの関心が寄せられるようになった。しかしながら、チベット高原の気候・環境や、そこで展開されてきたチベット民族の歴史・文化などになじみのある人は意外と少ないのではなかろうか。この序章後半において、チベットの自然、歴史、文化などに関する概略をまず紹介し、続いて、目指す学術調査・研究の目的と展望について述べることにしたい。

二　チベット高原の自然の概観

平均標高約四五〇〇メートルの気候・環境

チベット高原は日本の約六倍の面積を有し、かつ平均標高が約四五〇〇メートルにもおよぶ、いわゆる「世界の屋根」の上にある。このように高く、広大な高原の出現は、約五〇〇〇万年前以来、インド亜大陸が北上した結果、アジア大陸に衝突し、後者の下に前者が沈み込むプレート（岩盤）の運動による隆起の結果であるとされている。高原の隆起活動は今もなお衰えることなく活発に続いているが、その規模は東側で小さく、北西方向へ行くにしたがって大きくなる傾向を示す。その結果、チベット高原の東部や南東部での平均標高は約三〇〇〇メートルに対し、北西部域でのそれは五〇〇〇メートルを超す違いが見られる。一方、南北方向における標高差は小さく、巨視的にはほぼ平坦と見なされる。

このような地形をもったチベット高原は、北緯二七度から三八度の範囲にあって、日本の沖縄から福島までの緯度に対応する（図1）。この緯度域は日本では亜熱帯から温暖な気候帯となっているが、チベットでは、冷温帯から寒帯の気候に区別される。この大きな違いは、基本的にチベット高原の標高が著しく高いことによって生じていることは言うまでもない。一般に、一〇〇メートル上昇するごとに気温は〇・五度ずつ低下することが知られているが、それにもとづくと、チベット高原は同緯度帯よりも平均的に二二度も低い気温となる。加えて、一一月から四月まで、シベリアからの寒風の吹き込みも加って、高原の南部域（北緯二八～三〇度）すらもマイナス一五～マイナス三〇度と極地なみとなる。その結果、土が一年中凍結する永久凍土によって高原の大部分が覆われ、各地にスケールの大きい氷河の発達が見られる。第三の極地と呼ばれる所以《ゆえん》である。一方、海洋から離れていることもあるが、それよりも、その南側にそびえ立つヒマラヤの高峰が障壁となって、特にインド洋から高原への水分の輸送が、標高が比較的低い東部域を除いて大きく阻止され、特に北西部に行くにしたがって強い乾燥化が引き起こされている。このように、気温と湿度の分布の違いをもとに、チベット高原の気候帯は、図5に示されるように主として七つの気候区に分けられている。

　一方、四五〇〇メートルというその平均標高は、チベットに種々の厳しい自然環境を造り出す主要因となっているが、特に、忘れてはならない過酷な高山性環境は、強い紫外線と低酸素である。チベットに降り立つと日差しの強さを実感するが、我々が主な調査域とする五〇〇〇メートルの標高に達すると、その感をさらに深

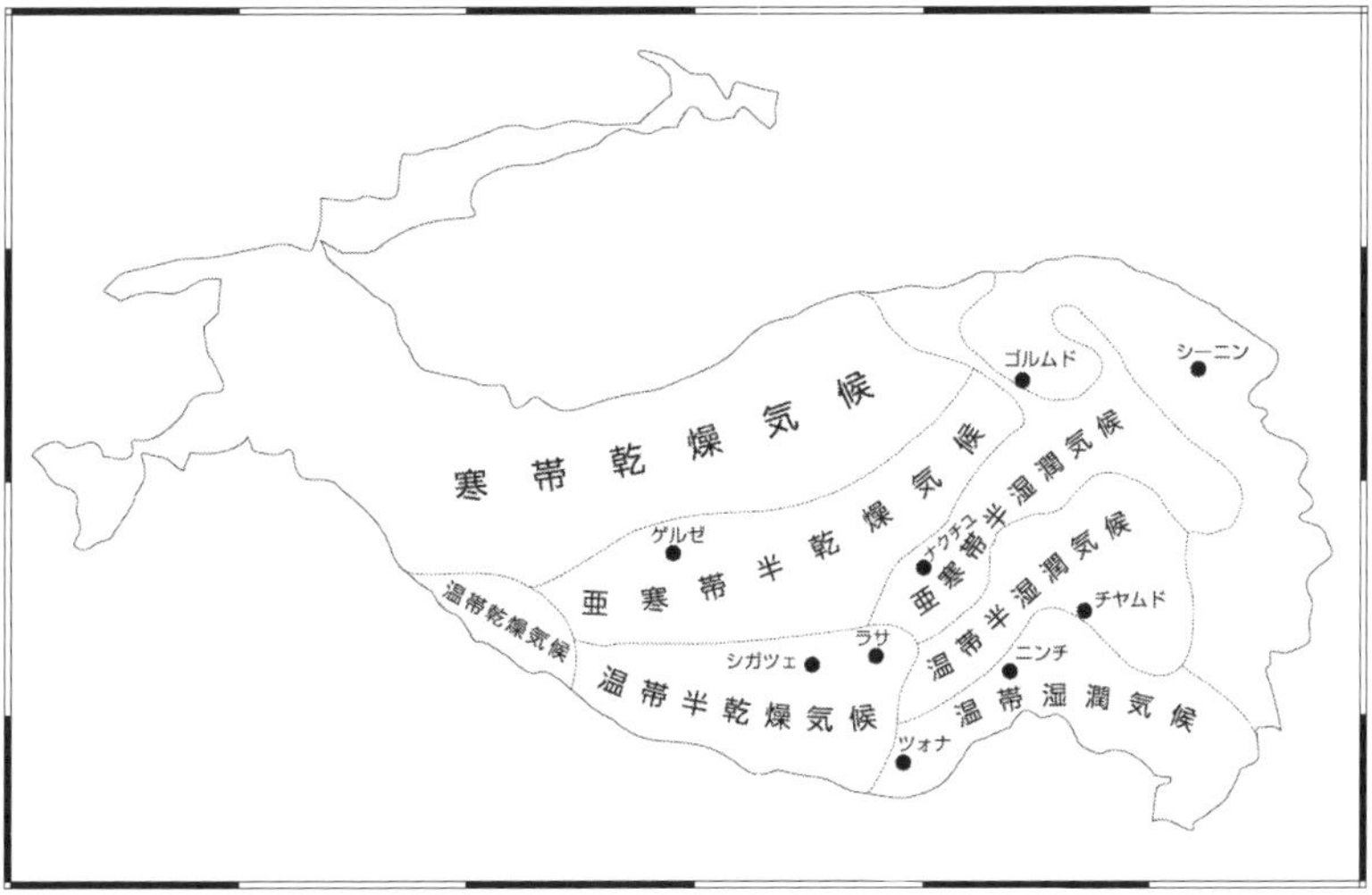

図5　チベット高原の気候区分（すべての気候区の頭部に高原がつくことに留意）

くする。紫外線がかなり強くなるためである。晴れた日に三日ほど野外作業を続けると、耳や顔の表膚がぼろぼろになる程である。さらに、低酸素濃度は、チベット外の人達にとっては最も酷な環境要因となる。チベットの玄関口であるラサは富士山頂とほぼ同じ約三七〇〇メートルにあって、酸素濃度は平地の三分の二である。この段階では、普通に歩いている分にはよいのだが、駆け足や上り階段になると途端に息が乱れ、低酸素を実感することになる。人によるが、ラサ空港に降り立った時点から、いきなり高度障害にかかりうる状況に直面する。症状としては様々だが、頭痛、手足の痺れ、体のむくみ、不眠症、下痢、血圧の上昇、動悸、脱力感などなどが出て、悪化すると肺水腫にまで至り、一週間、あるいはそれ以上の期間、人民解放軍病院への入院を余儀なくさせられる。標高が五〇〇〇メートルを超えると酸素量は平地のさらに半分近くになり、高山病となる可能性は飛躍的に高まる。

チベット高原とアジアモンスーン

すでに述べたように、チベット高原という平均標高四五〇〇メートルの広大な山塊は、赤道に比較的近い北緯二七〜三八度の対流圏に突出し、そびえ立っている。この状態は、大気に対し主に、次の三つの効果、つまり、風をさえぎり（障壁的効果）、風の方向を変え（力学的効果）、そして大気を加熱する効果（熱的効果）をもたらす。これらを通して、アジアを中心とした北半球に多様な気象現象を引き起こすと共に、グローバルな気候・環境変動にも積極的な影響を及ぼしている。

この高原の存在が引き起こす最も大きな気象現象の一つに、アジアモンスーンの発生がある。これは、夏季（六〜九月）の高原の強い日射によって、この巨大な山塊が加熱され、周囲の海洋（インド洋と太平洋）

との間で大きな気圧差（勾配）が生じる結果、海洋（高気圧域）からチベット高原（低気圧域）に向かって吹き込む多量の降水を伴った強い季節風（モンスーン）のことを指す（図6）。インド洋からの季節風をインドモンスーン（別名、南西モンスーン）、太平洋からのそれを東アジアモンスーン（別名、南東モンスーン）と呼び、二つ合わせてアジアモンスーンと呼ぶ。このように、チベット高原の存在はアジアモンスーンを引き起こす原動力となっている。このモンスーンの影響下にあるアジア一帯は特にモンスーンアジアと呼ばれ、世界人口の半分近くが住む広大な生活圏となっている。その地域には、種々の特徴的な気候・環境帯が生じ、近くでは、日本や中国東部における梅雨や台風の到来、パキスタンからインドを経て東南アジアに至る北緯一〇〜二五度域に広がる熱帯湿潤気候、また、それとは対照的な中央アジアの乾燥化や、西南アジア（アラビア半島、およびその周辺）から北アフリカ（主にサハラ地域）にかけての砂漠化などが

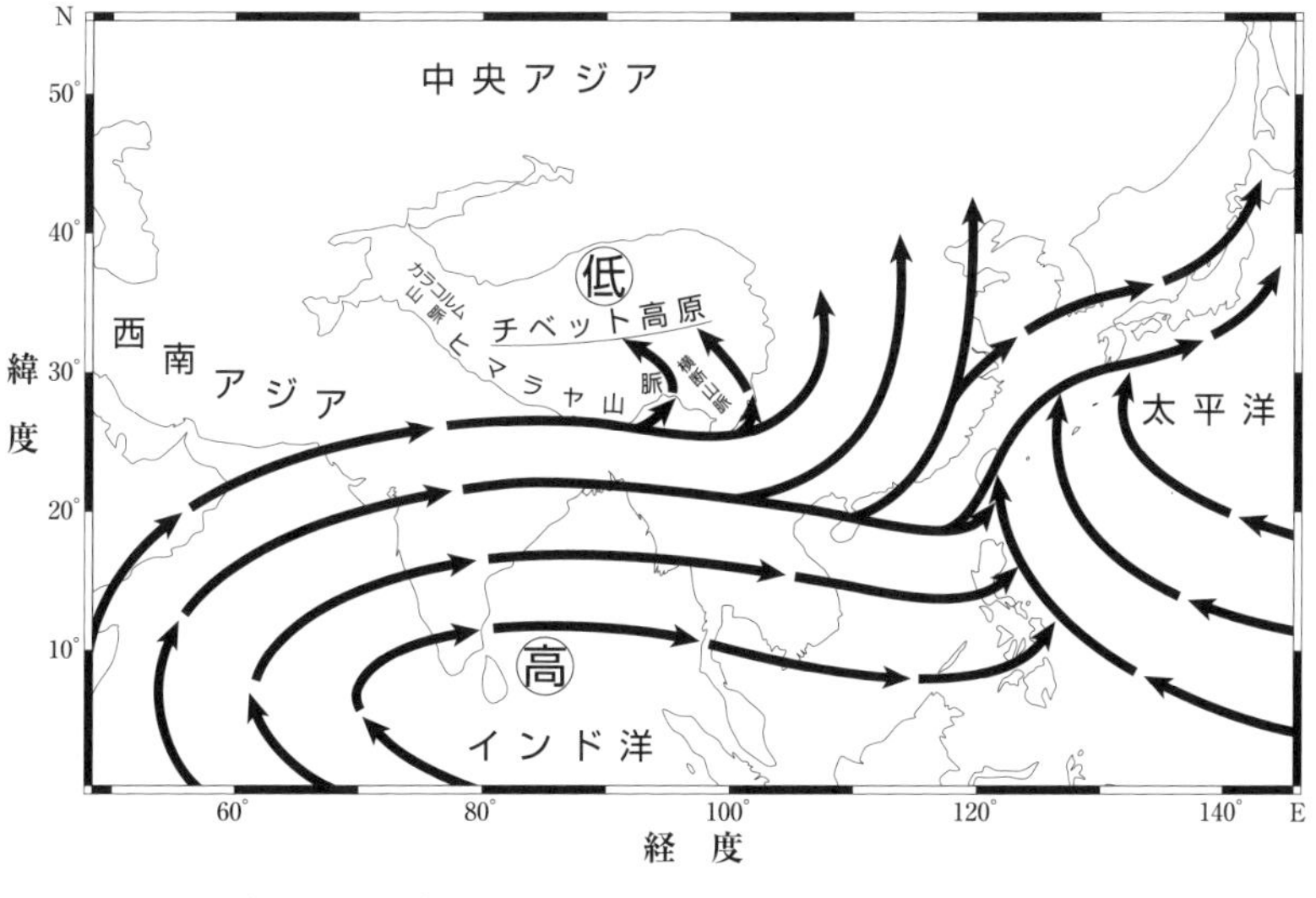

図6　チベット高原を取り巻くアジアモンスーン（インドモンスーンと南東モンスーン）の風系の概略図（村上多喜雄著『モンスーン』東京堂出版をもとに改変）

代表的な例としてあげられる。モンスーンに関するより詳しい話は、改めて第五章と六章で取り上げる。

高原の植生

前述の寒冷化、永久凍土の形成、乾燥化、高紫外線、および低酸素の苛酷要因のうち、低酸素を除く要因は、いずれも植物の成長を強く抑制する。また、それら四つの要因は一体となって、土の中での微生物による生物遺骸（有機物）の分解を抑え栄養分（窒素、カリウム、リンなど）の再生・循環と土壌の形成を著しく阻み、チベット高原の植物の成長・発達に、さらにブレーキをかけている。

ただし、高原の中でも、標高が三〇〇〇メートル程度と最も低く、海洋からの水分を含んだ気団が進入しやすい前述の南東部域（高原温帯湿潤気候区：図5）や東部域（高原温帯半湿潤気候区：図5）では、上記の環境要因は、チベット高原で最も大きく緩和されている。その結果、そこでは比較的背丈が高く、密生したカヤツリグサ科やイネ科植物を主とした湿草地が多く分布すると共に、ツガや松などの針葉樹林が混生している。そして、その地域では、牧畜に加え、麦類、ソバ、トウモロコシ、豆類等を栽培する農耕さえも行われている。

こうした一部の地域とは対照的に、チベット高原の特に、西部域、北東部域、中央部域、北西部域などの高原亜寒帯半乾燥気候区、および高原寒帯乾燥気候区（図5）の多くの地域は、森林限界（四六〇〇メートル）を越え、ヨモギ属、アカザ科、あるいはクッション植物（サクラソウ科や地にへばりつくように形態進化したと言われる、極端に茎が短くなった矮性《わいせい》の植物）など、比較的単純な植生からのみなる疎らな高山ステップとなっている。特に、北緯三五度以北の平均標高が、五〇〇〇メートルを超えるコンロン山脈の南部からタクラマカン砂漠にいたる北西部域（高原寒帯乾燥気候区の北部域：図5）では、さらに植生が乏しくなり、場所によっては植物がほとんど見られない荒漠地が広がっている。

三　チベット民族の存在基盤の確立と発展

苛酷な自然への同化

チベットの歴史を辿ると、その極限の自然を克服、あるいは征服するというのとは違って、叡智と不屈の努力によって、そこに積極的に同化していった軌跡が浮かびあがってくる。高山病にかかろうと、いかに寒冷・乾燥化し、やせた土地であってもチベット民族（主として遊牧民）は長い時間をかけて、自分達の生き方をこの厳しいというよりも苛酷な自然の中に組み込む道を、果敢に切り開いてきたと思える。その代表的な一例として野生のヤクの画期的な家畜化があげられよう。チベット高原の疎らで貧相な植生を中心とした自然の中で、低酸素にかなり適応した動物の中から、大きく（体長一・五～二メートル、体重五〇〇～一〇〇〇キログラム）、気性の比較的激しい野生のヤク（ウシ科ウシ属ヤク亜属：チベット高原にのみ棲息する草食性の耐寒動物群の一種）を選び、家畜化を試み、成功させるのである。

これによって、宗教上の理由から、身近な湖沼や河川にいる魚を、一般に食べない彼らの生活が、安定した蛋白源と脂質源とをその草原から獲得できるようになり、民族の食料・栄養状況が飛躍的に改善されることになったはずである。食ばかりではない。家畜化によって草原をもとにしたヤクの体は、すべて無駄なく利用され、中でも、その長く黒い体毛はチベット遊牧民や牧畜民の快適な住環境を築く上で欠かせない黒色のテント（バッナグ）（図７）の材料として、また短い毛は毛織物用として使われる。さらに、ヤクの糞すらも、薪炭を得ることがとても困難なチベット高原にあって、乾燥後、火力の強い貴重な燃料として役立てられている。このようにヤクの家畜化は、チベット民族の衣、食、住に加え、燃料の四つのライフラインの安定供給をもたらした。こうして、植物がたいへん疎らで、とても人間には直接利用が不可能な、チベットの広大な草原の物質やエネルギーを、苛酷な自然に生きている草食動物を経由して、人間へとつなぐ食物連鎖の回路を、チベット民族が創り出した。つまり、それを通して、ほぼ無駄なく利用できる画期的な新しい物質・エネルギーの循環系を、チベット民族は発明し、一つの特有な遊牧文化として確立させたのである。

図７　ベースキャンプ近くにヤクを連れて現れた遊牧民父子の黒テント（バッナグ）。テント前の高さ 2m 余りの飾り棒のような立ち物は、マニトイと呼ばれ、避雷針や神の依代（よりしろ）としての役割をなすという

チベット民族の発展

一般に、今から約九〇〇〇年前から六〇〇〇年前にかけて、地球は広く温暖・湿潤化し、植物の成長に適した気候最適期と呼ばれる時代を迎えていた。この頃のチベット高原には相当な森が発達・拡大し、それと共に高原東部の四川省に住み、森を住みかとしていた民族が、高原の森へと次第に移り住むようになったと言われている。その人々がチベット系民族を形成し、五〇〇〇年前頃には、さらに森林限界を越える地域にひろがる生産性の乏しい草原にも進出し、ヤクや羊を飼う遊牧や牧畜を始めていたようだ。というのは、最近、生物中のＤＮＡの塩基配列や蛋白質のアミノ酸配列などが、進化に伴って一定の速度で変化していることに着目し、共通の祖先を持つ生物種が進化の過程で分岐した年代を推定することができる『分子進化時計』（例えば、宮田隆著『分子からみた生物進化』講談社ブルーバックス、参照）という手法をもとに、チベットで野生のヤクの家畜化が開始されたのは約五〇〇〇年も前のことであったことが分かってきたからである。それから約三五〇〇年後の六世紀後半（西暦五七〇年後頃）になって、チベットが統一国家として歴史上に登場してくる。つまり、それまでチベット高原に群雄割拠していた諸部族が、一人の強力な武将（ソンツェン・ガンポ）によって統一され、吐蕃《とばん》と呼ばれる古代チベット王国がつくられた。その国土の規模は現在のそれとほぼ変らない広さを有し、大唐帝国（六一八～九〇七年）と国境を接していた。両国は領土の争奪戦を何度となく繰り返すが、吐蕃は、最盛期にあったかの唐をしばしばおびやかし、ついには、その都、長安を一時占領したことがある程の強力な軍事大国へと勢力を強めていった。

この軍事的強さは、特に、低酸素下におけるチベット兵士の戦闘能力の高さによるところが大きかったであろう。しかし、それに加え、やはり、画期的なヤクの家畜化に始まる三五〇〇年間という遊牧文化の長い蓄積の中で、衣食住をはじめとする生活必需品の安定供給のための物流網が、主要な都市間に太く発達していたことも、重要な要因であったと考えられる。実際、特に七世紀から九世紀にかけて、唐の都、長安（現在の西安）を出発点とした、チベット高原の真中を北から南に縦断し、西寧《シーニン》—ゴルム—ナクチュ—ラサ—ギャンツェ—シガツェ—ザンム—カトマンズへとネパールやインドに直結する道路（もう一つのシルクロードと呼ばれている。以後、古代シルクロードと呼ぶ）が、隊商や文物の交流路としてめざましい繁栄をしていたと言われる。それによってチベット内外からの物流が国内を潤沢に行き来し、国の発展をさらに促す強力な経済基盤が、長い年月をかけて築きあげられていたことは想像に難くない。

四　チベットの歴史・文化の基礎にあるもの

高原に満ちる祈り

チベットを語る際、その民族の仏教に対する信仰の深さについて触れずにおく訳にはいかない。

高原を行く我々の先々に、川面に、家々の一角に、峠に、山の谷間に、頂きに、そして川の流れの中にも、万国の旗を一つに連ねたような色彩豊かなタルチョと呼ばれる、経文が書き込まれた小旗のつながりがひるがえる（図8）。一方、草原では遊牧する人達が、あるいは街の中でも、行き交う人々の何人かは、経文が収納された回転式の小さな筒、マニ車を片手にたずさえ、ごく自然に回しているのを日常的に見かける。さらに、都市の古い寺院の近くでは数珠《じゅず》を持ち、いわゆる五体投地《ごたいとうち》礼による祈りをしながら、街路をゆっくりと、這って行く老若男女の姿に出会う。五体投地礼は、たいへん面倒な作法を踏む。まず、路上に直立した姿勢から、合掌した手を頭上にささげ、その後それを顔あたりまで下ろして解き、次は膝を地につけて手足を伸ばし全身で大地にひれ伏す。その状態から立ち上がり、再び同じ動作を繰り返し、その度ごとにシャクトリ虫のように等身大分だけ這って進んで行くのである。人によっては自分の住む所から何十キロメートル、何百キロメートルも離れた古刹や聖地に向け、経を唱えつつ、見るからに厳しい、この巡礼行為をしながら、ほこりと泥まみれになって何日も、何か月も旅をするという。五体投地礼による旅を通じ自らの罪を懺悔《ざんげ》し仏への帰依《きえ》を誓い、来世での幸せを求めるといわれる。そんな一途な情念と強い自発心とがチベット仏教を今もなお根底で支え、人々の魂を満たしているのであろう。

チベットの各地を巡りながら、こうした風景や人々に接するたびに「チベット民族の仏教に対する信仰心

図８　経文が書かれた色とりどりの小旗、タルチョが多数連なり、はためく峠

は、一途で篤い」との異口同音の説明にうなずき、チベットの人達の祈りがモンスーンと共に、その広大な高原全体に、いつも満ちているように思われてくる。

民衆の精神的支柱

チベットの仏教（大乗《だいじょう》仏教：自己の救済《ぐさい》のみではなく、広く人間全体の救済を説く仏教）は「古代シルクロード」を通じてインドから直接入り、古代チベットの統一王であるソンツェン・ガンポが、七世紀前半に仏教の受容を決めたことに始まると言われる。その後、長い時間をかけて、古来の伝統的な土着信仰との折り合い（習合《しゅうごう》）を計り、八世紀半ば頃（七六三年）に、仏教の国教化が正式に実現すると共に、大乗仏教の大きな流れの一つである密教をもとにしたチベット特有の宗教世界を発展させてきたと言われている。特に、宗教上の法王（ダライ・ラマ）が政治上の国王も兼ねる、ダライ・ラマ神権体制と呼ばれる政治と宗教とを一致させた政権が一七世紀につくられた。それ以降、仏教を中心とする文化が経済的発展と共に繁栄してきた。

このような一三〇〇年近くにわたる国をあげての長い信仰の歴史の中で、仏教に帰依する心がチベット全体に深く培われてきたのであるが、その教義の中で、民衆の精神的支柱となってきた教えとは、どのようなものであったのだろうか。それは、チベットの寺院の入り口に必ず描かれている、日本にも馴染み深いインド由来の輪廻《りんね》転生《てんしょう》の思想であると言われる。つまり、チベットの人達は物心ついた頃から、人の生命は六つの世界、すなわち地獄、餓鬼、畜生、修羅、人間、および天界を転生し、生前に善行を重ねた者は天界から人間界に、罪を重ねたものは地獄に堕ちるか、餓鬼などに生まれ変わることになると教えられる。こうした考えの浸透によって、チベットの人達は来世での幸せを願いながら、現世で一途に仏に帰依し功徳を重ねる歴史を積んできたのである。このような宗教的風土が、チベット文化の基礎をつくってきた主要なものの一つであろう。また、我々日本人がチベット民衆に、行く先々で親近感を抱くのは、顔立ちや姿が似ているからだけではなく、両国に共通する一三〇〇年近くもの大乗仏教の風土が育んできた文化や民族性によって、互いに引き合うからではと思えてくる。

しかしながら、チベット仏教は、周辺のブータン、ネパール、インド北部、四川省、雲南省、青海省はもとより、モンゴルからさらに、バイカル湖東岸にあるブリヤート共和国へと北上し、また、カスピ海に臨みヨーロッパの一角をなすカルムイク共和国にまで西進していると言われる。因みに、カルムイク共和国の国旗には蓮の花が描かれている。宗教もまた文化とすれば、なんと言うチベット文化の広がりであろうか。その伝搬力に驚くと共に、日本の文化的土台や、その普遍性が霞んで見えてしまう感にとらわれる。

五　調査・研究の目的と展望

チベットでの様々な調査・研究のうち、本書では主として気候・環境解析グループが行ってきた事柄を中心に述べる。

調査・研究の目的

チベット高原の存在が引き起こす最も大きな気象現象の一つに、アジアモンスーンがあることは前に述べた。この降水を伴った夏季の季節風は、北緯一〇度から四〇度の間で、西はアラビア海沿岸国から東は日本までを含む広大なアジアを潤しているが、その影響下にある地域は一般にモンスーンアジアと呼ばれる（図6）。したがって、アジアモンスーンは、世界人口の半分余り（約四〇億人）が集中する主要経済圏の水の需要を賄《まかな》っている。しかし、水需要が年々増加し、加えてアジアの各地域における将来のアジアモンスーンの変動の予測が難しい中で、今後の水の安定供給やモンスーンの増減に対する治水に、どのように対処するかが、現代の社会問題の一つとなっている。こうした問題解決に向けて、アジアモンスーンの変動の仕組みと、その将来予測に関する様々な研究が、一九九〇年代以降活発に行われてきた。そのような研究の中でも、我々が注目する事柄は以下の点にある。

アジアモンスーン（インドモンスーンと東アジアモンスーン）の強さは過去二万年の間だけでも、時代と共に大きく変動してきた。その盛衰を左右する最も重要な鍵を握っているのは、チベット高原の存在そのもので、アジアモンスーンの原動力である熱源として働いていることはよく知られている。しかし、チベット高原上に、どのような種類の熱源（岩石、土壌、および植生〔ステップ、草原、森林など〕）がどのように分布し、それらが全体としてモンスーンの盛衰に、どの程度、どのように関与しているかについての研究は未だ十分に進んでいない。こうした事柄が詳細になれば、アジアモンスーンの変動の仕組みに関する基礎的な知見が得られ、より具体的な将来予測が可能になると思われる。このような事柄を念頭に、当調査・研究では、アジアモンスーンの原動力であるチベット高原に軸足を置いて、アジアモンスーン、なかでもインドモンスーンの盛衰に大きく関与している諸要因とそのメカニズムの一端を明らかにすることを目指す。道は平坦ではないが、この点に関するできるだけ多くのデータを得るべく調査・研究を進めることにした。

目指す研究に欠かせない一分野として古環境学がある。この分野では、アジアモンスーンの発生源であるチベット高原上の様々な地域の湖底堆積物《たいせきぶつ》に記録された気候・環境変動の歴史を読み解き、モンスーンの発生（回復）とその後の発達・拡大（進化）、および衰退のメカニズムを明らかにすべく多くの研究が行われてきた。しかしながら、今後のさらなる研究の進展がまたれている。

今回の我々の調査・研究も、そのような古環境学の立場から、チベット高原上のアジアモンスーンの中でも、より強い影響力を持つインドモンスーンの将来の振る舞いに関する手掛かりを、まず得ようとするものである。その特徴は、これまで、何故か不思議にも、熱源としてほとんど注目されてこなかったチベット高原南部域にまず注目し、調査・研究を進める点にある。つまり、南部域はチベット高原の他のどの地域よりも低緯度にあって、最も日射量が強く、かつ永久凍土が少ないという、熱源として最大の影響力を持つと考えられる地域である。このことから、モンスーン変動のメカニズムを知る上で、他の地域からは得られない重要な手掛かりを潜ませていると思われる。また、同じ観点から、前に概略を述べた「チベット氷床」説の可能性に関しても、同様なことが期待され、これらのチベット研究に独自の端緒を引き出す可能性に想いを寄せる。

以上のことから、我々気候・環境解析グループは、主として以下の三項目を段階的に達成しようと、中国科学院・チベット高原研究所との共同研究を進めることにした。

①　プマユム湖の柱状堆積物に記録されたチベット南部域の過去約二万年間の古環境史を読み解くこと

② その古環境史と共に、現在の南部域における特にインドモスーンの振る舞いをもとに、チベット高原上のアジアモンスーン発生（回復）・発達、拡大（進化）、および衰退のメカニズム（仕組み）を解明するための手掛かりを得ること

③ アジアモンスーンの原動力となるチベット高原上の主要な熱源の種類および分布と、モンスーンアジア各域におけるインドモンスーンの盛衰との関わりについて、さらなる知見をこれまでの研究をもとに掘り下げること

これら三つの主要目的のうち、後者二つの研究段階へと進むためには、第一の目的がまず達成されねばならない。

なぜ、過去約二万年前からなのか？

研究の関門となる第一の目的は、「プマユム湖の湖底柱状堆積物に記録された、チベット高原南部域における過去約二万年間の気候・環境史を読み解くこと」であるが、なぜ、過去約二万年間を対象とするのかについては、ある程度の説明をする必要があろう。

まず、アジアモンスーンの盛衰に深く関係している、地球規模の気候・環境の歴史的変化の主なリズムについて概観するところから述べよう。

「チベット氷床」説の説明（序章一）で、その仮説的なメカニズムと共に述べたように、地球の気候は、なぜか、一〇〇万年前頃から、最も寒冷な時期（最寒冷期：氷期と言い、アジアモンスーンが最も衰退して

いた期間）と温暖な時期（間氷期：アジアモンスーンが強くなった期間）とが、約一〇万年の明瞭なサイクルで、交互に巡り始めた（図２）。一サイクル一〇万年間の気候は、一般に、概略以下のように変化する。まず、最寒冷期と呼ばれる期間が約二万年間続いた後、気候は大小の変動をしながらも一万年程度を要し、比較的急速に温暖な時期（間氷期）へと移行していく。続いて、最も温暖・湿潤な時期が数千年間続いた後、気候は、気温と共に湿度が徐々に低下する方向へと変化しながら七〜八万年を要して、再び最寒冷期へと至り一巡することになる。現在は、約一万年間の温暖期が過ぎ、徐々に氷期に向かう段階にあると考えられている。

こうした気候サイクルの中で、これまで最もよく研究がなされている時代は、今から二万三〇〇〇年前〜一万九〇〇〇年前の最後の（あるいは、最も新しい）最寒冷期（最終氷期最寒冷期：Last Glacial Maximum、略してＬＧＭ）が終了してから現在までの一万九〇〇〇年間の期間である。この期間は、全体的には、まず、約一万九〇〇〇年前から次第に温暖化をした後、約九〇〇〇年前から逆に寒冷化へと徐々に変化してきた時代である。一方、このグローバルな気候変化の流れの中で、突発的、あるいは、急速な温暖化や寒冷化などの気候事件（イベント：Event）が、二〇〇〇〜三〇〇〇年程度の間隔で比較的頻繁に起こってきた。こうした各種の気候イベントに対し、地球の各地が、どのような気候応答をしたのかについて、詳細な研究がこれまで進められてきている。このような研究背景のもとで、特にインドモンスーン圏内外の各地域の気候応答と、チベット南部域のそれらとの違いを比較することによって、後者におけるインドモンスーンの盛衰のメカニズムを明らかにする手掛りを得ることができると期待される。

例えば、種々の気候イベントに対するチベット南部域の気候応答が、同じインドモンスーン圏内にあるチベット高原の様々な地域のそれらと、開始期間、継続期間、気候・環境変化の規模などの点において、どのような違いがあるかを比較検討する。それによって引き出されてくる、各地域における気候・環境変化の違いから、インドモンスーンの発生（回復）、それに続く、チベット高原全体への発達・拡大、つまり進化の姿を描くための重要な糸口を得ることができる可能性がある。また、逆に、チベット高原全体でのインドモンスーンの衰退や縮小などのプロセスについても同様である。一方、「チベット氷床」説についても、最終氷期最寒冷期から脱氷期に移る約二万年前以降からの、プマユム湖周辺域の気候・環境変化を知ることができれば、その信憑性について議論することができるはずである。

以上が、本研究の時代対象を過去約二万年間とする理由である。

古環境史をどのようにして読み解くか？

では、堆積物中の何を、どのようにして、過去の気候・環境を読み解くことができるのか、この分野になじみの薄い人には、具体的にイメージし難いことであろう。少し説明を加えたい。

まず、堆積物とは、地球上をめぐる諸々の物質の移動・循環の過程で、様々な粒子状の物質が海洋や湖沼などの水圏や大気圏から沈降・除去された結果、水底や地表に年々沈積して造られる一連の集積物である。それは、何千年、何百万年、時には何億年にもわたって累々《るいるい》と積み重なり、一続きの堆積物を形成する。特に、湖底に沈積した堆積物では、地表の堆積物のように流水などにより削られることはほとんどなく、時代の連続性が非常によい。比較的身近な例としては、ロシアのバイカル湖で現在から約三千万年前まで、琵琶湖では約一千万年前まで遡《さかのぼ》れる連続した堆積物の存在が知られている。図9に、音波探査によってとらえられたプマユム湖の湖底に集積した堆積層の例を示す。こうした様々な堆積物には、それらが集積した期間にわたる、地球規模、および地域規模の気候・環境変動の情報が、例えば、分子レベルの有機物や無機物の分子化石、あるいはプランクトンや花粉などの微化石などなど、いわば種々の〝言語〟によって記録・保存されている。したがって、湖や海洋は、言わば自然の気候・環境情報を記録する一種の装置であり、堆積物はその情報を記録した古文書、あるいは一本のカセットテープと見なされ、地球上の様々な歴史や過去の現象を読み解くための貴重な情報源として活用されている。

こうした一連の堆積物から気候・環境の情報を引き出す手順は、おおむね以下のように行われる。まず、堆積物の層を乱すことなく掘り抜き、必要に応じてセンチ単位、ミリ単位、時にはマイクロ単位にまで年代軸に沿って（上下方向に）細断を行う。細分された各層に含まれる多種多様な物質の中から、明らかにしたい気候・環境に関する情報を記録しているいくつかの物質（一般に、これらをプロキシと呼ぶ）を選び、堆積物中における各プロキシの種類や形状（堆積物粒子の大きさなど）を分析し、それらの量や組成比

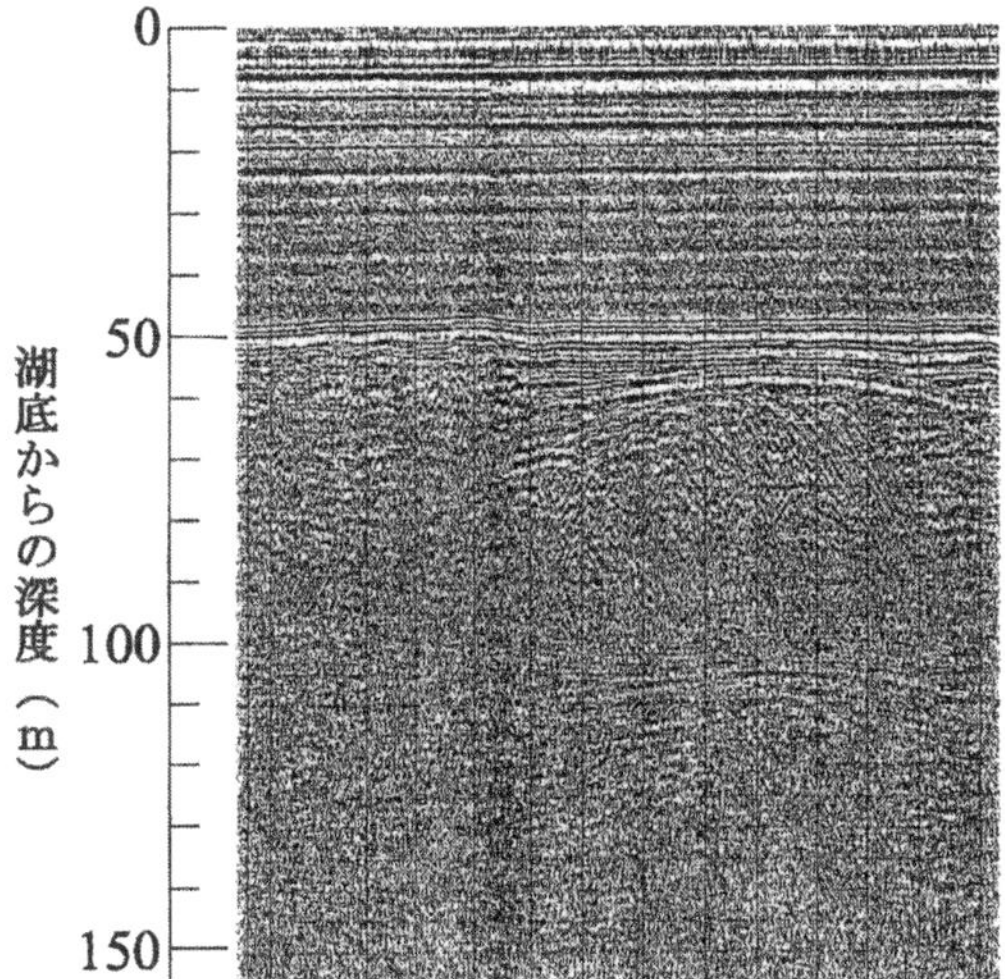

図９　プマユム湖の湖底の音波探査から確認された堆積物。表層（0m）から約 50m もの深さまでがそれに当たり、何層にも積み重なる軟泥の堆積物からなっていることが判別される。50m 以深の層は音波の反射が強く、基盤岩に相当すると考えられる（岩下ほか、2003）

を算出する。さらに、それらの起源の違いについてより詳しい情報をもたらすH、C、N、O、S等の元素組成比や、安定同位体組成比などを化学的・物理学的手法で明らかにする。その上で、個々のプロキシの質的、量的な時代変化を追跡すると共に、それぞれの堆積層の正確な年代決定を行うことによってはじめて、遠い過去から現代に至る気候・環境変動の記録を連続的に読み解くことが可能になる。

懸念される課題

ここでは、先に述べたように、チベット高原の湖から得られる湖底堆積物を対象とし、特に、約二万年前から現代までの気候・環境の歴史を明らかにすることが、まず当面の目的であるが、これまでのチベット高原での数々の研究事例をみると、その実現に確たる展望を持ち難い次のような課題があった。

広大なチベット高原には、今もなお続く地殻変動によって、大小合わせて約一五〇〇もの湖があると言われている。これら多様な湖底堆積物を対象に、チベット高原はもちろんのこと、地球規模の様々な気候・環境変動の歴史とそのメカニズムを解明し、将来のその予測につなげようとする種々の国際的な研究が、特に二〇世紀後半から活発に行われている。しかしながら、二〇〇〇年当時、研究の進展は期待される程にはかばかしくなかった。それには、平地とは大きく異なったチベット高原特有のいくつかの事情がある。まずひとつは、平均標高四五〇〇メートルの高原上では、一般に植生が乏しく、湖は貧栄養状態にあって、気候・環境に関する情報を提供してくれる生物起源の物質が堆積物中にとても少ないことである。このことは、当然、古環境情報を読み解くことを難しくさせると同時に、堆積物中の有機物に含まれる放射性炭素（^{14}C）による年代決定をも不正確、あるいは不可能にさせてしまうことになる。これは、堆積物の年代決定に使用できる生物由来の炭素（C）成分がチベットでは少ない上に、さらに深刻なのは各堆積層の本来の年代よりもずっと古い炭素成分（オールドカーボン）の自然混入によって汚染されている場合が多いからである。こうした傾向は、湖の位置が高原の西方や北方に進むにしたがって強くなると考えられる。何故ならば、それらの方向に向かって、標高や緯度が高くなると共に気温の低下と降水の減少が進み、植物生産がさらに抑制され、生物起源の物質が減少していくからである。二番目の問題は、特に低酸素レベルとなる標高四〇〇〇～五〇〇〇メートルでの、多くを人力に頼らざるを得ない堆積物掘削作業のしんどさ、および掘削関連機材をチベットの現地まで長距離輸送するためにかかる高額の経費である。三番目の問題は、それだけの労力や経費をかけても、研究者が望む、少なくとも約二万年前まで遡る良好な柱状堆積物を採取できる場所を確定することがたいへん難しいことである。

ともあれ、机上を離れ、こうした現実問題にぶつかりながら、前へ進むことにした。

幸いにも、懸案の諸問題をなんとか乗り越え、まずは、チベット南部域の最南端部に位置する湖、プマユム湖から、過去約二万年前にまで遡る湖底柱状堆積物を採掘し、そこに記録された気候・環境変動の歴史的特徴をはじめて読み解くことができた。そして、その特徴をもとに、アジアの水瓶を潤すアジアモンスーンの回復、発達、および拡大、さらには衰退に関わる主要な仕組みの新たな一端を、チベット高原におけるモンスーン気団の起源や挙動をたどる様々な調査行から引き出し得たようだ。同時に、東西南北一万キロ余りにおよぶ天空を巡る旅程で、チベット高原の自然の多様な表情、変わりゆく社会の姿、信仰の有り様・風景、遊牧や牧畜の人達の生活などを、あちこちで垣間見ることができた。本書は、そうした様々な見聞を、調査・研究の流れと共に織り交ぜながら綴《つづ》った一二年間にわたる学術探険紀行である。

参考資料

探検史に関する参考資料

＊『西域探検紀行全集』一五巻、白水社、一九六七年
＊長沢和俊『世界探検史』白水社、一九六九年
＊フェリペ・フェルナンデスーアルメスト『世界探検全史』関口篤訳、青土社、二〇〇九年

チベットの自然、文化、歴史などに関する参考資料

＊山口瑞鳳『チベット』（上・下）東京大学出版会、一九八七年＆一九八八年
＊色川大吉編『チベット曼荼羅の世界』小学館、一九九四年
＊デイヴィッド・スネルグローブ、H・リチャードソン『チベット文化史』奥山直司訳、春秋社、一九九八年
＊東野良『ヒマラヤ・チベット縦横無尽　NHKカメラマンの秘境撮影記』平凡社、二〇〇二年
＊チレ・チュジャ『チベット―歴史と文化』池上正治訳、東方書店、一九九九年
＊河口慧海『チベット旅行記』（上・下）白水社、二〇〇四年

ミランコヴィッチ・サイクルに関する参考資料

＊ミルチン・ミランコヴィッチ『気候変動の天文学理論と氷河時代』柏谷健二、山本淳之、大村誠、福山薫、安成哲三訳、古今書院、一九九二年

＊Hays, J.D., Imbrie, J. and Schackleton, N.J.（1976）Variations in the Earth's orbit: Pacemaker of the ice ages（地球の公転軌道の変動：氷期のペースメーカー）. Science, 194, 1121-1131.

「チベット氷床」説に関する参考資料

＊岩田修二「アジアの自然史—ヒマラヤ・チベット山塊をめぐる環境変化」安成哲三・米本昌平編『地球環境とアジア』岩波書店、二〇〇一年

＊安成哲三「氷期サイクルとアジアモンスーン」安成哲三・柏谷健二編『地球環境変動とミランコヴィッチ・サイクル』古今書院、一九九二年

＊Trinkler, E.（1930）The ice-age on the Tibetan Plateau and in the adjacent regions（チベット高原、およびその周辺域の氷河時代）. Geographical Journal, 75, 225-232.

＊Kuhle, M.（1987）Subtropical mountain- and highland-glaciation as Ice Age triggers and the waning of the glacial periods in the Pleistocene.［更新世（二五八万年～一万一七〇〇年前）における氷期の引き金役としての亜熱帯山岳、および高原の氷河化と氷河時代の盛衰］. GeoJournal,14・4, 393-421.

＊Shi, Y., Zheng, B. and Li, S.（1992）Last glaciation and maximum glaciation in the Quinhai-Xizang（Tibet）Plateau: A controversy to M. Kuhle's ice sheet hypothesis（青海—西蔵高原における最終氷期最寒冷期：クーレの氷床説に対する反論）. Zeit Geomorphology N. F., Süppl.-Bd. 84, 19-35.

＊Kuhle, M.（1997）New findings concerning the ice age（Last Glacial Maximum）glacier cover of the East-Pamir, of the Nanga Parbat up to the central Himalaya and of Tibet, as well as the age of the Tibetan inland ice［東パミール、ナンガパルバットから中央ヒマラヤおよびチベットの氷期（最終氷期最寒冷期）の氷河カバーと、チベット内陸部氷床の時代に関する新発見］. GeoJournal, 42-2, 87-257.

第一章

第一次調査：
早春の標高五〇〇〇メートル下での湖底堆積物採取

一　ラサに春の気配すれど

二〇〇一年三月二八日、地球化学、湖沼学、地学、および植物生理学の研究者などからなる一〇名の日本側メンバーは、中国科学院・チベット大学、チベット高原研究所、および中国登山協会からの計一三名の中国側メンバーと共に、空路を北京から成都経由でラサに入った。目的は、チベット高原南部域のプマユム湖を中心とした地形や動植物などの現地調査、および湖に記録された過去約二万年間の気候・環境変動を読み解くための湖底柱状堆積物《たいせきぶつ》をはじめとする様々な試料の採取である。我々一行がホテルに到着すると、民族衣装に着飾った若いチベット女性数名が玄関先で出迎え、ムギなどの穀類と土とをこね合わせた造形物が入った磁製の器をかざしかけてきた。そして、一・五メートルもありそうなカタと呼ばれる白い薄絹を隊員一人一人の首にかけ、もてなしてくれた。賓客を迎えるチベットの伝統的な作法であるという。

チベット高原は一一月から五月までが乾期で晴れる日が多い。我々が到着して間もないラサの日中の気温は思いの外高く一〇度を超え、市内を流れる川のほとりには、すでに芽吹き始めたすだれ状の黄緑色の柳が我々の目を引いた。そんな早春の古都ラサに第一次日中学術調査関係者計二三名が集い、四月二日から始まる標高五〇三〇メートルでの現地調査に向け、日本から船と鉄道と車を乗り継ぎ、この高原に運ばれて来た様々な機器や資材の確認作業と詳細な打ち合わせを行う。それと共に、約三七〇〇メートルのこの地で五日間の高度順化を開始した。後者の心得は、日々、ゆっくりとよく歩き、よく水分を摂《と》ることであるという。

しかし、近くでのそんな山歩き等も功を奏さず、二、三日すると日本側メンバーの二人が明らかな高山病にかかり、さらに二人がそれに近い症状になってしまった。

一方、クーラカンリ峰の中央峰（七四一八メートル）と東峰（七三八一メートル）の初登頂を目指す登山隊（隊長、出利葉義次氏）も、東海大学ヒマラヤ遠征委員会の高野二郎会長と井上孝副会長と共にラサ入りし、登山に向けて慌ただしく準備を進めていた。そして隊は学術調査隊よりも一日早い四月一日、ブータンとの国境に近いザーリという村に設営されたベースキャンプ（四三〇〇メートル）に向けて出発していった。風と積雪が増すモンスーン季に入る前の五月下旬までには、初登頂を果たさねばならないのだ。その夜、同行された高野会長から、その途中にあるプマユム湖の状況についてショッキングな衛星電話が入った。「不運にも今年は、チベット高原への春の訪れが特に遅れているようです。湖岸は高さ五〇～六〇センチ以上の氷塊でびっしりと固まり、湖面は全面的に厚い氷に覆われ、とても調査できる状態ではない」と。一瞬、半年前に訪れたあの湖から冷たく突き放された心境になり、「やはり、学術調査は登山隊とは別に、比較的穏やかなモンスーン季にやった方がよい」との計画段階からの繰り言が胸をついてくる。これからの調査隊の行動計画は、会長がラサに帰還され、現地の詳細な状況が聞ける二日の昼過ぎまでに決めることにする。その結果、問題の氷の状況を隊自身で見極めて判断することとし、隊員の高度順化の現況を考え、二日後の四月四日朝出発する事にした。翌日、みなでポタラ宮殿がそびえ立つマルポリの丘の足もとに軒を連ねる各種の店に出かけ、湖岸まで押し寄せているという氷塊や氷盤を砕き水路を切り開くべく作業に備え、バール、斧、ワイヤーなどを買い込んだ。明くる日のラサは、終日、かなりの雪に見舞われ、湖の氷の状況の悪化が懸念される気象となった。

二　氷結したプマユム湖へ

四月四日朝九時、種々のフィールド用機材（堆積物採掘用の組み立て式台船、大型ゴムボート三艇、船外機四機、電動ウィンチ、発電機二台、湖底物理探査機一式、各種測定機などなど）と、約一か月間の食料と生活用品を満載した大型トラック三台、および四輪駆動車七台に分乗した調査隊は、湖の氷結状況などの心配を胸にプマユム湖に向けて出発した。車のキャラバンは、流量が乾季でやせ細った大河ヤルツァンポーを渡り、三六〇〇メートルの河底から急峻なつづら折りの山道を約二時間かけ、四七〇〇メートルまで登りつめカンパ峠に着いた（巻頭カラー写真2）。この峠からチベットの畳々《じょうじょう》たる東西南北の山並が一望でき、これから我々が向かう遥か南方向をうかがう。これよりヒマラヤ山脈までの約四〇〇キロメートルに広がる平均標高五〇〇〇メートルを超す大地は、かつて一・五億〜五千万年前まで存在し、様々な海洋生物の進化と繁栄の大舞台となったテチス海の海底であったと言う。アジア大陸に衝突したインド亜大陸による長き地殻変動で、その海底が徐々に隆起し、現在見るヤルツァンポーとヒマラヤ山脈とに挟まれた、チベット南部の広大な大地が生み出された（巻頭のチベット地図参照）。この峠は、ダイナミックで壮大な地球の営みの一端を想い巡らせる場所だ。我々の目的地プマユム湖は、ここから南へ約三五〇キロメートル向こうの山並みの中に横たわっている。

カンパ峠から眼下に見るヤムドク湖（標高約四三〇〇メートル）（図10）まで一旦下り、そこから五〇〇〇メートルの目的地に向け、再び徐々に高度を上げてゆく。道路状況は次第に悪くなり、かつモウモウと砂ぼこりを立ち上げながら、昨年同様、デコボコ道を、平原を、川床を交互に走り抜けていく。途中、石積みの粗末な家屋が立ち並び、古びて、いたる所が崩れぎみの砦《とりで》風の山寺（ゴンパ）が建ついくつかの牧畜民の村々を、また、エベレスト近辺を中心とするヒマラヤ登山やネパール、インドを目指す一行の中継点の街ナガルツェなどを抜けていく。ラサからのこの道路は、古代シルクロードとして栄えたチベットの幹道であるが、今は行き交う車の砂ぼこりをかぶり、その面影はうすい。強い日射しと風の中で、ゴンパと共に次第に風化している感がある。

　ナガルツェを過ぎて間もなく古代シルクロードと別れ、左に折れ、いよいよ湖に向かう道なき道に入る。しばしば、タルチョの五色の彩りに出くわすが、春を感じさせるものは全くなく、荒々しく乾い

図10　河口慧海の「チベット旅行記」にも出てくる、4,700m のカンパ峠から眼下のヤムドク湖の眺望

た岩肌をさらし、疎らな草のみが生える山々が近くに迫り、また遠のいていく。カンパ峠から四時間余り後の午後四時頃、抜け難いぬかるみの道を心もとなげに全車両なんとか抜け出した。そして、標高四六〇〇メートルから五〇七〇メートルに至る数キロメートルの急峻な岩場を登りつめたボー峠（五〇七〇メートル）で、近くに迫った白く連なるヒマラヤ連峰を背景に、目的地プマユム湖が春浅き陽光の中、南方向の眼前に突然現れ出た。高野会長から報告があった通り、湖面は氷で覆われ、あたかも塩湖のように荒野に横たわるプマユム湖（巻頭カラー写真1）。全隊員、しばらく釘付けになった。昨秋の予備調査時に見たあの群青色はどこにも見当たらない、と思いながら目を凝らすと、所々氷が開き濃紺の湖面が見られるではないか。この状況に気付いた我々は、調査遂行に抱いていた悲観的な気持ちが大いに和らぐのを感じた。

峠の道から湖への湖岸段丘のゆるやかな傾斜面をゆっくりと下りながら、周囲の状況を把握し、比較的氷が少なく、湖面が部分的に開けた北側の岸辺に総勢二三名のベースキャンプを構えることにした（巻頭カラー写真3、および4）。その場所は、吹きさらしの疎らな草地で、湖のかなり東よりに位置し、湖岸から三～五キロメートル沖に、西から東に向かって寄り添う、大、中、小と三つある島のうち中島を目の前にしていた。視界を遠くに転じると、対岸の四〇～五〇キロメートル向こうの南側から東にかけて、神々の座と称されるヒマラヤの白く峨峨《がが》たる山々が取り巻き、その東端近くに登山隊が目指しているクーラカンリ峰のエレガントな姿（巻頭カラー写真3）が、湖越しによく見渡せた。その姿が、朝な夕なに淡く、濃く紅に染まり、一日が明け、暮れていく光景は郷愁を誘い、疲れた隊員達の心身を癒《いや》し、励ましてくれる存在となったようだ。

三　荒々しい春の胎動の中で

湖に着いた日から四月六日までの三日間、五〇〇〇メートル下での高度順化を行うため、夕食が終わると各々寝袋を持って登山隊のベースキャンプ（四三〇〇メートル）まで下り、テントを借りて休息を取った。これは効果的であったと思われるが、それでも日本側メンバーの約半分が高山病にかかり、調査に向けて全力を発揮できない症状に長く苦しめられた。

一方、湖の氷結と流氷の状況は、春の兆しを反映してであろうか、目で確認できる範囲の中島から大島の周辺で、日毎激しく変化しながらも氷のない湖面が少しずつ開いているように感じられた。そこに一筋の望みを託しながら、四月六日からフィールド調査の準備を、高山病で支障をきたしていない隊員で開始した。まず、堆積物の物理探査や掘削に使う台船（四×五メートル）、そしてプランクトンや水試料などの採取に使うゴムボート三隻（六人乗り二隻、三人乗り一隻）を組み立て、氷の少ない湖岸を選び進水させた。明くる七日には、各船に必要な装備品すべてを取り付け試走を行った。五〇〇〇メートル下での船足は酸素不足で、いずれも平地の半分にも及ばないが、それ以外は、厳寒の中で問題なく機能することを確認し、大まかなサンプリングの準備をひとまず整えた。

春まだ浅きこの時節の朝の気温はマイナス一〇～マイナス一五度である。毎日は、湖岸の氷塊と各船を取り巻く結氷をバールや鉄パイプで打ち砕くことから始まる（巻頭カラー写真5）。高地に慣れていない日本人にとって、この朝の砕氷作業は重労働である。肩で息をし、腰をふらつかせながらも鉄棒を振るう。中国登山協会に属するチベットの若者達の泰然とした働き振りとは対照的だ。

湖面が氷結していない所は、依然と中島と大島周辺とに限定されていたが、準備状況が一歩進むと、明くる日から隊員はそれぞれの調査作業を開始した（巻頭カラー写真6、8、および9）。日中の気温は、三〜四度で推移し、晴れる日が多かったが、大抵昼近くから寒風が強まり、耳の防寒なしでは外での作業はつらくなる。四月八日は晴天であったが、正午以降、西からの寒風が吹きすさび、湖上作業の出鼻をくじかれた。九日も同様の天候に加え、西方から大小の氷塊が文字通り帯状に延々と襲来し始めた。一〇日の午後になって、ようやく強風と氷塊の襲来はやみ、各グループは五、六時間にわたって湖上での調査を進めることができた。やがて、夕方の六時近くからサラサラと雪が降り出し、一〇時頃には一面雪化粧となった。ここでは、降った雪は液体（水）にならず、直接昇華《しょうか》し消えていく。チベットならではの初めての体験であったが、土の上のテント住まいの我々には、雪解けでぬかるみにならずなんとも都合のいい現象であった。ほぼ同じような天候は、一三日まで繰り返される中、各グループの調査は大きく進展した。

不思議なことに、四月一二日を境として気温が三度余りも急上昇したのである。しかし、強い風のせいか体感的にはそれほど暖かくなったとは感じられなかったが、記録上、本格的な春の到来の一歩を予感させた。その変化と連動しているのかも知れないが、一五日からプマユム湖が、特に夜になると、ジェット機が発進し飛び立って行くような一種の轟音《ごうおん》を辺りに響かし始めたのである。同様なことは、冬のバイカル湖においても起きていることが知られている。それによると、「夜間などに冷え込みが厳しくなると、水の温度は零度よりも低くなるために収縮し、そのために氷に裂け目ができる。この裂け目に水が入るが、すぐ凍ってしまう。翌日になって気温が上昇すると氷が膨張するが、前夜にできた氷が邪魔になって横にひろがることができず、氷の板が裂け目に沿って何メートルも押し上げられ、数キロメートルも続く丘を作る」(西條八束著『小宇宙としての湖』から)。このように氷に裂け目ができる時や、氷が押し上げられる時にバイカル湖は遠雷や大砲の如き不気味な大音を発するという。しかし、プマユム湖のジェット機が発進して行くような轟音は、主に夜起きることから、その音の発生メカニズムは、日中の気温(五~七度)に対し、夜の厳しい冷え込み(マイナス一〇度)によって、湖面を覆う比較的厚い氷盤に前述のように裂け目が縦横に走る結果ではないかと考えられる。いずれにしても、チベット高原には、一説、大小合わせて一五〇〇近くの湖があると言われるが、これらの湖の多くが冬季から春先にかけて、生き物のような不思議な雄叫びを高原全体で響かし合っているのかと想像すると、高原に対する親近感が湧いてくる。

一方、気温上昇は、我々に調査進行への期待を抱かせたが、思う程に湖上での作業状況を好転させることはなかった。むしろ、流動的になった氷盤が西方から強風によって次から次と押し寄せ、ベースキャンプ周辺の湖面を覆い尽くし、かつ、台船をも陸に押上げるなど、湖が調査を拒絶するような状況が、一四日から二一日にかけて一日おきにやってきた。

四　湖畔の遊牧民の村を訪ねる

四月一四日早朝、ひとりテントを出てびっくり。夜来の雪で見渡す限りの雪化粧はよいのだが、昨夕まで開けていた目の前の湖面は、はるか沖合まで氷で閉ざされてしまっているではないか！ 加えて、かなり重量があるはずの台船が湖岸沿いを西の方に押しやられ、陸に上がりかけている。昨夜は弱い風ながらも、打ち寄せる波に乗ってきた氷盤が岸に集積し、せり上がり、二トン近くもある船を陸側に押し上げたのであろう。起きて来た隊員達もみな、風と氷のなせる技に驚きの表情である。この日は、朝の曇りが昼近くには晴れたが、風は強くなり、氷に行く手を遮《さえぎ》られ、予定していた湖上での作業は全面的に取り止めにせざるを得なくなった。

忙中閑有りである。これを機会に、気になっていた比較的近くにあるという遊牧民の村を訪ねることにした。湖岸で作業を開始してから一〇日近くが過ぎるが、二十から三十代と思われるチベット人男性が、我々のすぐ近くに突然現れ出て、好奇心一杯の人なつこい目で我々の一挙一動を見つめている。そんな姿を一度ならず見かけた。人の住む家らしいものは全く見当たらないこの荒涼たる広野のどこから彼等はやって来るのかと不思議であった。中国側のメンバーによると、我々のベースキャンプから東へ約五キロばかり行った湖岸に、ドイという遊牧民の村（図11、および12）があって、そこから来るらしいと言う。それにしても、こんな冬枯れの寒く息苦しい五〇〇〇メートル余りの地に、何故に居を構えているのだろうか。一般に、チベットの遊牧の民は、寒冷な冬期には草は凍結し放牧は困難になるため、一一月頃にはしのぎやすい低地の山麓や谷間などの冬営地に人も家畜も移動し、春まで過ごすと言われている。何か特別な理由があるのだろうか。

午後三時過ぎ、チベット大学のツェリン助教授と二人でドイ村を訪ねた。ツェリン氏は、早春にヒマラヤを越えて行き交う渡り鳥の種類を、羽を休めるプマユム湖周辺で観察しようと調査行に参加した鳥類研究者

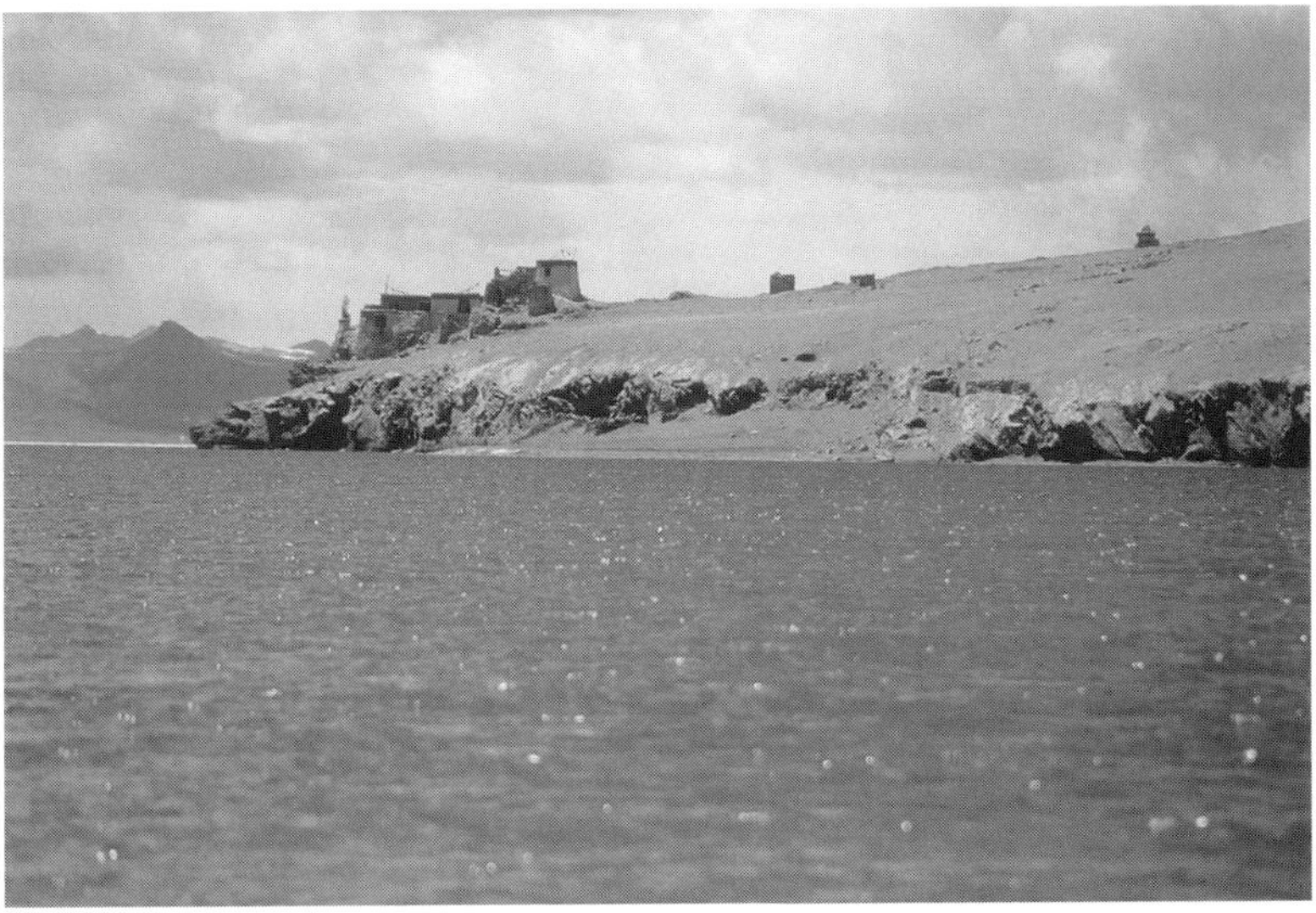

図 11　北湖岸の寒村ドイ村の一角

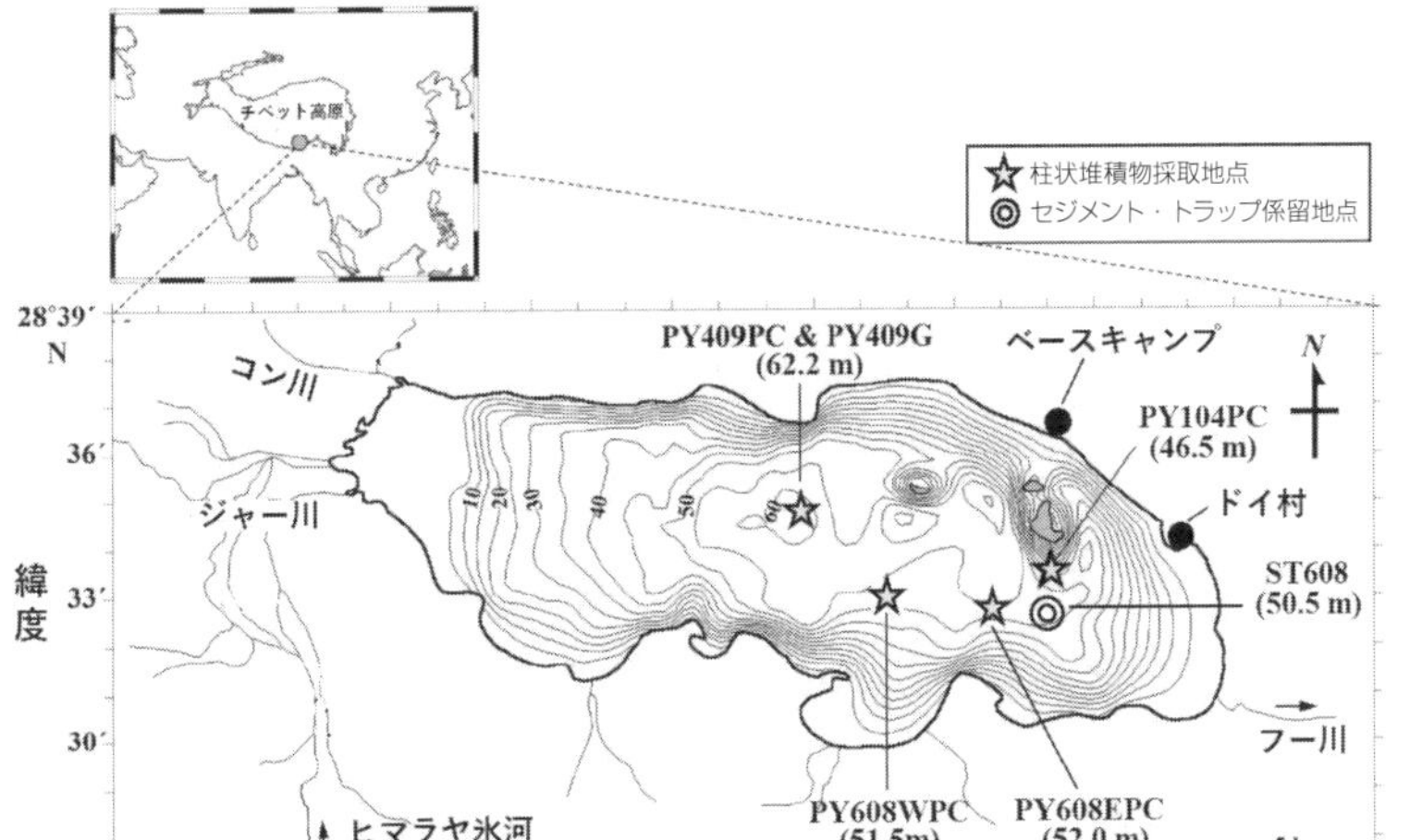

図 12　プユマム湖における柱状堆積物（コア）名と採取地点、およびセジメント・トラップによる沈降粒子捕集地点と試料名

である。たいへん友好的で、英語が話せるチベット人であることから通訳をお願いすることにした。二人とも村を訪れるのは初めてである。そこはベースキャンプから東側の湖岸沿いにある小高い岬の上にあった。湖岸には道はないので、湖の北側にある湖岸段丘の道に一旦出て、そこから回り込んで行かねばならない。岬の突端の比較的平坦な所に、こじんまりした石積みの家々が軒を寄せ、ほぼすべて南向きで東西方向に並ぶように建っていた。小高い丘の上での強い北西からの寒風を防いでいるのであろう。

村に入ると五、六人の子供達がもの珍しそうに集まってくる。多くが懐かしい鼻垂れの童で、日本の子供達によく似ている。一人の三十代の男性に案内を乞い、この村の人達の生活の一端を尋ねることができた。村には約二五世帯があり、一二〇名余りが住んでいるという。我々が最も知りたかった疑問、「草の芽生えからまだ遠い、こんな厳寒期にも、何故ここに住み続けているのか?」を早々に聞いてみた。思い掛けない答えが返ってきた。要約すると「冬期の湖の周囲には、夏期の放牧で牧草はほとんどなくなっているが、放牧ができない湖の島々には多量の牧草が枯れ草となって残っている。それを、湖面がしっかりと凍結する厳冬期(一~二月)を待って全家畜を連れ、氷上を島に渡り、食べさせ、刈り取ってくることができるからだ」と言う。長い時間をかけて得られた遊牧の叡智であろう。この話は後、NHKのテレビ番組「チベット天空の湖」として、その翌年の二〇〇二年に取り上げられ、家畜の群れが、未明、灰を撒《ま》いた四キロメートル余りの氷上を渡って島へ行き辿る姿、そして、この湖畔の土地に長く愛着をもって住んでいるチベットの人達の生き様が解り易く放映された。

村人の話を聞きながら村内のたたずまいに目をやっていると、湖に向かう勾配のゆるやかな下り坂の端に、周囲と違った比較的大きな石積みの家があることに気付く。「あれはお寺で、僧が一人住んでいる」と言う。チベット民族の篤い信仰心を思えば、この五〇〇〇メートル余りの標高の小さな寒村にもお寺があることに何の不思議もない。しかし、近づいて見ると最上階近辺の石積みが点々と大きく崩れ、入り口の木製の扉や雨戸とおぼしき板戸らがかなりの損傷状態で、一見あばらやもどきである。この傷跡は、一九六五年頃から中国の全土に吹き荒れた「文化大革命」の名残りだという。そう言えば、ラサにある主要な数々の名刹のほとんどが文化大革命に踊らされた漢民族の若者達によって、外部・内部を問わず徹底的な破壊と略奪を受けたと聞く。それと同様の激しい破壊が、人がほとんど通わぬ寒村のこんな小さな寺院にまで及んだということは驚きであった。観音様の浄土と信ずるこの土地に、無分別な破壊を始める無頼の輩《やから》が出没した時、村人達の恐怖と悲しみはいかばかりであっただろうか。後日談になるが、それから一週間後、堆積物の採取の際、氷盤の襲来で一時退避し上陸した大島にも、かつて寺院があり、破壊されたという廃墟と周りに散乱する瓦礫を目のあたりにした。その様子は、やはり文化大革命が正気の沙汰をはるかに越えた破壊行為であったことを如実に示しているように思えた。

この寺院の南側は、湖へ急転直下となる五〇〜六〇メートルの断崖絶壁となっていて、村人と湖との日常的な接触がないかのように見える。しかし、村に入る途中に湖岸への道があって、そこを通じて暮らしと湖とが結びついているらしい。飲料水の調達、たまさかの洗濯、子供達の水遊びなどが中心であるという。また、チベットの気候は一年を通して乾燥ぎみなので、人々は、一般に風呂に入る習慣がほとんどないと言われるが、ドイ村の人達は、夏季にこの湖で沐浴をするらしい。二日前の湖の調査で、隊員の嵯峨《さが》篤《あつし》君（当時、海外水産コンサルタント協会）が、この標高五〇〇〇メートル余りの湖に、珍しくも一〇〜二〇センチの高原ドジョウやコイ科の魚が棲息していることを突き止めたが、村人は魚の捕獲を一切しないという。肉食系の遊牧民がなぜとの疑問に、「湖は、我々にとって神聖な場所だからだ」との答えが返ってきた。村人とツェリンさんとのしばらくのやり取りの後、向きを変えて、「特に子供達が死んだ時は、この湖で水葬にし、その亡骸《なきがら》を魚に託すのだそうです」とツェリンさんの説明が続いた。つまり、この湖は村人にとって亡き子供を弔い、来世での救済（天上界から人間の世界に再び生まれるということ）を祈願する神聖な場であると言うのである。チベットでは、葬礼の様々な方法（鳥葬、火葬、風葬、水葬、土葬、犬葬）の一つとして水葬（鳥葬や犬葬に従うならば、これは魚葬と言うべきか）があることは知識として持っていたが、しかし、我々が調査・研究対象とするこの人里から遥か離れていると思っていた目の前の湖が、その場であり、神聖な信仰の対象となっていたとは……。これは困ったことになったとショックは大きかった。

実は、チベット民族の文化が衰退し歴史が色あせていくような、これまでの現中国の様々な強い統制にやるせない思いを持ち、チベットの人達に同情を抱いてきた。また、チベットに来てたった二週間しか経っていないが、街のあちこちに警察や軍関係者が立ち、軍隊を乗せたトラックが頻繁に行き交う街の風景を通して、その感情は増幅されこそすれ、改められることはなかった。しかしながら、今、この村人の話を聞いて、日本からやって来た我々一団も、チベットの人達の文化を支え歴史を引き継いできたであろう聖なる場所を、学術調査の名の下で勝手に入り踏み荒らしていることになっているのでは。とすれば、我々も忌み嫌われる異邦人ではないか。この心配と疑問とが絡み合った心情をツェリンさんに問い掛けてみた。ところが、東洋人特有の微妙なスマイルを見せるだけで、返答は返ってこない。〝残念ながら、そんな所でしょうか〟と取れる。いや、わが英語のつたなさで返答に困惑したとも取れる。

このドイ村訪問を境にわが心は、中国の仲間達とチベットの人達との板挟みになった心境だ。知らずして、二十余名からなる日中のメンバーと共に湖の調査に入ってしまった今に至って、隊長としてどう対処していいものか胸苦しい。ともあれ、湖の守護神に我々の不敬のお許しと、湖にやって来た真の意図の理解とを誠意をもって乞うしかないと思う。

五　堆積物の採取地点決定の賭け

湖の調査を開始して以来、予定の滞在期間（四月四〜二二日）の半分余りが過ぎた。その間、気象・環境条件は冬から春へと少なからず変化している様子を感じ取ることができた。しかしながら、湖を縦横に動く氷盤と雪まじりの強い風が、我々の手足を鈍らせ、諸作業の前進を阻む状況は基本的に変わらないままである。いや、むしろ、西の方から尽きることなくやって来る氷盤の規模は大きくなり、動きが速くなったように思われる。そんな中、残された一週間内で、予定が遅れている堆積物の採取などすべての作業を急ぎ終了すべき段階に入った。

堆積物の採取に際し、このプマユム湖の何処に、どれくらいの厚さの堆積層が形成されているかをまず把握するために、音波探査を行う計画であった。この探査作業を日本の地質調査会社オーシャンエンジニアリング社に依頼し、かつ、通産省（当時）の許可なしでは共産圏には持ち出せない計約五〇〇キロ余りの精密機器、音波探査装置一式を、手荷物として日本から、道中様々な気遣いをしこの標高五〇〇〇メートル余に運んできた。計画では、この装置を使い、まず湖全体の湖盆図（湖の等深度線を書き込んだ平面図）を作成し、堆積物がよく沈積していそうな湖底地形を中心に探査する予定であった。台船を使ったその探査作業（巻頭カラー写真7）を岩下篤氏（当時九州東海大学）、鴨下智裕《ともひろ》君（オーシャンエンジニアリング社）、および湖海《こかい》敬介君（同上）の三名のチームで、四月九日から開始したが、これまでも述べてきたとおり、湖の氷結状態によって探査地域を自由に選ぶことができず、ベースキャンプのある北側湖岸から南へ四～五キロ離れた大島や中島周辺までの水域に限定せざるを得ない。連日、氷や強風とせめぎあう計五日間の調査から、大島の東南端沖と北側湖岸とを最短で結ぶ、水深四〇～五〇メートルの水域に、最も厚い約五〇メートルもの軟泥堆積層が存在していることが分かった（図9）。この事実に加え、その後の放射性炭素（^{14}C）による表層の堆積速度の測定と、深度と共に増す圧密効果などから推定される平均堆積速度（約〇・一ミリメートル／年）をもとにすると、少なくとも約四〇～五〇万年前頃までには、周辺の東西に延びる活断層の活動が進み、プマユム湖が形成され始めていたと推測された。この湖の形成年代は、以前に概算した年数のさらに二倍余りを示唆し、プマユム湖での種々の調査・研究の意義を後押しすることになった。

湖の限られた範囲ではあるが、得られた堆積物の分布状態をもとに、どの地点で堆積物を採取するのがベストであるかを、共同研究者の中国科学院のツー・リッピン（朱立平）氏と話し合った。その結論を話す前に、堆積物採取に関する基本的な事情を説明する必要がある。まず、我々が解析したいチベットの気候・環境変動記録は、最近で最も寒くなった約二万年前（最終氷期最寒冷期〔Last Glacial Maximum：ＬＧＭ〕：二・三万～一・九万年前）から現在にかけての二万年間のそれである。そのような連続的な堆積物を、標高五〇〇〇メートル余りのチベットの山奥にある、五〇メートルを超す深い湖から十分な量を採取しなければならないが、できるだけ大掛かりな機器装備を使わず人力を活かし、経費が比較的かからない方法を取る必要がある。そのことから、我々は使用経験があるピストン・コアラーと呼ばれる堆積物採取装置を使うことにした。このコアラーは深い湖で使いこなすにはそれなりの経験を必要とするが、五つの主要パーツ（アクリルパイプ、ピストン、打ち付け用重り、ピストンと船底を連結するワイヤー、および、重りを上下するためのロープ）からなる組み立て式のかなり単純で比較的軽量の装置である。

この装置で湖底堆積物を採取する原理について少々の説明が必要であろう。それは水鉄砲で水を吸い込む原理と基本的に同じである。水鉄砲の筒にあたるのが透明のアクリルパイプ（長さ四メートル、内径七・五センチ）、吸い込み棒にあたるのがそのパイプに密着するピストン（長さ一〇センチ、径七・五センチ）である。堆積物の採取時には、まず、アクリルパイプ（筒）の最下部にピストン（吸い込み棒）をセットし、船底からピストンまでの距離が変わらないように二点をワイヤーロープでしっかり固定し、パイプとピストンが一体となった状態で水中に吊り下げる。その際、湖底堆積物から五センチ程度直上にパイプの末端が来るように設置する。ただし、船上からこの位置を決定するのは、かなりの熟練を要する。その状態で、船上から、ピストンと船底をつなぐワイヤーロープに沿って上下できるようになっている重り（自重二〇キログラム）でパイプの最上部を繰り返し打ち付けると、四メートルのパイプのみ（ピストンは動かない）が堆積物中に打ちこまれて行くと同時に、直下の水分が多く柔らかい堆積物の層をほぼ乱すことなく採取できる（吸い込む）ことになる。

話を本題に戻そう。湖底堆積物採取にあたって、もっとも問題になるのは、解析したい約二万年間の層をもった堆積物が四メートル以内の厚さで沈積している場所を、いかに的確に把握するかである。しかしながら、今回のように全体の湖盆図と、各地点の平均堆積速度が明らかになっていない状況で、そんな場所を言い当てるのは至難の技である。ここで、ツー氏との話し合いに戻るが、限定された水域の中で陸から運ばれてくる物質がもっとも少ない、つまり堆積速度がもっとも遅いと考えられる場所を直感的に選ぶ他はないということ、そして、今回は、そんな場所として、大島からできるだけ南東方向の氷結面に近い沖合、水深五〇メートル地点（図12のPY104PC）が妥当であろうとの判断で一致した。後で詳しく述べるように、この堆積物の採取地点決定は本学術調査での最大の賭けであったように思われる。

六　氷と烈風に翻弄される堆積物採取

四月一六日朝、柱状堆積物のコアリング（掘削）に出かけるつもりで、関係者九名が岸辺に並び立ち湖の状況を眺め回す。晴天だが、しかし、岸辺からかなり沖合まで切れ間なく氷結していて、かつ湖上を渡る風が次第に強くなる。結局、この日は何も成すことなく終わる。翌朝、マイナス一〇度。特別寒く感じるが、風なく湖面の氷結も岸辺に限定され、湖になんとか出られそうだ。コアリングのチャンスと考え、みなで湖岸を覆う氷を砕き、昨夜の風と氷で陸に押し上げかけられている台船を湖に戻す作業に取りかかる。準備ができ、全員出発できたのは午後一時を過ぎていた。大島に近いコアリング地点に近づいた頃（巻頭カラー写真10）、またぞろ風が強くなってきた。やがて、五〇〇メートル四方もありそうな幾つもの氷盤が我々を圧するように押し寄せ、目指す地点を覆い、かつゴムボート上の物探機材が強風で波をかぶる事態に至った。もうベースキャンプに戻るしかなくなったが、その退路も氷盤で覆い尽くされてしまった（巻頭カラー写真

11)。仕方なく大きく迂回し、動きが速くなった氷盤を避けながら二時間近くをかけ、なんとかベースキャンプから西に五〇〇～六〇〇メートル離れた湖岸に辿り着いた。台船を岸から五〇メートル余り離れた湖上に係留し上陸した。ホッとしたのも束の間、夕食後の八時過ぎ、台船などの様子が心配で確認に出かけた。案の定、台船もゴムボートも押し寄せる氷に取り囲まれ、その力でドンドン陸へ押し上げられている様子が氷明かりの中に見える。これでは明日もコアリングが大幅に遅れるか、一日棒に振ることになると思われ、みなでまず船の周りの氷を砕き、すべての船を湖岸に着水させた。それから、岸沿いに現れた比較的氷の少ない五、六メートル幅の水路を使ってベースキャンプの近くまで曳航《えいこう》することを敢行する。作業用ゴムスーツを着ているとはいえ、腰あたりまで氷水につかり、薄暗い中を氷に行く手を遮られながらの、三隻の船を引き、押しての作業は、寒さと極度の緊張で途中放棄せざるを得ないかと何度も心配された。しかし、深夜近い一一時頃、隊員はもちろんのこと、中国登山協会の関係者や同行取材の新聞記者の人達までもの献身的な協力で一難を越えることができた。

明くる日、みな疲れ気味だ。加えて、曇天の下、風強くマイナス七度。防寒着を重ねても寒く感ずる。しかし、ベースキャンプ周辺の湖面の氷結は、幸いにも岸近くに限り、みなによる一時間程の氷割りで船を解放し、通り道を確保できた。だが、その後風がさらに強くなり台船の三点でのアンカーが効かず、位置の確保が難しくなってこの日もコアリングを諦めざるを得なかった。残る四日内で、柱状堆積物を少なくとも二本採取せねばならない。気象状況のこれまでの経緯から考えると、その達成の見通しがかなり厳しくなり始めた。そんな心境のなかで、みな疲れているがこの一日をコアリングの成功になんとかつなげようと、強風の中、湖岸に比較的近い水深二〇メートル程の所で堆積物の試掘を敢行することにする。船上で簡単な昼食を取り夕方までかけ、できるだけパイプ一杯の四メートルに近い柱状堆積物採取を目指した。しかし、結局最長三・一メートル止まりであった。二〇メートルと比較的浅い水深だから、目指す堆積物の採取はそれほど問題ではないと思っていたが、やはり強風の影響は大きい。問題は二つあると考えられが、いずれも船が左右上下に大きく揺れ動くことによって生じる。一つは、パイプの先端（つまりピストンの位置）を湖底面から高くても五センチ程度上に、船上につながるワイヤーロープでしっかり固定することが重要だが、その微妙な調整どころか、大まかなそれすら不可能であった。もう一点は、パイプ内のピストンとつながるワイヤーロープと打ち込み用重り（二〇キログラム）につながる合成樹脂ロープとが絡み合って、パイプの十分な打ち込みが何度やってもできずじまいに終わったことである。首尾よく行く場合には、パイプ上部に取り付けた金属キャップを重りが打ち付けるカーンカーンという高い澄んだ金属音が湖底から響いてくるのである。今回は、その快音をほとんど聴けずに終わった。

しかしながら、今回の試掘作業から、貴重な体験が得られた。柱状堆積物（コア）を採取したピストンコアラーは、総重量一〇〇キロ近くになるが、それをパイプから自重で押し出されてくる堆積物を最小限に抑えながら、各人渾身《こんしん》の力を出し切れない不自然な姿勢で湖面から船上に引き上げる泥まみれの作業は、低酸素の五〇〇〇メートル下にあって、日本人のみでとてもできるものではない。チベット人でそれも屈強な若者からなる中国登山協会の面々も半数加わり、総勢六人で息を合わせないと、このチベット高原という環境での湖底柱状堆積物の採取はほとんど不可能であることを思い知らされた。しかし、その状況に合わせた中国側全員の積極的で果敢なバックアップには胸を熱く、意を強くさせられた。こうして、この日は思い掛けなくもコアリングに向けた大きな前進ができた一日となった。

七　柱状堆積物採取のラストチャンス

今日こそは、と祈る思いでテントから顔を出す。晴天だが風が強そう。しかし、湖面の氷は岸に近い所に限定されていて、それほど悪くない。このままであれば行けそうだ。コアリングに出かけることを決め、みなで湖岸や各船の周りの氷砕きとその他の準備を終え、いざ出航の段階になった一〇時半頃からさらに風が強まり出し、かなりの白波が立つまでに至った。台船のアンカーがほとんど効かず、位置決めのGPSなどの機材が波しぶきをかぶるほどになり、またもやコアリングが不可能な状況に陥ってしまった。残された日は後三日。さすが悲観的な気分が心に漂い始めた。隊員はもちろんのこと、我々をバックアップしてくれる他の関係者も意気消沈の趣である。そんな雰囲気を払拭するよう明日に賭け、みなで各準備の再点検を行う。

それればかりではない。関係の神々には、十分な敬意を払っての祈願も欠かせない。みなに、困ったときの神頼みだと一蹴されそうだが、気持ちは至って真面目だ。土着の神々に敬意をもって接することは、異郷へ出かける者の基本マナーだ。とは言うものの、ドイ村を訪れた四月一四日以来、湖面が氷に広く閉ざされたり、強い寒風が吹き荒れ白波立つ情景を目の前にするたびに胸苦しくさせられるという事情があった。前に述べたように、チベット民族の神聖な場である湖に勝手に入り、不敬な振る舞いをしていると取られかねない我々を、湖の守護神、さらにはチベット・ヒマラヤの神々は受け入れることができず、様々な試練を課しているのではとの思いが日を追うごとに募っていたのである。それと共に、人を寄せ付けぬ湖の日々の姿に畏怖の念がいつのまにか心に住まうようになった。そんな思いを持ちながらも、知らずして湖の調査に入ってしまった今に至って引くに引けず、どう対処していいものか解らずじまいに来てしまった。ここは、再び不敬の許しを乞い、学術調査以外の意図はなく、湖を汚し壊すことは極力しないことをひたすら伝え、加えて堆積物採取のチャンスを与え賜えと湖を眺めながら願い、新たな祈りを捧げた。

明くる四月二〇日朝、我々の悲壮な願いが湖やチベット・ヒマラヤの神々にも届いたのだろうか。風がほとんどない晴天で、湖面の氷の状況も悪くない。コアリングに絶好の日と期待させる。八時半、隊員六名、中国登山協会メンバー四名、および新聞記者三名の計一一名が台船と二隻のボートに乗り分け、大島南東部の採取予定地点に向けて出発。信じがたい程何事もなく目的地に着き、前もって音波探査をした地点を探す。位置の決定と水深測定を受け、コアリングを一一時頃からスタート。少々曇ってはきたが、依然と波は静かだ。深さ約四七メートル。この水深では、ピストンをはじめとするコアラー全体をつなぐワイヤーを電動ウィンチから繰り出していくうちに、風波がなくてもワイヤー自身が持つねじれによってコアラーが徐々に回転し、同時に手で繰り出される打ち込み用の重りのロープとが絡み合いを起こしうる。そのことを念頭に両者をある程度離し、ゆっくり水中に繰り出す。しかし、二度、三度と繰り返しても打ち込みができない程の絡みが生じてしまい、水深の影響の大きさを改めて思い知らされる。試行錯誤する我々を見守る人達から、ワイヤーとロープを互いに思い切り遠く離して繰り出してはとの案が出された。その言に従い、態勢を立て直した。その効果が現れたか、絡みはかなり解消されたとの手応えを感じた。少々の絡みはまだあるけれども、パイプを打ち込む金属音がある程度聞けるではないか！　二〇キロの重りにフーフー、ハーハー言いながらみなで交互に打ち込み、十分と思われる時点でコアラーを引き上げた。パイプの最上部近くまで堆積物に満たされている状態をほぼ確信していたのだが、驚いたことに上部一メートル近くが水で満たされたパイプが現れ出てガックリ！　約三メートルの柱状堆積物（コア）であった。絡みで、繰り出し分のロープの長さの確認が甘く、湖底とパイプ先端との間の距離の見極め不足であったと思われる。

　こんなはずはないとさらに慎重にコアリングを進めるが、やはりロープの絡みが思う程に解消されない。新たに三度目の試みで、絡みはあるものの重りをある程度上下できる状態となった。船上の一〇名で入れ代わり立ち代わり、前回の轍《てつ》を踏まないよう重りロープの繰り出し分を確認しながら慎重に、執拗に打ち込む。手応えがあって、いよいよコアラーを引き上げることになり各々の持ち場を決め臨戦態勢に入る。ワイヤーの巻き上げをみな固唾《かたず》を飲んで見守る。なんと、パイプのほぼ最上部まで満たされたコアが上がってきたではないか（巻頭カラー写真12）！　みな歓声をあげ、素早くコアの引き上げ作業に入る。まず、重りをコアラー本体から外し、引き上げの妨げにならないように掘削用の鉄パイプのヤグラに固定。続いて、コアパイプの底部から、自重で堆積物が出ていかなくするためのキャップの取り付け。それと共に、一〇〇キロ近くあるコアを人力で水面近くから船上に引き上げる一連のスピードを要する力作業は、息の切れない屈強のメンバーが欠かせない。今回は、三国志に出てくる劉備《りゅうび》か張飛《ちょうひ》、はたまた関羽かと見紛う巨体の中国登山協会のジャン・ユアン（張紅援）氏にチベットの屈強の若者二人と、学術隊員から筆者を含む三人が加わり計六人態勢で息を合わせ渾身《こんしん》の力を込め、一気呵成《いっきかせい》に柱状堆積物を無事船上に引き上げることができた（巻頭カラー写真12）。息を合わせたとは言うものの、前三者のパワーは格別で、残り三者は付けたしの感が強い。ともあれ、パイプの底部からの堆積物の損失が残念にも一〇センチ余りあったが、めでたく三・八メートルのコアが採取され、ヒマラヤ山脈を背景に船上で黒々と起立した姿に誇らしくも安堵の胸をなでおろした（巻頭カラー写真13）。そして、湖の守護神とチベットの神々に最敬礼し、深々とお礼申し上げた。

ここに至るまで計八回のコアリングを繰り返し、気がつけば六時間余りの時が経ち夕方の五時を過ぎていた。不思議にも、その頃から、これまで凪《なぎ》の状態であった湖上に風が強まり出し氷塊や氷盤の動きが活発になり出した。計画では、コア採取装置を取り換え、三〇センチ程度の湖底表層堆積物を新たに採取するつもりであったが、帰途を急がねばならない。迫り来る氷盤に追われ、回避しながらベースキャンプに着いたのは暗闇近い八時を回っていた。長時間の重労働と寒さのためみなクタクタだ。そんな中、採取したコアを、帰国後解析を担う予定の大学院生蓮池君と共にパイプごと一メートルおきに切り（巻頭カラー写真14）、凍らないよう丁寧に毛布にくるんで保管ケースに入れ、日本への無事到着を願った。もし、このコアに記録されたチベット南部域の古環境史の読み解きに成功すれば、チベット高原とインド洋を軸としたインドモンスーンの発生と発展・拡大（進化）、さらには衰退に関するメカニズムや「チベット氷床」説についての貴重な知見が初めて引き出されてくるはずだ、と思うと疲れが少々の興奮に紛れていく。

こうして、我々は、長さの点ではほぼ満足のいくコアを手中にできた。しかし、それを落ち着いて船上で見上げた時からある不安な思いが心に行き来し始めた。少なくともLGM後の過去約二万年間のインドモンスーンを中心とするチベットの古環境変動が、この三・八メートルの中にしっかりと記録されているか否かについてである。既に述べたように、堆積物採取のための湖の範囲が大きく限定される中で、堆積速度が最も遅いと思われる地域を確かな根拠もなく見当をつけ、その堆積層の四メートル内に二万年間の古環境情報が記録されているだろうとの賭けに似た試料採取を行った。その結果に対する不安が意識され始めたのである。真偽のいかんは今後の日本での年代測定結果を待つ他はなく、心急かれる思いだ。

ここは、急ぎついでに、数か月後に明らかになった結果を開陳しておくべき所であろう。序章五で述べたように、正確な堆積年代測定には、一般に、生物由来の有機物の存在、それも単一種の生物から由来するそれが求められる。幸いなことに、得られた三・八メートルのコアの最下部から約一・五メートル間に、植物片が点々と含まれていて、それは主として現在のチベットの湖水にも広く分布するヒルムシロ科のポタムゲトン単一種の水草遺骸であることが分かった（図13）。この植物片を対象に、当時名古屋大学の北川浩之氏によって行われた加速器質量分析法（AMS）による年代測定の結果、最下部の年代が一万八五〇〇年前と決定された。我々が願っていたLGM（二・三～一・九万年前）内の年代に残念ながら少々届かなかったが、しかし、ほぼLGM直後からの約一・九万年間にわたる気候・環境史を読み解くことができるので基本的に問題はない。それにしても、柱状堆積物の損失がなければ、LGMに達していたのだがと悔やまれる。一方、堆積物を船上に引き上げる時に起きた約一〇センチの堆積物の損失がなく、採取を決定した地点の堆積層四メートル内に、我々の直感に沿うようにまさしく過去二万年間の堆積物が沈積していたことになるが、この符合は単なる偶然であったのであろうか？　不思議な感

図13　約4mの柱状堆積物の底部から見つかった水草ヒルムシロ（ポタムゲトン）の残存物

に囚われる。

八　調査最終日とその後に想うこと

一般に、柱状堆積物の最上部（表層）〇〜三〇センチ近くは湖水との境界面で、水を多量に含み、湖からの引き上げ作業中の上下左右の震動や揺れなどでかなり撹乱され、古環境解析用試料としては使用できなくなる。改めて層の乱れのない湖底表層堆積物（〇〜三〇センチ）を、コアが採取されたと同じ場所から得る必要があるが、それを残された二日のうちにやらねばならない。

明けて四月二一日。風は比較的穏やかだが、湖を見渡すとベースキャンプ近辺の岸から島々に至る間、さらに大島の東側のサンプリング地点周辺までもが広く氷によって覆われ、とても船を出せる状況ではなくなっている。この状況は午後になってもほぼ変わらず、終日岸辺を右往左往しながら湖上を眺めるのみに終始した。

ついに最終日の四月二二日が明けた。湖面は岸からかなり沖の方まで氷に覆われているが、それから向こうの島々との間には氷がほとんどない。大島近くのサンプリング地点も同様だ。決断を逡巡していると、例のジャン（張）さんが「やってみよう！」と鉄棒を持って現れた。まさに、鬼に金棒の出で立ちだ。ジャンさんがその気ならばと、みな大いに鼓舞される。三〜四人の同僚と共にボートを押し出し、遠く一キロメートル以上あると思われる氷のない沖に向かって砕氷を始めたのである。すぐ息が切れる我々はむしろ足手まといになる。ありがたくも感服の眼差しで見守るのみである。一時間半余りを要してそれなりの水路が開かれ、我々はそこを通り氷のない沖合に出て、サンプリング地点に達することができた。風も依然と穏やかで、氷盤が押し寄せて来る気配はない。二日前のような凪《なぎ》の一日を願いながら作業に取りかかる。しかし、一時間足らずで風が次第に強くなり、雪まじりの烈風に急変したのである。それと共に氷盤が西方から帯状にやってきて我々の船を取り囲み始め、作業の中断を余儀なくさせた。吹雪の中、氷盤にぶつかり大揺れにゆられながら全員島影に退避し、その襲来をやり過ごすことにする。小一時間して、吹雪は烈しいままだが氷がかなり少なくなった。そこを見計らってなんとか測深と位置決定を行い、一昨日とほぼ同じ場所で、堆積物落下防止付きグラビティ・コアラー（全長約七〇センチ）を使って表層堆積物の採取を試みる。しかし、横なぐりの吹雪の中、高低差が一メートル以上もあるうねりがそうさせるのか、それとも、アンカーが効かない中本来の地点を大きく離れてしまったのか、採取を四度試みるが思うように試料が取れない。みな、手の感覚がほとんどなくなり息は切れ切れだ。ツー氏と相談し、この厳しい状況の中で判断材料が乏しく消耗するばかりなので試料採取を諦めることにする。全く残念なのは、出掛けの登山協会の人達の積極的かつ果敢な協力と労苦に報いることができないまま、氷と吹雪と荒波の洗礼を受けて撤退せざるを得なかったことである。

無念の気持ちを抱いてベースキャンプに戻ったのは夕方の五時を過ぎていた。この帰還をもって、四月四日からスタートした全調査日程を終了することにした。振り返れば、二〇〇一年四月二〇日の湖を取り囲む気象状況の出現は、不思議さに打たれる巡り合わせであったと日増しに思われてくる。四月九日から開始し四月一五日に終了した堆積層の音波探査では計七日間のうち五日間、厳しい気象条件下であったが調査実施日として使えた。しかし、それに続く四月一六日に始まり四月二二日に至る堆積物採取期間七日のうち、十分作業ができたのは四月二〇日の一日のみであった。もし、四月二〇日というラストチャンスが訪れなかったならば、間違いなく、最大の目的であったコアを得ることなく、手ぶらで帰国せざるを得ないことになっていた。その予感が強まり、さながら薄氷を踏み綱渡りをしているような状況の中でその絶好の凪の一日が訪れた。加えて、四メートルのパイプ内に我々が求めていた、現在からLGMまでの古環境情報が記録されているコアの採取に成功したのである。偶然を超えた何かを感じない訳にはいかない。それは、チベットの人達が心を寄せるあの湖に、我々の願いを聞き入れてくれた、ただならぬモノの存在を、改めて感じさせたのであった。

さらに不思議と思えることがある。その後二〇〇六年まで継続されたプマユム湖の学術調査で、湖の中心部に近く、主な深み（五五～六五メートル）がある四地点から、いずれも約四メートルの計六本のコアを採取した（図12）。しかし、それらに記録されたいずれの古環境情報も、この二〇〇一年四月二〇日に採取したコア（PY104PC：コアNo.1）に記録されたそれに勝るものは一本もなかったのである。つまり、チベット高原南部域のLGM後の過去二万年間の優れた古環境情報は、一般に、あの広大な湖の中心部近辺の深部域にあると多くの人は考える。しかし、実際にはそこではなく、誰も思いも寄らない北岸寄りで大島の南東部先の二、三キロメートル沖合の堆積層に、前者とは比較にならない程詳細で明瞭な情報が記録されていたのである。このことを、早春のプマユム湖が湖面のほとんどを氷結状態にし、我々に指し示してくれたことになる。もし、計画段階で望んでいたように、学術調査を、冬の名残りが色濃く残るこの時期ではなく、氷も北西の烈風もない温和な夏期（モンスーン季）に実施していたならば、後述するようなチベット高原南部域を中心とした古環境史や、インドモンスーンの発生（回復）とその後の進化についての新しい知見をほとんど引き出すことができずに終わっていたであろう。すなわち、先述した本学術調査・研究の三つの目的のうち、第一関門を真に突破することができなかったことになる。第一次調査の出発から終了までの結果は、我々の意識や判断を遥かに超えたことであり、天佑《てんゆう》と言わざるを得ない。その経緯と実情を、この後の章に織り込んで述べていくことにしたい。

これまで述べてきた通り、春まだ浅き五〇〇〇メートル余りのチベット高原で初めて進められた計二〇日間の調査とコアの採取は、当初、我々が予想していたそれとは遥かに異なり、高度障害を起こしながらの極めて困難な作業の連続であった。そんな状況下で、予定していた目的をすべて達成することはできなかったが、しかし、主要なデータや試料の取得をほぼ果たすことができたのは、チベットの人達を中心とする中国側メンバーの惜しみない熱い協力によるところが大きい。湖の状況や船上の作業などが容赦なく厳しくなり日本側メンバーの士気が鈍った際には、すかさず彼等が前面に出て状況を克服し、さらに戦端を切り開いて行く様に日本側はみな深い感銘を受けた。特に、四月二〇日のコア採取の稀なるラストチャンスを活かせたのは、まさにそのような濃密な連携作業の賜物であった。加えて、あの早春の五〇三〇メートルのプマユム湖から全隊員、特別な怪我もなく無事帰国できたのも中国側メンバーの存在があったからこその感が、今なお深い。

第二章

第二次調査：より優れた古文書を求めて

一　二〇〇一年採取の柱状堆積物に記録された古環境情報

二〇〇一年四月下旬、日本側隊員はチベットを後にし、北京経由で第一次調査から全員無事帰国した。しかし、ほとんどの隊員は高度障害に端を発する何らかの健康障害によって、最高七キログラムまでの体重減に見舞われていた。わが体調も元に回復するまでに三か月近くを要した。

かのプマユム湖からのコアは、検疫、および輸入手続きを必要とするため、しばらく北京にあるツー氏の中国科学院・地理&資源研究所（現チベット高原研究所）に冷蔵保管してもらい、活力が戻り次第できるだけ早く取りに行く予定であった。しかし、種々の状況に押され、結局、コアを我々の研究室に迎え入れたのは半年後の一一月になってからであった。PY104PC（コアNo.1）と名付けられた、この三・八メートル柱状堆積物は基本的に厚さ一センチ（平均約五〇年間分に相当）ごとに細断され、各種の分析試料となった。

既に述べたように、このコアの最下部の年代は約一万九〇〇〇年前であった。細断された個々の堆積物試料のさらなる正確な年代測定は、その後、水草などの植物片が存在する三・八～二・二メートル（約一万九〇〇〇～一万五〇〇〇年前）間についてはなされたが、それより上の層については測定の見通しが立たない状態であった。それは、堆積物中には、測定に必要な全有機炭素（ＴＯＣ）は十分量存在するが、序章五で述べたように、その中に混入している、正確な年代測定を妨げるオールドカーボンを除去する方法が当時見つかっていなかったからである。一方、記録されている古環境変動史を読み解くため、当初、我々は種々の有機分子（通称、有機化合物）を情報源として研究を進めることにしていた。個々の試料から関係する情報を有していると考えられる様々な有機分子を取り出し、一年余りをかけて分析を行った。特に、TOCの炭素同位体組成比（$\delta^{13}C$）や炭素と窒素の比（C／N比）の他、一般に、陸上植物、水草、土壌、各種プランクトン、バクテリアなどの特定の生物種に固有の起源を持ち、気候・環境に関する情報を有するとされている種々の有機分子、例えば、炭化水素（アルカン）、脂肪酸、アルケノン、ステロール化合物、ホパノールなどといったよく知られた生物指標物質（バイオマーカと呼ばれる）を選び、各々の深度変化などをまず引き出した。続いて、それらの各深度変化とインドモンスーン下における、よく知られた気候・環境の時代変化との関連性を検討したが、いずれの有機分子についても両者の間に明確な関係を見出すことはできなかった。これは、チベット高原というある意味、特殊な環境では、一般に、平地で知られている各有機物の供給源の知見をそのまま適用できないことによると考えられる。チベット高原におけるそれらの供給源を正確に把握するためには、かなり詳細に検討すべき事柄が数多くあることを思い知らされた。自由に行き来できないチベットの湖を対象とした古環境解析の研究に、我々が期待とする有機分子を対象とした有機地球化学的な手法は、時間の関係上、当面、適当ではないと判断した。

代わって、特に注目するインドモンスーンの歴史的変動を反映する乾燥・湿潤の情報をもたらす有機分子以外の諸物質（プロキシ：代替指標物質）を対象とする研究手法に改めることにした。そのようなよく知られた代表的なプロキシとして花粉がある。しかし、プマユム湖堆積物中の花粉組成を分析された花粉分析学者の守田益宗《よしむね》氏（当時、岡山理科大学）によると、試料の多くの堆積層には花粉濃度が一立方センチあたり一〇個以下しかなく、かつ無花粉に近い状態の層が相当数見られ、信頼できる植生の復元にはかなりの慎重さを要するという。その花粉の少なさは、基本的にチベットの植生の乏しさにあるのだが、しかし、PY104PCコアの採取地点が、湖中央部よりかなり東側で、かつ島影に近い所にあることがその主要な原因の一つと当時考えられた。そんな観点から、湖中央部、あるいは、そこから東へ数キロメートル離れた深みにはもっと多くの花粉などの微化石が沈積し、かつ、さらに古い堆積物を得ることができるのではとの期待を持ち始めたのである。

心晴れぬままの二〇〇三年半ば、同様の悩みを吐露するメールが、プマユム湖から得た三メートルのコアを対象に種々の無機物の深度分布を中心に解析していたツー氏から届いた。互いの現状を話し合った結果、LGMまでのより優れた古環境情報を四メートルの堆積層内に記録した堆積物は、島近辺ではなく、やはり、湖心に近い深みにあるのではとの点で一致し、来る二〇〇四年夏季に湖底堆積物の採取を中心とした第二次チベット共同学術調査を行うことを決めた。

この調査に先立つ二〇〇四年、再び早春（四月）のラサに蓮池君に代わる大学院生松中哲也君と訪れ、ツー氏とその大学院生ワン・ジュンボ（王君波）君と落ち合った。この訪問は、夏の調査に備え、中国登山協会のラサの機材倉庫に保管されている第一次の厳しい調査に曝された台船、ゴムボート、船外機、発電機などの主要機器や資材を四人で点検・整備するためである。ツー氏と共に、時間的余裕のない中、高度障害に悩まされながらもなんとか四人で五日間の作業を行い、親交を深めると共に第二次調査の準備を整えた。

二　チベット高原上にまで響くオリンピックの槌音

第二次調査は、種々の都合で九月一日から九月二三日までの日程で行い、湖底柱状堆積物の採取とプマユム湖の湖沼学的特性の解明を主目的とした。この時期はモンスーンの後半に入るが、二〇〇一年の早春とは違って、氷や寒風に悩まされることなく存分の調査活動ができるとの期待を持って日本を発った。

チベットへは、今回も空路を北京から成都経由で入境した。第一次調査以来三年半近くが過ぎ、いずれの空港も二〇〇八年の北京オリンピックに向けて大改造のたけなわであった。二〇〇一年当時、特に成都空港ではいかにも四川省の大きな田舎町のそれらしく、農夫（婦）とわかる出で立ちの一団が大きな荷物を背負い、時には生きた数羽のニワトリを羽交い絞めにして持ち歩く姿が、雑踏のあちこちに見られたものだった。しかし、今回は、近代的な建物が建つ中、人の流れが大きく変えられたのだろう、そんな風景は全く見られず、雰囲気が都会風に大きく変わっていた。空港改造の必要性から言えば、中国の観光資源の最大のドル箱と言われるチベットの玄関、ラサ空港（正式名はゴンガ空港）も同様の工事が行われているはずとの思い通り、至る所工事中であった。さらに、大々的な工事は空港だけではない。主要道路の拡幅、ヤルツァンポーとラサ川を一挙に跨《また》ぐ大架橋工事、市内の区画整理、きらびやかで他を圧するような漢風の巨大なホテルやデパートの新築、舗装や新街灯の設置などによる街の美化などが活発に行われていて、空港からラサ市内までの車窓の風景は三年前と大きく様変わりしつつあった。

そんなラサに、盛夏を過ぎた九月二日、日本から六名、中国科学院から七名の計一三名の学術調査隊員が集まり前回と同様、高度順化と共に調査の準備を始めた。科学院からのメンバーのうち、低酸素下での堆積物採取の際、問題なく強力を発揮できる大学院生が少なくとも三名はいると聞いて安心する。このことを受け、中国登山協会から今回は四輪駆動車などの運転手四名とコック一名に協力を願うことにした。

五日後の九月七日、プマユム湖に向けて出発。しかし、その経路は、ヤルツァンポーを渡り、そこからあのカンパ峠まで上り、南を目指すという前回のそれとは異なり、大きく西へ迂回するルートを取った。というのも、かつての古代シルクロードの一つであり、今もエベレストを中心とするヒマラヤ登山やネパール、インドへの幹道となっている、ラサ、カンパ峠、ナガルツェ（浪卡子）、ギャンツェ（江孜）へと通ずる道路も来るオリンピックに備え、全面改修・舗装の途上にあったからだ。我々は工事がそれ程行われていないという道路を地図上で辿り、まず、西方にあるチベット第二の古都シガツェ（日客則）に行き、そこから方向を東に転じてプマユム湖に至る二日を要するルートを取ることにした。ラサからシガツェに至る安全で最短の道は国道三一八号である。迷うことなくヤルツァンポーに沿って、ひたすら西方へ約二〇〇キロ走れば三時間余りで着く。しかし、当時、この主幹道も例外にもれず大改修中であった。残された道は、ラサの遥か北方から南下している七〇〇〇メートル級のニェンチェンタンラー（念青唐古拉）山脈の南端の山々を越え、ヤルツァンポーにつきあたり、大河沿いにシガツェに至る三〇〇キロ余りのルートである。この経路は、その山脈の南端の麓に近い街、ヤンパーチェン（八羊井）からヤルツァンポーにかけての五〇〇〇～六〇〇〇メートル級の山越えをしなければならず、悪路で時間がかかるという。しかし、天候がよければチベットの奥山の一部を眺めることができる魅力がある。

調査隊の車列は夕方過ぎまでにシガツェに着くよう二時頃、晴天のラサを出発。まず国道一〇九号に乗り、北西方向の約八〇キロ先にあるヤンパーチェンに向かって走り出した。間もなく国道沿いに流れる川を隔てた向こうに、鉄路らしい高い土手が延々と造られているのに気付く。オリンピックまでに、チベット高原の北東部にある最大の湖、チンハイ（青海）湖に近いシーニン（西寧）からラサまでを縦断する約二〇〇〇キロにおよぶ高原鉄道の一端だという。その通過最高標高は五〇〇〇メートルに達し、鉄道の記録では世界最高になるらしい。しかし、その達成には、大きな技術的問題が立ちはだかっていたはずである。特に、シーニンからニェンチェンタンラー山脈近辺までのチベット高原北側のほとんどは厚い永久凍土に覆われていて、鉄路を敷設《ふせつ》するための基盤工事や、鉄橋、トンネル建設などに相当高度な土木技術が必要とされると言われていた。どうやら、中国はロシアから学び、その技術を習得したようだ。それを今、オリンピックに乗じ、中国の以前からの政策である、チベットやシンキョウ・ウイグルなど永久凍土が広がる西部域の開発の主幹となる鉄道や高速道の建設に活用できるまでに至ったのだ。このチベット高原鉄道は二〇〇六年頃には全線開通になるという。そして、近い将来、さらにラサからシガツェを経由し、ネパールやインド、さらには、中央アジアにまで鉄路を延ばす計画が語られている。

こうした西域の開発は、漢の時代以来受け継がれてきた歴代中国王朝の野望であったと言われる。現中国も例にもれない。北京や沿海都市から中央アジアやインド洋を経てヨーロッパに至る現代版のシルクロード（一帯一路）の建設が画策されているが、チベットの開発はその一環であろう。

車はヤンパーチェンに至り、平坦な草地に出る。モウモウと砂煙を上げながら南へ一時間ほど走り、ニェンチェンタンラー山脈の南端、標高約三〇〇〇メートルの麓に着く。そこから五千数百メートルまでつづら折りの急坂を登って行く。この山越えの道は悪路と聞いていたが、最近かなりの拡幅と整理がなされた様子で車の乗り心地は悪くない。四〇〇〇メートル、五〇〇〇メートルと登るにつれ、山脈の頂きの青黒い山肌に、このモンスーン季に降り積もった分厚くも真新しい雪渓の静かな佇《たたず》まいが、車の前方に、後方になったりしながら次々と迫ってくる。そこには、発達した長大な氷河の蛇行流も時折姿を現す。そんな雪山は、河口慧海《えかい》が、その旅行記にも述べているように、チベットの人達にとっては神々しい仏様か神聖な天界の地に映るのだろう。峠や開けた山肌にはかならずタルチョがはためき、我々をチベット仏教の世界に誘う。一方、西方から南方へ、南方から東方に広がる壮大な山々の連なりは、カンパ峠で見たそれとは大きく違い、全体的に丸みを帯び岩肌の色合いも明るくカラフルな感がある。おそらく、ヤルツァンポー沿いを境界とした南北の地殻変動や成因の違いによるのだろう。専門家の話を聞きたくなる光景がゆったりと広がり続く。

そんな光景を見ながら五三〇〇メートルのソッグ峠を越え、下りにさしかかってしばらくすると、ブルドーザやパワーショベルなどの重機やダンプカーの大きなうなり音が響き、ヤルツァンポーに至るまでに何度となく前方を阻まれた。やはり、この山奥でも、山を削り整地をし道路の整備・拡幅に余念がないのである。越えてきた山々からの壮大な眺望を思えば、北京から約三〇〇〇キロ離れていてもラサからカンパ峠までの道路同様に、ここもオリンピックを機とする観光資源開発の対象となっていることに不思議はない。こうして山深くにも響くオリンピックの槌音《つちおと》で我々の急ぎ足は頻繁に減速と停止を繰り返され、シガツェに着いたのは出発から七時間余りを要し、夜一一時をとうに過ぎていた。

三　湖に辿り着くまで

国外からの我々が、ラサからヒマラヤ山脈に程近いプマユム湖に行くためには、中国人民解放軍、および、チベット自治政府からの特別入境許可をとらなければならない。仰々しく思われるのだが、それはヒマラヤ山脈を国境として接する国々との新たな紛争に対する種々の軍事的配慮のためであり、同時に、民族独立問題で治安がもともと不安定なチベット、中でも監視が手薄な辺境の地に入って来る外国人旅行者に対する警戒のためと言われる。両者への許可書の申請は、すでに八月一八日付けで中国科学院の国際共同研究局からなされていた。しかし、前回と違って、我々が出発を予定していた九月六日になっても入境許可の見通しが立たず、「理由がわからない」とツー氏がボソリと言う。中国登山協会のメンバーは、「最近、治安が悪く許可書の取得は難しくなっている」と。そう言えば、現在押し進められている西部開発によって多くの利益を受けるのは、チベットやウイグルなどの西部域の民族自身ではなく、主に北京や東部の沿海都市からやって来る漢民族であると言われる。それに反発した動きが、最近、チベットなどで起きているとの報道を日本で知った。そのこととも関係しているのだろう。

いずれにしても、この時点でもっとも気になっていたことは、調査に参加した寺井久慈《ひさよし》氏（当時、中部大学）とその学生芳山陽子さん、および村上哲生《てつお》氏（当時、名古屋女子大学）の三人が、日本での用務で九月一五日には湖からラサに下山しなければならないことである。予定している八日間のフィールドワークをほとんど達成できないままに終わるのではないかとの懸念が生じてきた。というのは、高度順化への配慮が欠かせないのである。三八〇〇メートルのシガツェから一気に五〇〇〇メートル余りのプマユム湖に至った場合、体にかかる負荷は大きく、少なくとも二、三日は作業を控えねば様々な高度障害を引き起こしかねない。そんな恐れから、入境許可の遅れに加え、高度順化によってほとんど調査の時間を確保できない事態になるのではと心配してしまう。それをできるだけ避けるため、ラサでの入境許可申請手続きをツー氏にまかせ、他のメンバーは九月七日に出発した。プマユム湖まで二日を要する西回りルートを、半日で湖に着けるシガツェまで先行し、そこで入境許可を待つことにした。

シガツェでの一夜が開けた。青空の下、初めて見るチベット第二の古都の様子を近くの食堂へ朝食に行きがてら眺める。やはりラサと同様、街の区画整理、道路の拡幅、大きなホテルや商店街モールなどの建設があちこちで盛んに行われている。そんな街の活況とは裏腹に、我々の心は今朝も浮かない。昨日も、プマユム湖周辺域への入境許可は出なかった、とツー氏から知らせがあった。朝食をとりながら、その重い空気を少しでも和らげようと、食事後、一二名全員で近くにあるという古い仏教寺院を訪ねることにした。シガツェ、およびその周辺には、古くは一〇〇〇年余り前に建立された古刹が、長き風雪とあの「文化大革命」に耐えながらも点々と存続しているという。その中でも、日本の室町時代前期にあたる一四四七年に建てられ、ラサのポタラ宮につぐ規模と風格をもつと言われるタシルンポというお寺を拝観することにした。

巡るだけでも二、三時間かかりそうな広い境内に入った。山門の奥には、仏殿であろうか四、五棟の大きな楼閣がひときわ目立つ（図14）。もしそれらがなければ、一見その辺のチベットの街と変わらない風景である。古く、著名なお寺というからには、大径木《だいけいぼく》があちこちに枝をめぐらせ、緑陰豊かな境内を日本人の多くは想い描くであろう。しかしながら、そこには木々はほとんど見当たらない。地続きだが、少し離れて寺院を取りまく高さ五〇〜一〇〇メートルほどの山にいたっては、目を凝らしても木一本見られない。ここは本当にチベット仏教の聖地なのかと目を疑い、かなりの違和感を覚えた。後日談になるが、今回の調査後、ポタラ宮にならぶラサの名刹《めいさつ》デプン（哲蚌）寺（一四一六年建立）を訪れた際も同様の感覚を持った。デプン寺は一部、ポタラ宮のモデルとなり、完成するまでの間歴代のダライ・ラマが住居としていた所として知られるが、その奥深い境内にも周囲の山にも木々が極めて少ないのである。そればかりではない。振り返ってみると、二〇〇〇年にチベット南部域に入境して以来、自然の木々が生い茂る風景に巡り合えることがほとんどなく、むしろ、岩山やステップが延々と続き、チベット高原は木々のない半砂漠的な気候・環境にあることを強く印象付けられた。そして、このようなチベット高原に、何故、仏教が取り入れられ、

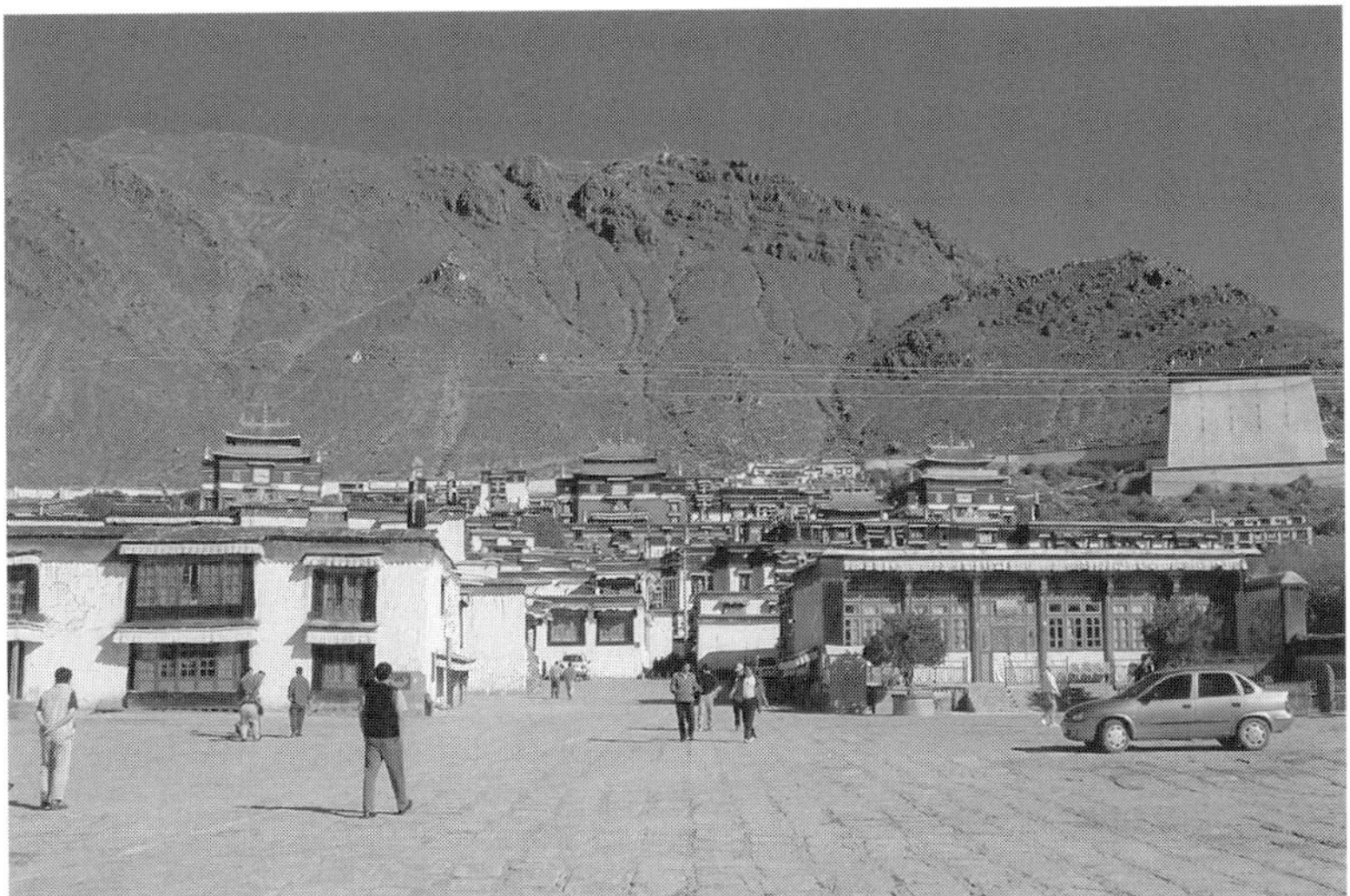

図 14　一つの街の様相を呈する古刹タシルンポ寺の境内の一部

独自の発展をしてきたのかとの疑問が次第に心を占め始めた。つまり、チッベトのように乾燥し、植生をほとんど欠いた砂漠的な環境ではイスラム教やキリスト教などの一神教が定着し、仏教のような多神教の宗教は湿潤で木々が生い茂る環境に定着するはずなのではないかとの言説に囚われ始めたのである。この疑問に対する具体的な説明は、第八章四節の「天空の森」に譲るが、その大筋は以下の通りである。

今から約九〇〇〇年から六〇〇〇年前にかけて、地球は広く温暖・湿潤化し、植物の成長に適した気候最適期と呼ばれる時代を迎え、チベット高原にも相当な森林が発達・拡大していた。それと共に高原東部の四川省に住み、森を住みかとしていたアニミズムを信仰とする民が、高原の森へと次第に移り住むようになった。そのような民を祖とする古代チベット民族が、七世紀前半にインドから直接仏教を受け入れた。その後長い時間をかけて、古来のアニミズム的な土着信仰との折り合いを計り、八世紀半ば頃に仏教の国教化が正式に実現すると共に、密教をもとにしたチベット特有の宗教世界を発展させてきたのだった。当時はすでに、チベット高原における人為的な森林破壊が大々的に進んでいたとは言え、まだ森林域があちこちに残っていたようだ。しかし、そんな森林域も、その後のチベットの旺盛な経済発展と、仏教を中心とする文化の隆盛につれ、仏閣や城郭のための建材を確保し土地開発をするためにさらに伐採され、回復することなく現在見るような状態になったと言うことである。

閑話休題、古刹《こさつ》タシルンポ寺の中を巡っていくと、先の違和感と疑問を忘れさせるに余りある光景に幾度となく行き会った。例えば、広い境内を縦横に交わる長い路地の円く、大きくすり減った石段や石畳、煤け、手垢の付いた大小の門扉、経文棚、太い柱や梁……などから、チベット仏教の歴史が伝わってくる。それとともに、修業僧が寄宿する何棟もの僧房（寮）（図15）とあちこちでお勤めをする若い僧達の姿から、この古寺が今もなお、チベットの風土・文化を支える主要な一角となっていることを感ずる。そして、いずれの仏殿に鎮座する仏像も菩薩像も、それぞれ様々な守護神の像とともに、仏具、供物、亡きラマ（尊師）のセピア色の御影などなどに幾重にもすっぽり取りかこまれ、過ぎし長き時代が香って来るようだ。そんな中で、日本の仏様達とは違った明るさや、親しみ、時にはユーモアを感じさせる慈悲の表情が、ヤクのバターで作られた何十本ものロウソクの炎に囲まれゆらぎ輝く様から、何百年も脈々と続いてきたチベット特有の篤い信仰が漂ってくる感がある。よく言われるラマ教の秘教的な雰囲気を特に感ずることはなかった。むしろ、気候風土の違いであろう、森に囲まれた日本の寺院で感ずる荘厳で幾分湿っぽい「あの世」感はなく、カラッとした解放的な「あの世」感が伝わってくる。そして、チベットでは、民衆と神仏との距離が日本のそれよりもずっと接近していることを感じさせられた。その後訪ねたデプン寺でも同様であった。

こうして、チベットの古刹が現代においてもその宗教的役割を営々と引き継ぎ、機能している姿の一端を見ることができたように思われた。しかしながら、後で詳しく知ることになるのだが、チベットの主要な古刹でも小さな寺院でも、伽藍《がらん》や仏塔の

図15　タシルンポ寺の僧房（僧の寮）の一つ

数、そして僧侶の数が一九六六年以降の「文化大革命」から現在に至る半世紀程の間で、いずれも数十分の一にまで激減し、チベット仏教の基盤が大きく揺らいでいると言われる現実があった。

タシルンポ寺を出たのは、すでに正午を過ぎていた。三時間余り、調査の先行きをほとんど忘れてのお寺巡りであった。現実に引き戻され、ラサのツー氏から入境許可に関する連絡が未だ何も入っていない状況に少々落ち着かなくなる。が、その後二時間余りが過ぎて、「明日の九月九日付けで入境許可が下りる」との待ちに待った電話。ツー氏は明日午前中にラサから湖へ向かうとの連絡が入った。

寺井氏グループに残された九月一四日までの調査期間の短さを気にしながら、明朝の七時半、我々はオレンジ色の朝焼けのシガツェを出て一路プマユム湖へ向かった。山盛りに調査機材を積んだ二台のトラックと共に、標高三八〇〇メートルの地から古代シルクロードを西から東へと次第に高度を上げ、古都ギャンツェを通り抜けた。その後間もなく、雪氷が眩しい七〇〇〇メートル級の二つの峰々に挟まれた約五〇〇〇メートルのカロー峠を、右に左にと谷川を見下ろしながらゆるゆると越えていく。やがて、古代シルクロードから別れ右に折れ、山深いプマユム湖へ向かう道なき道へ入る。そこには、このモンスーン季でいたる所に深い水溜りやぬかるみができていて、登るごとに悪路になっていく。途中、今日中には湖には着けないのではと何度も肝を冷やされたが、四時頃、なんとか、湖が現れ出る五〇七〇メートルのボー峠に行き着いた。新雪ですっぽり覆われたヒマラヤの峰々を背景に、空より青く、群青をたたえたプマユム湖、そして朝な夕なに心を新たにし、癒《いや》してくれたエレガントなクーラカンリ峰との三年振りの再会である。もちろん、我々を悩ませ続けたあの早春の氷盤は湖のどこにも見られない。代わって、湖は濃淡の緑の草地に囲まれ、その群青と共に命を育む自然の息吹を感じさせてくれる。

二〇〇一年の調査時と同じ湖岸にベースキャンプ地を定め（図12）、荷おろしとキャンプ設営を夕方過ぎまでかけて行った。一一時頃ようやく落ち着き、みなテントの中で体を横たえる。満天の星の下、湖の穏やかな波立ちに聞き入り明日からのフィールドワークを想う。

四　湖とヒマラヤの神々への祈り

もっと早く起きるつもりであったが、七時近くになってしまった。これは、日本時間よりも丁度一時間遅い時刻なのだが辺りは未だ暗く、誰も起きていない。チベットの、この南部域辺りの日の出は遅く、まだ一時間余りあるようだ。これは、中国全土の標準時間がすべて北京のそれに統一された結果である。

調査始動に際し、今朝まずすべきことは、プマユム湖とヒマラヤの神々に、調査と試料採取のために湖へ入ることの許しを乞うことである。二〇〇一年の調査時には、チベットの人達が神聖な場所として崇《あが》めてきた湖に、無知とは言え勝手に入り込み不敬を働いたと同然のことになってしまった。そのことで、調査の間ずっと悩まされ続けたことは前章で述べた通りである。

帰国後、この問題にどう向き合うべきかを考えてみた。そう言えば、日本には古来、自然に八百万《やおよろず》の神が宿っているというわゆるアニミズム信仰が根付いている。もの心つく頃から、自然を敬い大切にする心を失うことがないようにと言われてきたことが思い返されてくる。そして、チベット民族も我々と同様、現に山、川、湖などの自然に神々が宿るとするアニミズム信仰を持っていることに思いが至った。とすれば、日本人が古来やってきたように二礼二拍手一礼で神々に挨拶をし、お願いすればよいことになる。一体どうして、このことを二〇〇一年のあの時に思い至らなかったのか。やはり、高度障害の一種に罹《かか》っていたとしか言いようがない。因みに、日本文化の底流の大きな一つをなしていると言われる南方のポリネシア文化圏（ハワイ、サモア、タヒチなど）では、動植物などを求めて山などに分け入る際は、自然の神々に自分の目的を声高に告げ、そこに入る許しを乞うということをあるものの本から教えられた。

と言う訳で、ベースキャンプから東へ約一キロメートル余りの所にある、湖全体とヒマラヤの山々をよく見渡せる小高い丘へと夜明け前の大地を踏みしめ、ゆっくり登り始めた。しののめの空に星々が次第に光を失っていくと同時に、闇に沈んでいるように見えていたヒマラヤの峰々の白さが、そして湖の群青が再び蘇《よみがえ》ってくる。日の出が山の端から顔を出し始める頃を見計らい、調査隊を代表してプマユム湖とヒマラヤ連峰に向かい、まず日本式で、続いてポリネシア式で湖に入る許しを乞い、調査と試料採取の成功とメンバー全員の安全をチベットの神々に祈った。本来ならば、周辺のチベットの人達とも接し湖へ入る断りを入れる必要があると思うのだが、チベット自治政府からのプマユム湖周辺域への入境許可取得が、その手続きに代わるものと考えることにした。こうして、ひとまず、三年前のような悩ましいわだかまりを鎮《しず》めて、今回の調査を開始できることになった。

五　モンスーン後期の標高五〇〇〇メートルにおけるフィールドワーク

起床時、零下の気温は、太陽が高くなると共に上昇し日向は暖かくすら感ずる。そんな湖の北側斜面には、花期が終わり、まだ青々としたクッション植物（主に、サクラ草が密生したひとかたまりの植物体）が比較的目立つなか、花期の遅い植物だろうか、地に這いつくばるように咲く小さな黄、紫、ピンクなどの花が、疎らだが目を引く。矮性《わいせい》のキク、リンドウ、ゲンゲなどの仲間のようだ。この湖の周囲一帯は花期シーズンとなる六月末から八月初めにかけて、標高五〇〇〇メートル下とは思えない様々な花が咲きそろうのではと思わせる。その大地には、直径五センチ前後の巣穴が点々と掘られていて、その住人であるナキウサギ達（図16）があちこちに姿を現し、我々ちん入者の様子を全身でうかがっているようだ。また、その間を日本のスズメを倍にしたような大きさの小鳥達が、用心深かげに餌をついばみ歩いていく。静かで、のどかな晩夏の湖畔の風景である。一方、湖岸の草地すれすれにまで入り込んだ小さな入江状の水溜りには、高原ドジョウかコイの仲間の一、二センチの稚魚がメダカの学校よろしく、かなりの群れをなしている。驚いたことに、そのすぐ近くの草むらに五センチ余りの一匹のカエル（図17）が潜んでいるではないか！　五〇〇〇メートル余りの山上にカエルが棲んでいると、誰が予想するだろうか。世界最高高度に棲むカエルかも知れない。殿様カエルに似ているが、それとは違った種であろう。皮膚の色は周辺の土になじむような土色系であった。草むらに潜む小さな昆虫を狙っていたのかも知れない。天敵の代表格であるヘビが思い浮かぶが、その周辺にいるのであろうか。しかし、ラサ周辺でもヘビを見かけたと言う日中隊員の話は聞かない。

そんな思い掛けない種々の生き物の息遣いに囲まれた湖岸で、まず各種船の組み立てをみなで始める。堆積物や採水に使用する台船は、正午頃にほぼ完成した姿を現し二時頃には進水を行う。一方、寺井氏が中心となって行う湖盆図作成用のためのボートや湖の水質調査用ゴムボートの準備も進められ、前者に取り付けるGPSや測深用の音響探知機の設置も正午過ぎにはほぼ完了した。午後から、今回の調査の最重要項目の一つである湖盆図作成の作業をまず軌道に乗せようと、湖上での測深の試みを始めようとする。しかし、風が急に強まると共に、大粒のあられが叩きつけるように降り始める。気象状況がよくなるのを待って、五時頃測深機の操作と船外機の調子を確認する。しかし、前者がうまくいかず次の日に持ち越しとなった。

図16　用心深いがベースキャンプのテント内に入ってくるナキウサギ

図17　標高5,030m下の湖岸で見かけた、世界最高高度(?)に棲息するカエル

翌朝（九月一一日）六時過ぎ起きて驚く。一夜明けて銀世界である。すでに五センチの積雪があり、雪は降り続いている。第一次調査時の北風（北東モンスーン）がもたらすサラサラとした早春の雪と違って、インドモンスーンの特徴であろうか、湿気を帯びたペタペタした感がある。昼にかけても静かに降り続く雪の中、寺井氏は、昨日うまくいかなかったGPSからのデータ取り込みと測深機器の作動を行うため、中国側の大学院生を二人連れ湖に出て行く（巻頭カラー写真15）。目的は達成され、加えて院生達が位置と水深のデータ取得のノウハウをマスターしたようだ。次の日には中国の院生グループのみで、まず湖の東部域から中央域にかけての湖盆図データの取得を開始。それによって、今回の湖調査の作業態勢がほぼ軌道に乗ることになった。

今回は湖に来て以来よく眠れず、日毎、顔や足が膨らむようにむくみ始め、体を動かすことがかなりつらくなりだす。さらに左脇腹や腰が痛み出し、体全体が気だるい。明らかに、五〇〇〇メートル下での高度障害なのだが、何故か一次調査時に較べ遥かに症状が重い。また、テントで眠りに入ろうとすると、その狭い空間の圧迫感もあって呼吸が苦しく、就寝中に息が止まるのではとの強い不安にかられる。そんなしんどさが、湖で生活し始めてから、やはり三〜四日目の九月一二日から一三日にかけてピークを迎えた。プマユム湖に来れば、このような高度障害をほとんどの人が大なり小なり体験することになる。前に述べたように、調査期間が九月一〇日から一四日の五日間に限定された寺井氏グループの三人も、それぞれ高度障害のピークを迎えながらの作業であったはずだ。

そんな状況の中で、特に悪天候での調査は身も心も一種の極限状態に追いやる。しかし、中でも七〇歳に近い寺井氏はそんな様子をほとんど見せず、帰国で下山する直前まで中国の大学院生グループを指導しながらも文字通り身を粉にして、予定していたほぼすべての調査計画を消化し終わったようだ。加えて、プマユム湖の湖沼学的特性を把握する上で必要不可欠な多くの事柄を明らかにされた。日本の陸水学のプロの心・技・体の一端を垣間見た思いだ。疾風《はやて》来て、勁草《けいそう》を知るである。

湖で作業を開始して以来一週間が過ぎた。インドモンスーン季後半に向かう九月中旬の湖近辺の気象は、早朝はマイナス六〜マイナス三度、日中は四〜七度で推移し、午後になると眩しく晴れてはいるが、大抵冷たい風が強まる傾向にあった。時々曇る日があるが雨はほとんど降ることなく、代わりに雪、あられ、あるいはみぞれがやって来た。九月一〇日から九月一九日までの一〇日間のうち調査ができなかったのは九月一四日だけで、白波立つ強風によるものであった。二〇〇一年早春の湖の状況と比較すると、日々試練に直面させた湖の氷結も冷たい烈風もなく、天と地の差を思わせる。

このインドモンスーン後期のかなり穏やかな気象の下で、船足は変わらず遅いものの、ほぼいつでも湖上を安全に思うように移動できたお陰で、種々の採水や表層堆積物の採取など前半の作業を予定通り九月一四日までに完了した。また、中国側の大学院生を中心とした湖盆図作成用のデータ取得も着々と進み、プマユム湖の湖盆形態の全容把握に向けて大きく前進した。

六　新たな日中チームによる柱状堆積物の採取

前半の調査で得られたプマユム湖の湖盆図データから、最深部は六五メートルで、次いで六二～六三メートルの深い部分がやはり湖の中央域に点々とあることが判明した（図12）。それらの深部から、我々の主目的である四メートルの柱状堆積物を採取する地点を選ぶことになるが、前回同様、流入河川から遠く、堆積速度が最も遅いと考えられる三地点をツー氏との話し合いで決めた。しかし、各地点での堆積速度は不明であることから、今回のこの選択も大きな賭けをしているとの感を免れない。ともあれ、各地点から二本ずつ、計六本のコアを採取する計画である。

九月一五日から台船による柱状堆積物の採取に取りかかる。一日目は、採取にあたっての手順の確認である。二〇〇一年の採取に直接関係したメンバーは筆者とツー氏の二人のみで、残る七名の隊員はみな初めての体験である。そこで、湖岸から比較的近い水深三七メートルの地点でコアサンプラーの仕組みと採取の段取りを説明した上で、実際の採取作業をみなで試みることにした。中国側からは、チベット高原での作業に慣れている大学院生、ワン・ジュンボ君、リユー・ルーサン君、およびジュー・ジアンテイン君の三名で、いずれも中国登山協会のあのジャン・ユアン氏の体格にはおよばないが、なかなかタフそうだ。日本側は彼らに優るとも劣らない大学院生松中君だ。平均年齢二七歳。その他に、ツー氏と筆者が脇に控え計六名の作業チームである。三時すぎ晴れた湖上に出る。風が冷たいが、波が比較的静かで気象条件は悪くない。前章で述べたと同様の流れで作業を進めるが、ピストンと打ちつけ用重りの各ロープが、やはり絡んで感触が余りよくない。しかし、それでも三・五メートル近くのコアが取れてきた。加えて、重りによるコアラーの打ちつけと、その後のコアラー全体を水中から船上に引き上げる、六人による一気呵成の作業には何か余裕すら感じられた。これは、二〇〇一年の早春と違った、九月中旬の比較的温和な気象条件のお陰である。それと同時に、みな打ち解け、日中間の協力的な働きが自然に作り出されたことも大きい。ロープの絡みの問題はつきまとうが、作業チームにとって幸先のよい手応えを感じた。

翌九月一六日、採取候補地三点のうち、最も西寄りに位置する水深六二・二メートルの地点（図12）でのサンプリングから行うことにした。そこは、ベースキャンプから一五キロ余りあり、船足の遅い台船で三時間近くを要し、正午すぎ到着した。六人、気合い十分に、一本目のコアリングに入る。しかし、件の二本のロープにかなりの絡みが起きてしまい、打ち込みを十分に行えず二一メートルコアしか取れず。二度目は両ロープを一旦よくのばし、よじれがないように巻き直した結果、重りのロープに少々抵抗があるものの、あの金属音が聞こえてくるではないか！　みなで交互に十分な打ち込みをし、見事三八五センチのコア採取に成功した。先端から底部まで一様な青黒い粘土質から成る柱状堆積物である。コアパイプが水面上に現れた時はみな歓声をあげ、破顔一笑。この最初に成功したコアは、約束通り中国側のものとなる。今回のやり方を念頭に日本側コアの採取態勢に入る途中で、思いも掛けないことが起きた。重りをコアパイプに打ち突けるための金属導管とコアパイプの最上部に取りつけられた金属製部品との連結部分に亀裂が入り、致命的な破損が起こったのだ。コアラーの準備中に、バランスを欠いたかなりの力がその連結部にかかってしまったようだ。そのトラブルにみな懸命に対応しているうちに、いつの間にか夕闇が迫り急ぎ帰らねばならなくなった。気持ちが少々萎えていることもあってか、ベースキャンプに辿り着くまでの約三時間の航路は、実に寒かった。他のメンバーも背をまるめ、黙したままだった。

明朝、寒気が少々ゆるみだした一〇時頃、例の六人は台船上に乗り移り昨日の続きの作業に入る。重り用の金属製導管は亀裂でまともに使えないのだが、破損が深刻な部分をみなでできる限りの補強をし採取の試みにこぎつける。一度目は首尾よくいかず。二度目は採取の途中に突風が吹き出し、台船がアンカーむなしく流され始めたため、やむなく引き上げざるを得なくなってきた。しかし、三六〇センチ近くのコアが取れてきたのである。六人の愁眉《しゅうび》は開き、意を強くしてコアの一斉引き上げを行った。その最中に、なんとしたことか堆積物がパイプからスルスルと出て行くではないか！　ピストンの締まり方がゆるかったのだ。その堆積物の損失を反射的に止めようとする松中君の必死の姿が、わが脳裏に今も鮮やかである。その後、嵐から逃れるため、白波のしぶきをかぶりあられとひょうにたたかれながら、ベースキャンプにやっとの思いで戻った。厚い雲が北東方向に足早に動いていくモンスーン後期の夕空を眺めながら、コア採取の最後となる明日を想う。

九月一八日、この日も一〇時過ぎ、風が比較的強く気温は未だ零下のなか、三度目のサンプリング地点へ向かう。破損した連結部の補強をするための材料に腐心しながら、みなでコアラーの補修を試みる。特に、中国の院生グループの取り組みの熱心さには、いつものことながら感心させられる。補修を繰り返し、採取を試みること三度。しかし、いずれも重りによるコアパイプの打ち突けがほとんどできないままに終わる。補強材不足の域を出ないのである。強まる風とあられの連打のなか、九時間近くの試行錯誤に終止符を打ち、暗くなった八時過ぎベースキャンプに帰り着いた。作業の不運に加え、今日は行きも帰りも強い寒気に曝《さら》されて、寝袋に入るまで体の震えはなかなか止まらなかった。

翌朝、みな寡黙ぎみだ。当初の三地点で計六本を得る計画が潰《つい》えて、心の空洞を埋めきれないのだ。得られた三八五センチの貴重な一本の試料は約束通り中国側のものだが、日中間で半分に分け、それぞれの解析を行うことにした。

七　採取したコアの古文書としての優劣

採取した一本の貴重な新コアは、前回同様、北京にあるツー氏の研究所に保管してあった。二か月後の一一月下旬、分析を任う松中君と研究所を訪れた。そして、中国側大学院生を中心とするグループと共に、日中間で、そのコアを半割にする作業を行い、日本に持ち帰った。PY409PC（コアNo.2）と名付けられた半割のコアは、湖上で見た通り上から下まで青黒く、ほぼ均質な粘土層から成っていた。このコアも、一センチ間隔に細断され種々の分析のための試料となった。その後一年をかけて、PY409PC（コアNo.2）の古文書としての特徴が明らかになった。

最大の注目点は、その堆積年代が二万年前近くまで遡《さかのぼ》るか否かであった。しかし、二〇〇一年のコア（PY104PC：コアNo.1）と違って、当コア中には植物遺骸がほとんど見当たらず、やむをえず、正確な堆積年代がかならずしも得られない全有機炭素（TOC）を使って、試みの堆積年代を測定することにした。もし正しい年代が得られるとすれば、年代値は堆積物の深さと共に古くなっていく一次直線に近い変化を描くはずである。しかし、その結果は図18に見るように一次直線からは程遠い不規則な曲線を示した。つまり、表層で六六〇〇年前、その後、年代の幾分の逆転をしながらも深さと共に年代は古くなり、三五〇センチ層で最古の一万九五〇〇年前に達するが、その後反転し一万四二〇〇年前に向かう年代の若返りが見られる。このように深さと共に点々と見られる年代の大小の逆転から、年代測定の試料としたＴＯＣに年代値を古くさせるオールド・カーボンが全層にわたってかなり混入している可能性がはっきりとうかがわれた。これでは年代決定はできない。取りあえず、二〇〇一年のPY104PCの年代と較べ、どの程度の違いがあるのかをＴＯＣやその他の有機物などの深度変化の違いを比較することによって概算を行った。その結果、コアNo.2の年代はコアNo.1のそれの高々半分で、一万年程度しかないことが判明した。つまり、当地点の堆積速度は考えていたよりも二倍近くも速かったことになる。この結果は、堆積物採取地点の選択（賭け）責任者である筆者とツー氏に言葉を失わせた。湖で二人議論したことはほとんど机上の空論であったか！　コアNo.2地点は、やはり、河川が流入している西側方向に、まだまだ近過ぎたのだ。このコアについて判明したもう一点は、花粉がほとんど含まれておらず花粉分析が不可能であるということである。

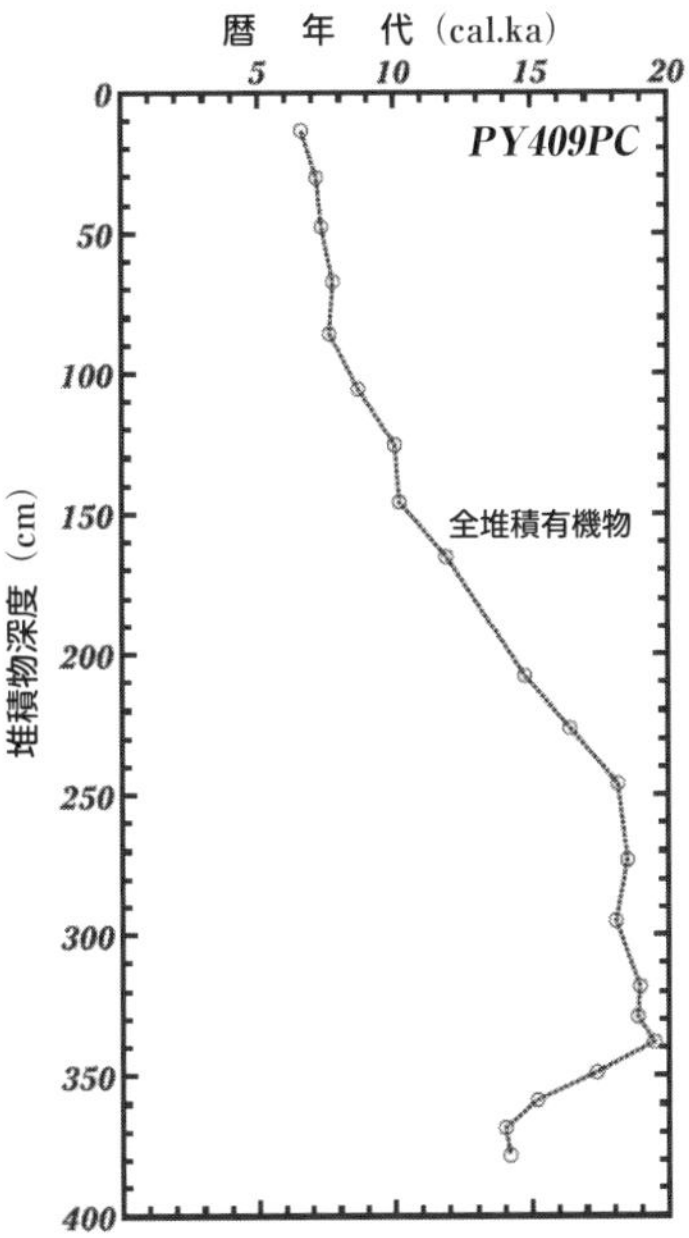

図18　柱状堆積物中の全有機炭素物質を使って得られたPY409PCコアの年代測定結果。深度と共に年代が上下する深刻なオールドカーボンの影響が見られる

以上の結果を前に、呆然としながら二〇〇四年の堆積物採取のフィールドワークを振り返ってみる。やはり、チベットでの調査に対する緊張感が基本的に欠落していたとの自責の念にかられる。

第三章

第三次調査：「より優れた古文書を求めて」終章

第二次調査による「より優れた古文書」の採取の試みは散々な結果に終わった。しかし、我々を引き込んでしまったチベットの湖と、このまま別れる訳にはいかない。ツー氏と捲《けん》土《ど》重来《じゅうらい》を期して、二〇〇六年の八月五日から二五日までの二一日間をかけ、第三次学術調査を行うことを決めた。この調査では柱状堆積物の採取と共に、プマユム湖の湖沼学的特長のさらなる調査、チベット湖底堆積物の^{14}C—年代測定に関する各種基礎データの収集なども進めることにした。

八月六日、日本から一二名、中国から九名、日中合わせて総勢二一名の調査メンバーがラサに集合。四日間の高度順化と共に調査行の準備を始めた。二年前の第二次調査で我々にとって関門であった、中国人民解放軍、およびチベット自治区政府からのプマユム湖周辺域への各入境許可書の入手は、今回、出発前日の八月九日までに完了しみな安堵する。

一　拓かれゆくチベット高原とその行く末

二〇〇六年、ラサ空港に降り立ち二、三日を経て、チベットは、これから大きく変わってゆく潮目におかれていることを二〇〇四年時以上に実感させられた。当時、チベットでは二〇〇八年の北京オリンピックをテコに、中国西部域の開発政策の一環として、特に二〇〇一年頃から二〇〇六年にかけ、ラサ、およびその周辺域で様々な大工事が続けられ、街並みや郊外の風景が大きく変貌しつつあった。例えば、二〇〇四年に改造中であったラサ空港や市内外の道路と街並み、新しく建設中であったいくつかのきらびやかで大きなホテルやショッピングモール、ヤルツァンポーとラサ河をひと跨《また》ぎにする大橋に代表されるいくつかの新しい橋梁、シーニン（西寧）からラサまでの約二〇〇〇キロにおよぶ高原高速鉄道などなどはすでにほとんどが完成し、各街や地域に中国でも有数の観光地としての一層の活況をもたらし始めているようだ。

そんなラサを八月一〇日午前九時過ぎ、一路プマユム湖に向け出発。調査隊を乗せた五台の四輪駆動車は、大々的に補修・整備され昨年開通したラサ―カンパ峠間の古代シルクロードに乗った。上下線を分ける白線が真新しい舗装道路を車は砂塵を上げることなく、音も揺れも少なく、三七〇〇メートルから四七〇〇メートルの峠に我々を引き上げてくれた。以前と較べればなんと快適なチベット行であろうか。さらに、カンパ峠からナガルツェ、そして約五〇〇〇メートルのカロー峠を越えシガツェに向かう古代シルクロードも驚くほどに改修されていた。そのルートには、かつてまともな橋が少なく川床を走り、絶えず土砂崩れや岩石の崩落が起きている山肌の脇を走り、また、道なき荒原を走るといったワイルドな地域が点々としていて、四輪駆動車なしの旅は考えられない地帯であった。今は、そのような危険な場所や地域のほとんどは堅牢な改造工事などがなされ、加えて、ほぼ全線に拡幅工事とガードレールの設置がなされていた。そんな道路の様変わりに、普通乗用車でも身の危険を感じず安全に標高五〇〇〇メートルの旅ができそうに感じる。

一方、峠などの休憩所は、六年前と比べれば遥かに衛生的で快適に整えられ、また、かつてうらさびれていた途中の街のはずれには、観光客を招くきらびやかな中華風ホテルのネオンが輝いていた。その後の調査旅行が進むうち、以上のような道路や町の整備・改造がラサから南に向かう古代シルクロードばかりではなく、北へ、東へ、そして西へと向かうほとんどの主要道路筋においても、チベット高原の縦横に進んでいることが分かってきた。

こうしたチベット高原の交通が整備されることによって、チベットの人達が安全、かつ速やかに目的地へ移動でき、また、中国の様々な地域からの物流が盛んになることは大いに結構なことである。また、その道路や高原鉄道にのって、観光客、中でも外国人旅行客があちこちからチベットにやって来れば、ラサ周辺はもちろんのこと、鄙《ひな》びた街々の人達まで潤い、住民の生活水準の向上につながる。良いことづくしのように思える。しかしながら、そこには、チベットの伝統、文化、自然、風土を衰退させていく大きな落とし穴があるように思われる。

その一つは、根強いチベット独立運動を抑え込むための一環として、中国の東部や北東部から運び込まれる物資なしではチベット民族の生活が成りゆかないようにし、チベット文化の尊重をスローガンに掲げながらも、急速な漢文化の浸透・促進（漢化）がなされていると言われていることである。それに加え、漢民族による資本の流入に押され、チベット住民による会社、ホテル、各種店舗などの経営が苦しくなったり倒産するケースが多くなっていると言う。もう一つは、交通の発達によってチベットの各地で観光地化が進むと共に、チベット住民の生活水準は上昇するが、その水準維持のために伝統的な生業《なりわい》を放棄したり、地域から都市域へ移動する人口が増加することである。それによって過疎化が起こり、伝統文化と社会を衰えさせ崩壊させると共に、チベットの遊牧や森林資源を支えてきた自然環境をも衰退させていくことが懸念されている。

そのようなチベットの行く末を、シンキョウ・ウイグルの現状がすでに暗示しているように思えてくる。一九五〇年代から西部開発が大々的に進められてきたウイグルでは、これまで定住した漢民族は二五〇万人を上まわり、彼等が作り出す農産物や石油などの総生産高は数千億円に上ると言われている。しかし、その一方で、開発によって、あちこちの河や、あのさすらいの湖、ロプノールが干上がり、タクラマカン砂漠周辺域にさらなる深刻な砂漠化が進み、ウイグル族の住環境は荒廃していった。漢民族に対するウイグル族の民族感情は鬱積《うっせき》し、堰《せき》を越えて暴徒化やテロ化を引き起こしていると言われている。客観的な検証が必要と思われるが、ともあれ、現況のチベットにおける道路や鉄道の発展は、地域の伝統や文化、自然、風土、歴史をアスファルトや鉄路の中に埋め込んでいく危うさをはらんでいることを思う。

もちろん文化とは変わり続けるもの。同じままに何年も何世紀も再生産され続けるものではない。内外の様々な影響を受けながら変化していくものだが、その変化の主体性（主導権）が、今、チベット民族自身にどれほど委ねられているかが問われている。

ところで、世界の文化・文明の発展は、決して一地域の一民族によってなされたものでなく、様々な地域の多数の民族との間で互いに交流し、刺激し、絡み合ってなされてきたことは言うまでもない。一方、そうした発展の影では、相対的に衰退していく文化・文明も当然出てくる。今日の先進地域が明日の後進地域となり、今日の後進地域が明日の先進地域になっていくのは歴史の流れであるが、そのような密接な相互作用による文化・文明の自然な移り変わりとは別に、強権的に衰退を迫られるようなことがこの二一世紀においてまであってはならない。現存する文化・文明すべては発展的に受け継がれていくべき、人類共通の世界遺産と考えるべきものであろう。チベット社会が一五〇〇年、いや五〇〇〇年余りにわたって築き上げてきた固有のそれらも同様、現在に至って他国によって衰退させられることになれば、世界の文化・文明の多様な発展に対し多大なマイナスをもたらすことになる。

二　モンスーン最盛季の標高五〇〇〇メートルの風景

ナガルツェを出てしばらくして、古代シルクロードを左に外れプマユム湖に向かう南への道に入る。そこからは、これまで道定まらぬ地域がかなり続く所であった。しかし、さすが舗装は未だ全くされていなかったが、大きな水溜りや深いぬかるみがあった所は埋め立てや改修が行われ、川床には橋が架けられるなどしてある程度の整備がなされていた。お陰で、車の立往生などを心配せず、激しく揺られることもなく、加えて、山の合間から時折見えるエメラルドグリーンのヤムドク湖の寸景をこれまでになく楽しみながら、四三〇〇～五〇〇〇メートルの標高に達することができた。

標高五〇七〇メートルからの眺望が突然目の前に開かれるボー峠。これまでのどの調査時よりも、明らかに濃い緑の草原に囲まれたプマユム湖が視野に飛びこんできた。緑濃い草原と湖の変わらぬ群青とのハーモニーは、そこに湖を中心とした固有の生き物の存在を想わせる。第二次調査の時より一か月近く早い今回の八月の調査には、期待するささやかな楽しみがあった。

一つは湖周辺でお花畑が見られるかも知れないということ。期待しながら、峠からいつものベースキャンプ設営場所へと下りていく車から目を凝すが、それらしい彩りは見られず失望のうちに湖岸についてしまった。特に期待していたのは、ベースキャンプ近くの山側の周辺にボコボコと比較的密に広がる直径一五～二〇センチばかりのクッション植物（サクラソウを中心とした一塊の植物体）の開花であった。しかし、地に足をつけよく見てみると、すでに開花期が終わってしまった様子だ。周辺には二年前同様、ポツポツと矮《わい》性《せい》のリンドウやキク科の仲間が花季を迎えているのみであった。

もう一つの楽しみは、二〇〇四年の九月初旬、五〇〇〇メートルの湖岸で初めて見かけた「チベットのカエル」（図17）に再び会い、その群れの存在や食餌行動などを観察することであった。気温が上がる晴天の昼下がり時間を見つけては、丈が比較的高く緑濃い草が、所によっては水際まで迫っている周辺をそーっと覗き込む。いくつかの浅瀬の水面にはやはり何かの稚魚が一〇〇匹前後群がり、メダカの学校の最中であった。しかし、近くの草むらを注意深く数日にわたって見て回ったが、どうしたものか、カエルの姿を全く見かけることができなかった。草地が疎らになった陸側でも同じだった。チベットのカエルの不在は、八月と九月の気象の違いによるのであろうか。

インドモンスーン最盛期にあたる八月中旬頃のチベット南部域の気象を、九月のそれと比較しながら見てみよう。当地の八月の朝の気温は時折零下になるが、〇～五度（九月はマイナス六～マイナス三度）の範囲。昼過ぎには一〇度余りも上昇し防寒着を脱ぎたくなる一〇～一五度（同、四～七度）、時には一五度を超える場合もある。しかし、四時頃から夕方にかけて風が強くなり出し、気温の急降下と共に間近かに雷が轟《とどろ》き、あられとひょう、あるいはみぞれが降る時雨模様となる。その後、時によっては静かに雪に変わり周囲は冬景色となる。このような八月中旬のチベット南部域の気象は一日にして春夏秋冬が巡ると言われ、短時間にかなり大きな空模様の変化と気温変化が起きる。しかし、日中は九月に較べかなり温暖な気候であることは明らかである。また、そんな四季が日毎移ろう二〇〇六年八月初旬のインドモンスーン最盛季の天候は、二〇〇四年九月中旬頃のインドモンスーン後期のそれより明らかに安定していて、湖上での作業ができなくなる程に寒く荒れるような日は一日もなかったのである。カエルとの再会を果たせなかったのは、やはり気象によるものではなく、湖周辺でのその存在が極めて稀なことによるのであろう。いや、まさかチベットのカエルは九月の寒い気象の方を好むのではあるまい。いずれにしても、標高五〇〇〇メートルでの、その存在を可能にしている自然環境が、今後損なわれることなく高原上にいつまでも続いていてほしいと思う。しかし、あのカエルの将来とチベットの文化や風土のそれとが重なり合うような心持ちになる。

花に振られ、カエルに〝失踪〟される中で、このモンスーン最盛季ならではの新しい出会いがあった。遊牧の民との出会いである。以前、ドイ村で会った人々は遊牧民ではなく、一か所に定住し、ヤクや羊を放牧して暮らしている牧畜民である。現在のところ、チベット民族の大半が遊牧民か半農半牧の民と言われるが、これまで高原を旅しながらも、彼らの実際の生活に触れる機会はほとんどなかった。それは、前回までの調査が当地の初冬や春先、あるいは秋口に行われ、遊牧民が活動している季節からいずれもはずれていたからである。今回の調査は、家畜を連れた遊牧の人達が盛んに高原のあちこちを大移動して歩く夏季中に行われたために、湖岸の我々のベースキャンプを呑み込むように何度か遊牧の一団が通り過ぎていった。その中で、一二、三歳の男の子とその父親の二人に引き連れられたヤクの一団が我々のキャンプのすぐ近くに昼すぎからテントを構え（図7）、明くる日の昼頃までを過ごし次の遊牧地へと移っていった。親子二人きりの様子から察するに、彼らの家族はどこかに定住していて、農業を営んでいる半農半牧の民（特にニェンチェンタンラー山脈を境とした東側の地域に多い）と思われる。二人は、大きく、恐そうな牧用のチベット犬五、六匹と共に二〇〜三〇頭のヤクを引き連れていた。放牧をしながら乳を絞り、それを現場で高さ一メートル余り、直径二〇センチ程の木製の筒などに入れ、チーズやバターに加工する作業を基本的な日課としている様子だった。ある程度蓄えた乳製品は、適当な時期に市場へ持って行き換金するのであろう。

彼らの住まいに、大いに興味を引かれた。まず、入口から三メートルほど右手前に突き立てられた、日本の消防団が携えているまとい（纏）のような二メートル余りの房飾りをつけた杖である（図7）。それはマニ・トイ（まといと語源的な関連があるのだろうか？）と呼ばれ、経文が書かれた布飾りを三段に付けた杖で、厄除けとめでたいことが天から降りて来る所、つまり吉祥の依代《よりしろ》となるものだそうだ。また、チベット高原南部域のモンスーン季は雷が多いことで知られるが、起立するものがほとんど何もない平原での落雷を避けるため、避雷針代りとしてもマニ・トイは役立っていると言われている。さらに、興味を引いたのは、彼らが寝起きするバッナグ（黒い天幕）と呼ばれるテントである（図7）。比較的知られているようにヤクの長い体毛で織られ、風雨にかなり丈夫な固有のテントである。また、大部分が黒く、太陽からの熱をよく吸収し保温性に優れている。さらに、酸素の薄いチベットでは、テントの通気性は欠かせない生存条件の一つであるが、バッナグはその点においても優れているなど、チベットでの遊牧には欠かせない生活用品となっていると言う。内部の広さは三畳足らずであったが、真中に、乾燥させたヤクや羊の糞を燃料とする小さな炉が、そして、その他の多くない所持品は、奥や左右の端に分け置かれ二人が休息するには十分な広さがあった。そのテントは、筆者には、草原の〝修行者〟のこじんまりとした庵《いおり》のように感じられた。二人と違って、家族全員で遊牧をしている人達は、もちろん、もっと大きなバッナグに住んでいる。しかし、生活の所持品は、一般に、それ程多くなく簡素であり、そして、住まいの中心部となる所には必ず仏壇が置かれ仏具と共に諸仏や諸尊が祀《まつ》られているらしい。しかし、祖先の位牌や写真は置かれないと言われる。そんな状況を草原の庵で確かめたいと思ったのだが、異民族の好奇の目で生活を乱されたくないとの気配が感じられ、残念ながら遠慮せざるを得なかった。

実際に見たり読んだりしたテントの中の調度品からも、チベットの遊牧の民は我々の生活と全く違って、文字通りシンプルで無駄のない生活スタイルを伝統的に受け継いできていることが伝わってくる。我々のように、様々な生活用品をデンデン虫のように背負った生活スタイルはここでは命取りになる。彼らは、寒さ、乾燥、強い風雨、低酸素などなどの厳しい自然に挑み、克服するのでなく、それらを日々直視し、怖れつつ、それらの有り様やリズムに合わせ、寄り添ってきたのだ。そうしたシンプルで無駄がなく、日々自然と接する日常から、篤い信仰心が育まれてきたのであろう。このようにして培われ、チベットの文化、風土、歴史などに刻まれてきた様々な叡智には、多様な社会問題や、文明の行き詰まりがあちこちに強まる現代社会を、新たに方向付ける上で、学ぶべき事柄が多いと痛感する。

三　高々山湖プマユム湖を特徴づける稀なる自然の妙

プマユム湖は、森林限界（四六〇〇メートル）を大きく超えた五〇三〇メートルに位置する高々山湖であることは、前に述べた。そんな湖における植物プランクトンの一次生産（光合成）を出発点とする物質循環の構造や規模などに、我々がこれまで見てきた平地の湖と較べて、どのような違いがあるのか、また、最終的に湖底堆積物中に取り込まれ、我々に気候・環境変動を解読するための手掛かりを与えてくれる有機物をはじめとする様々な物質にどんな特徴があるのか、を知ることも本学術調査の主な目的の一つであった。

これに先立つ第一次調査（二〇〇一年）では、主として三田村緒佐武《おさむ》氏（当時、滋賀県立大学）と清家泰《やすし》氏（当時、島根大学）とによって、また第二次調査（二〇〇四年）では、主として前出の寺井氏と村上氏とによってプマユム湖の特徴が数多く明らかにされてきた。その中で次の事柄が我々の興味を強く引いた。一般に水深五〇メートル程度の平地の温帯湖の夏季において、植物プランクトンが集中する層（クロロフィル極大層《きょくだいそう》と呼ぶ）は、光や栄養塩の関係で水温が急速に低下する、いわゆる水温躍層《すいおんやくそう》よりも上部に現れるが、プマユム湖のそれは逆で、水温躍層（二〇〜二五メートル）からかなり下部の層に存在するらしいという、いわゆる亜《あ》表層《ひょうそう》クロロフィル極大層（以降、亜表層極大層）の存在が示唆されたことである。このことは、プマユム湖の未知なる湖沼学的特徴の一端を引き出すための有力な手掛かりを与えているように思われた。そこで、この第三次調査では亜表層極大層の存在の可能性を、プマユム湖の表層から湖底に向かって絶えず沈降している有機物をはじめとする様々な物質、いわゆる沈降粒子の質と量を把握することによって確認し、かつ、亜表層極大層を造り出している当湖のメカニズムを明らかにすることを目指した。

図19に、水深五〇メートル下におけるプマユム湖の夏季の水温変化と水温躍層の位置と共に、水深二〇メートルまでではあるが、植物プランクトン（生産者）の純光合成《じゅんこうごうせい》量（総光合成量から生産者の呼吸量を差し引いた量）の深度変化を示す。このような湖水中における沈降粒子を捕集するための装置、セジメント・トラップ（直径二〇センチ、高さ六〇センチ）を、図19に示すように水温躍層から二メートル下の二七メートルと、湖底から五・五メートル上の水深四五メートルの二層に係留することとした。このトラップ中には、捕集された沈降粒子が微生物学的な分解を受けないようにするための防腐剤が仕込まれている。係留場所は湖の南東部寄りの位置である（図12）。

この沈降粒子捕集実験は、前出の松中君と新大学院生の井筒康裕《やすひろ》君の二人の主導で行われた。セジメント・トラップの係留に際しては、五〇メートル下の湖底にアンカー（約三〇キログラム）を着底させる時、堆積物ができるだけ舞い上がらないように約五〇キロの装置全体を二人で保持しながら、ゆっくり静かに降ろしていかねばならない。また、実験終了後には、捕集された沈降粒子が揺らされ、舞い上がらないように、やはり静かに二人息を合わせて引き揚げなければならない。アンカーを含むセジメント・トラップ装置の全量は柱状堆積物採取時の重さと較べれば半分以下ではあるが、五〇〇メートル下で、かつ、波にかなり揺らされる不安定な態勢での比較的長時間、耐久力を必要とする一連の作業は我慢の限界ぎりぎりであったはずである。周りの我々は右往左往するのみであったが、二人の周到な頑張りの甲斐あって八日間の捕集実験は見事に成功した（巻頭カラー写真16）。

捕集された沈降粒子は唯一無二の宝物のように扱われながら、まずは、プマユム湖の二七メートル下と

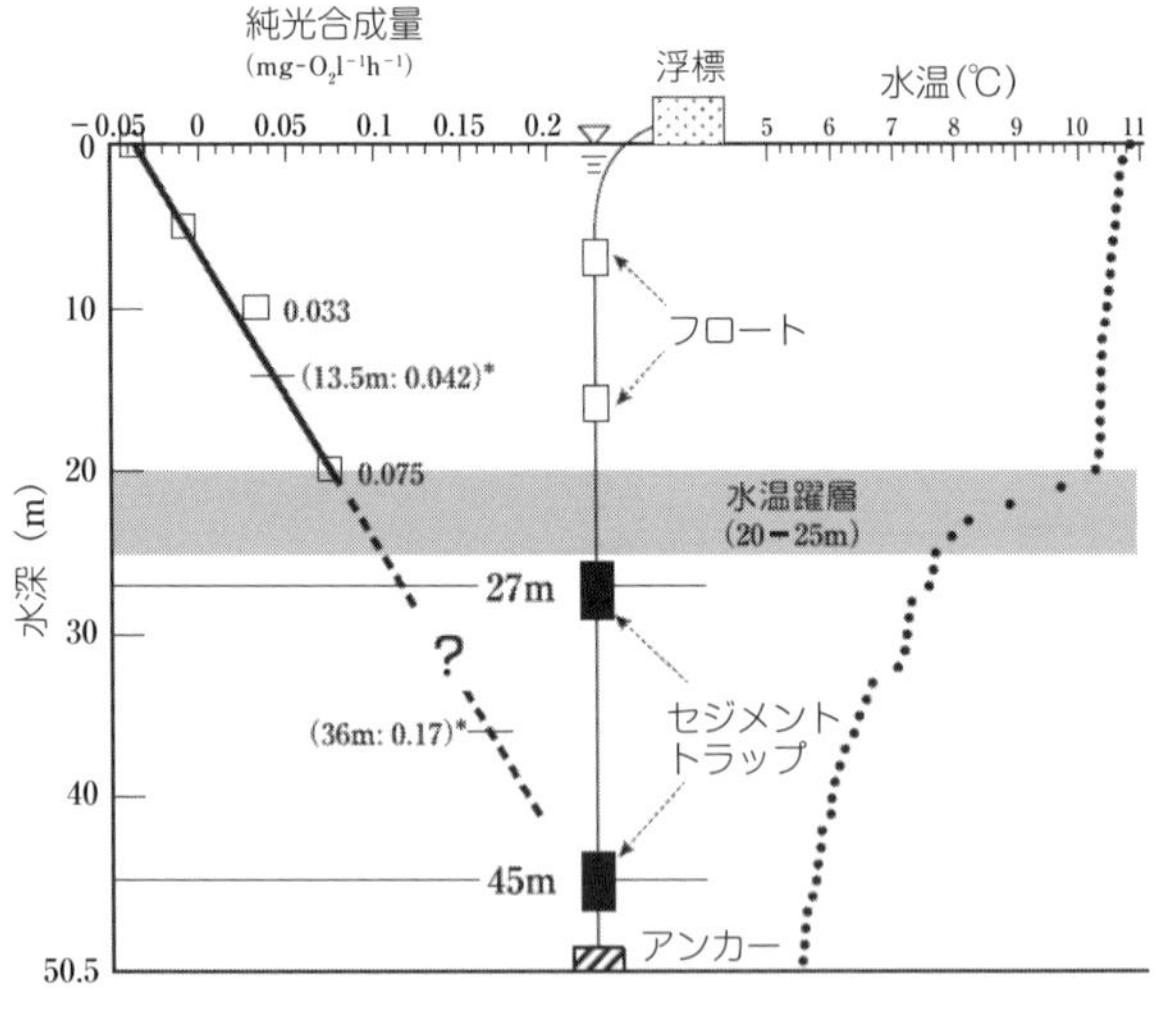

図19　プマユム湖における水温躍層の位置、深さ3点での純光合成量、および設置された沈降粒子捕集装置（セジメント・トラップ）（巻頭カラー写真16を参照）の深度を示す図。＊マークは深さと実測された純光合成量との関係から算出された純光合成量（松中ほか、2012）

四五メートル下における一日あたりの全有機炭素の沈降量（フラックス）を求めた。結果は図20に示すように、四五メートル層におけるフラックスは二七メートル層でのそれの二倍以上あることが分かった。沈降粒子中の全有機炭素の主要な供給源が植物プランクトンであれば、この結果は水温躍層よりも二〇メートルも下層に亜表層極大層があることを示すことになるが、その真偽の程を確認せねばならない。一般に、湖水中で捕集される沈降粒子の全有機炭素は、植物プランクトンのみならず、動物プランクトン、陸上植物、土壌など様々な起源を持っている。したがって、捕集された沈降粒子から植物プランクトン起源の粒子のみを取り分けなければならない。その操作は容易ではないが、基本的には顕微鏡下での観察、サイズの違いによる篩い分け、および比重による分別を交互に繰り返し、沈降粒子を数分画に分けることから始まる。こうして分別された各粒子分画中に含まれる有機物について、まず、量を測定すると共に、起源に関する情報を与えてくれる炭素と窒素の比（C／N比）と炭素の安定同位体比（$\delta^{13}C$値）を分析する。得られた二つのパラメータをC/N-$\delta^{13}C$ダイアグラム上に図示することによって各分画中の有機物の起源を知り、量を知ることができる。

　以上のようにして得られた主として植物プランクトンに起源を持つ有機物の量をもとに、湖水中の〇～二七メートル層と二七～四五メートル層の二層における植物プランクトン起源有機炭素の平均生成速度を算出した。結果を図21に示す。驚い

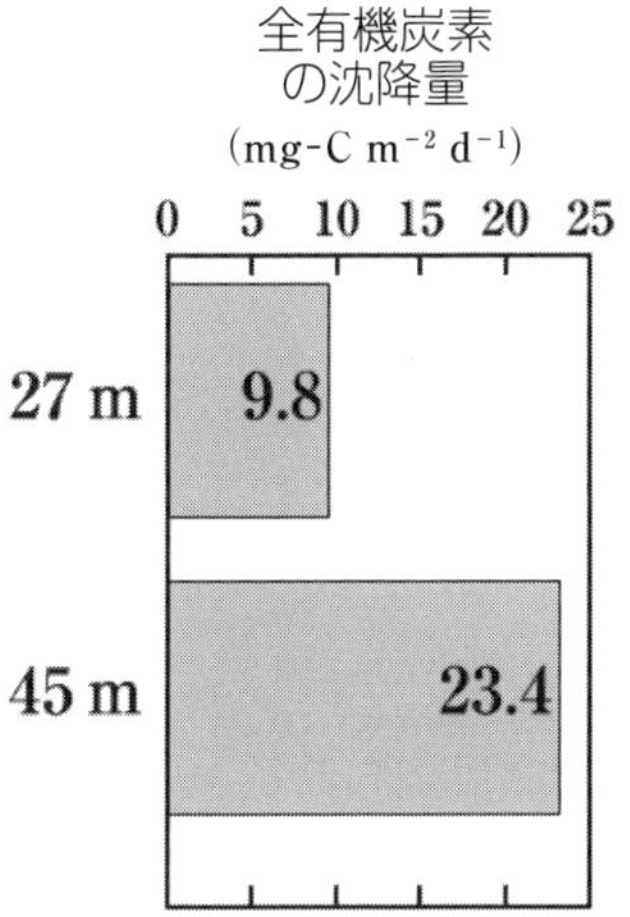

図20　水深27mと45mとにおける沈降粒子中の全有機炭素の量（フラックス）（mg-C $m^{-2}d^{-1}$）（松中ほか、2012）

たことに、二七〜四五メートル層におけるその平均生成速度が表層の二七メートル層の四倍以上に達していた。この大きな違いは、図19中に示した、水深と純光合成量との関係式から予想される一三・五メートル（〇〜二七メートル層の中間点）と三六メートル（二七〜四五メートル層の中間点）とにおける純光合成量との違いにほぼ対応していた。これらのことから、プマユム湖ではクロロフィル極大層が水温躍層から二〇メートル余り下層に移動し、むしろ湖底に近い四五メートル近辺に亜表層極大層を形成していることが分かった。亜表層極大層が水温躍層からこれ程離れて存在する例は世界的にも稀なケースであろう。

一般に、湖に亜表層極大層が形成される主な原因として二つがあげられる。一つは、表層水中の栄養塩が欠乏した結果、植物プランクトンはより深い水深の栄養塩に依存するようになって形成される場合、もう一つは、湖の表面付近における強い太陽光によって植物プランクトンの成長が抑制される、いわゆる強光阻害を受ける結果、深い水深の弱光に適応した植物プランクトンの存在によって形成される場合である。プマユム湖の亜表層極大層の形成には、これら両者が多かれ少なかれ関係していると思われるが、以下の理由から、後者の植物プランクトンの強光阻害と弱光への適応が主たる原因と考えられる。

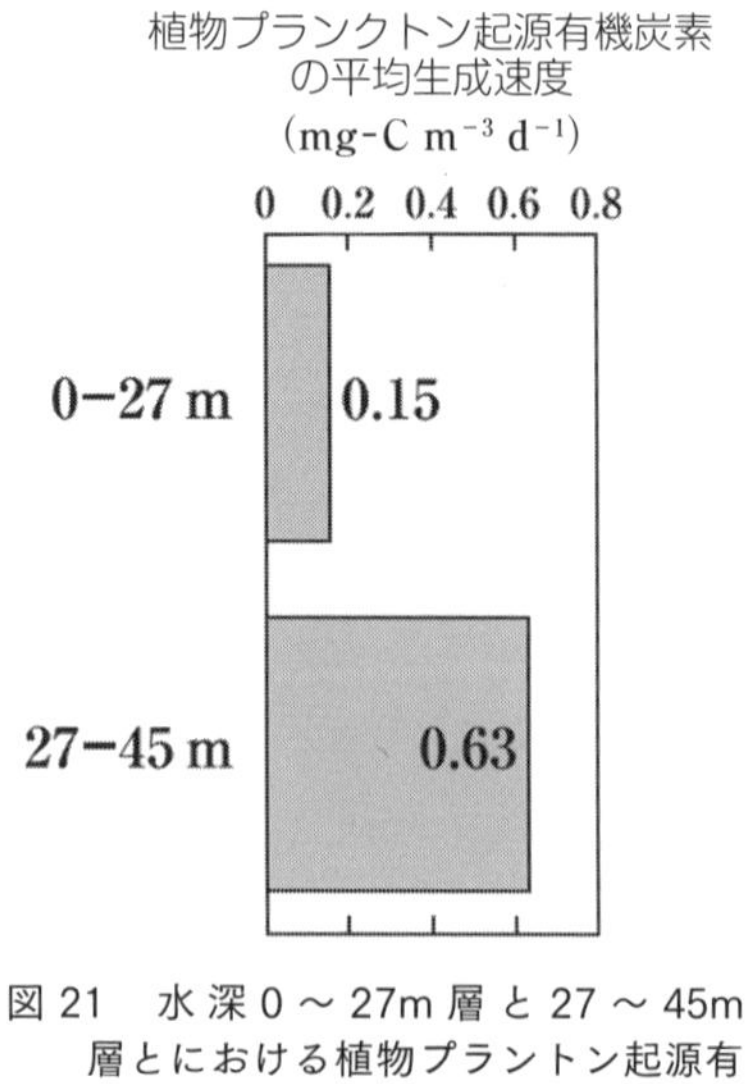

図21　水深0〜27m層と27〜45m層とにおける植物プラントン起源有機炭素の平均生成速度(mg-C m^{-3}d^{-1})（松中ほか、2012）

比較的低緯度の北緯二八度近辺に位置し、五〇〇〇メートルの標高にあるプマユム湖における太陽光の強さは平地のそれより遥かに強く、植物プランクトンに顕著な強光阻害を引き起こしているはずである。その原因は、近紫外部の光（以降、紫外線とする）にあるとされている。チベット高原五〇〇〇メートル下における紫外線の強さは、第一次調査時に、植物生理に対する紫外線の影響を研究していた手塚修文《たかふみ》氏（当時、名古屋大学）によって測定された（巻頭カラー写真9）が、機器の日本への搬送中の事故で残念ながらデータが失われてしまった。しかし、その強さが並大抵でないことは、晴天下で三日程度作業をすると、まず耳の、そして顔面の皮膚がボロボロになってくることから明白である。それに加え、プマユム湖は三〇メートルを超す透明度を持つ、世界でも有数の清澄な湖であることが一次調査で明らかにされている。したがって、植物プランクトンの成長を阻害する紫外線がプマユム湖の深くまで入り込み、それを避けて植物プランクトンの密な存在域が水温躍層のかなり下層にまで潜行し、その亜表層極大層が形成されていると考えてよい。

我々の次なる興味は、この亜表層極大層における植物プランクトンの有機物生産（一次生産）の規模に、平地の湖と較べ、どの程度の違いがあるのかということであった。当初は、森林限界を遥かに超え強光阻害下にあるプマユム湖での一次生産は、せいぜい温帯地域の貧栄養湖程度であろうと考えていた。しかし、実際に二七～四五メートル間における亜表層極大層における一次生産速度を算出すると、驚いたことに、例えば日本の中栄養湖である木崎湖（長野県）のそれをかなり上回っていることが判明した。このことは、寺井氏が明らかにした湖水中の溶存有機物の存在量の点とも矛盾していなかった。しかし、この結果はにわかには受け入れ難いものであった。何故ならば、プマユム湖では水温躍層（二〇～二五メートル）から湖底

（五〇・五メートル）に至るまで水の循環が停滞し、かつ、その湖水中には亜表層極大層の光合成によって生成される酸素が飽和状態となっている状況下で、中栄養湖に匹敵する、あるいはそれを超える一次生産量を維持するために必要な栄養塩を補給し続けることは難しいと考えられるからである。つまり、水温躍層から湖底の間で、有機物（主として植物プランクトン）の酸化分解によって栄養塩（窒素、リン、鉄、ケイ素など）が再生され、それらの多くが再び一次生産を支える分解・再生の循環が行われたとしても、プマユム湖のような酸素が十分存在する酸化的な水環境下では、特に微量必須栄養元素である鉄分は水に不溶となって湖底に沈降・除去され、常に欠乏状態に陥るからである。同様に、リンもまた鉄分と共に沈降・除去（共沈）され、その高い一次生産を支えられなくなるはずである。

では、プマユム湖の水温躍層以深における高い一次生産を支え続けるための鉄分やリンなどの栄養塩の供給は、実際、どのように維持されているのであろうか。その供給源として陸以外は考えられないのだが、問題は供給ルートである。可能性としては、主に、砂埃のような風送塵《じん》による空からのルート、もう一つは河川によるルートである。この検討にあたって、前に述べた沈降粒子の起源選別によって得られた四種の陸起源物質（砂粒、シルト&粘土、陸上植物起源有機物質、および土壌起源有機物質）を対象に、〇～二七メートル層と二七～四五メートル層における捕集実験期間八日間の湖水一立方メートルあたりの各平均沈降量を算出し、二層間の比較を行った。上層に対する下層の比率は四成分いずれも一以上で、特に砂粒より比重が小さい三成分の比率は二から四と高い値を示した。

もし、これらが、主として風によって湖に運ばれてきたとするならば、この下層（二七～四五メートル）での陸起源物質の増加を説明することは難しい。これに対して河川による供給であれば、次に述べるように説明可能である。ただし、この場合、単に、湖に河川が流入していればそれで十分であることを意味している訳ではない。その河川の流入水が、プマユム湖の循環をしていない水温躍層以深の亜表層極大層へと既存の湖水を押しのけて深層に貫入《かんにゅう》して行く（深層貫入と言う）必要があるのである。そのようなことがプマユム湖で起こっているのであろう。

当湖への流入水の大半を占めるジャー川は、図12に見るように南に五〇キロ程度しか離れていないヒマラヤのヤルラ氷河に源頭を持ち、プマユム湖の西側から流れ込んでいる。この流入水の水温は、夏期の湖の表層水のそれ（一一～一三度）よりかなり低く、一日を通し約五度と水温躍層の水温（五～七度）に近い値を示す。このように湖水の表層より低い水温を持つ河川水（つまり、氷河融水）は、比重差によって湖底に沿ってしばらく移動した後、水温躍層以深に深層貫入して行くことが知られている。したがって、プマユム湖においても流入する水温約五度の河川水が、水温躍層以深から五度近い湖底（五〇・五メートル）にかけて深層貫入していると考えられる。この視点から、前述した陸起源物質の上層に対する下層の比率が大きい理由と同時に、プマユム湖の高い一次生産を支え続ける栄養塩の供給維持の仕組みが矛盾なく説明される。

以上のことから、深く、清澄でありながらも、日本の中栄養湖の規模に勝るとも劣らない一次生産量を有する亜表層極大層を持った湖が、チベットの森林限界を遥かに超えた五〇〇〇メートル下に出現している仕組みがおおよそ明らかにされた。その仕組みの主要な柱の中で、強い紫外部を持った太陽光は五〇〇〇メートル以上のチベット高原ではあまねく降り注いでいるし、ヒマラヤ、あるいはそれに匹敵する高山の氷河からの冷たい融水の流れも、チベット高原にあってはそれ程珍しいものではない。しかし、遠く離れた湖に清澄な融水を常時、大量に供給できる規模の氷河を有した高山や、融水の温度が五度前後に保たれたまま氷河から湖に至る適度な距離と流路を持った河川は、チベット高原と言えども、それ程ありふれた存在ではないであろう。加えて、プマユム湖のような清澄で、深い水深と相応の規模を持った湖の存在は、チベット高原においてこれまで余り知られていない。こうした事柄を考え合わせると、種々限定された環境下で、比較的高い一次生産を持った亜表層極大層がプマユム湖に出現している様は、欠くことのできない幾つかの要因がプマユム湖で文字通り千載一遇《せんさいいちぐう》の出会いをし、微妙なバランスの上に現れ出た稀に見る自然の妙《みょう》と言う他はない。

振り返れば、二〇〇〇年の予備調査で初めてプマユム湖を見て以来、その透き通った湖水から、一次生産はかなり低く、生き物が乏しい貧栄養湖であるとの印象を強く持っていた。しかし、調査を重ねる度に、湖にはヨコエビ、巻貝、ユスリカの幼虫、群をなす稚魚、高原ドジョウ、コイやサケの仲間など、様々な生き物達が棲んでいることを知るにつけ、プマユム湖が貧栄養湖であるとはとても思えなくなっていたのである。その違和感は、今回の沈降粒子捕集実験によって氷解し、プマユム湖は貧栄養湖とは違い、かなりの一次生産（プランクトンの生産量）を有し、それを土台とした比較的豊かで規模の大きい生き物の世界（生態系）を形成しているとの認識に至った。このことは、森林限界を遥かに超えた五〇〇〇メートル下にありながらも、湖岸に集うカエル、種々の小鳥たち、ナキウサギ、蝶をはじめとする種々の昆虫、濃い緑とお花畑をくり広げる様々な草本の存在、そして、ヤクや羊の群れを連れた遊牧民の行き交いとも無関係ではないであろう。つまり、自然の稀なる妙から生み出された比較的生産性の高いプマユム湖を中心に、湖の内外で生態学的につながり合って、比較的豊かで、広域の生き物が集う世界が支えられているのであろう。プマユム湖は森林限界を越えた所にありながらも、生き物達を生み、育み、広げる、チベット高原の、言わば貴重な生命のオアシスの一つとして機能しているに違いない。

四　チベット堆積物の年代決定を攪乱するオールドカーボン問題の解決

前章で、二〇〇四年に採取した柱状堆積物（PY409PC）の年代を、オールドカーボンと呼ばれる年代の古い炭素物質の混入によって、正確に決定することができないことを述べた（図18）。この混乱を招くオールドカーボンの供給源や物質名についてはよく分かっていないが、今もなお陸上から湖に絶えず供給されていることが、前節で述べたプマユム湖の中央部に設置したセジメント・トラップ実験から判明した。すなわち、現在沈降し湖底に堆積する粒子状物質の中に今もなお、約五〇〇〇年前から五〇〇〇年前の年代を有する物質が実際に混入してくるのである。その供給源として、主に以下の二つのことが考えられる。

まず一つは、チベット高原南部域の地学的な成因と関係する。前に述べたように、チベットの南部の大部分を含むヤルツァンポーからヒマラヤ山脈までの広大な陸塊は、太古の昔、海洋生物の様々な進化を支えたテチス海の海底であったが、約五〇〇〇万年前からの隆起運動によってできたものである。当時の海底に蓄積していた多量の堆積層のほとんどは、その隆起と共に侵食・はがし取られ、最終的には河川を通じてインド洋に戻って行ったと考えられる。しかし、その幾らかが、今もなおヤルツァンポーからヒマラヤ山脈の地域の至る所に残されているのだろう。その残存堆積物には、当時の古い有機物や炭酸カルシウム（$CaCO_3$）などが、オールドカーボンの元となる炭素物質としてわずかながら含まれているのであろう。それが湖に運ばれ再堆積することによって問題の混入が起きていると考えられる。

もう一つの供給源として、陸上に形成された五〇〇〇万年前以降の古い地層が考えられる。プマユム湖の北側の水域には、現在も活動していると考えられる活断層が西から東へ少なくとも二本走っていることが衛星写真からはっきり判別できる（図3）。そのうちの南側の活断層上にある北側の湖岸に、刃物で切り落としたような高さ数十メートルの断層や、ゆるやかだが、古い地層がむき出しになっている所がかなりの距離にわたってみられる（図4）。また、その活断層の延長線上にある大、中、小の島々にも比較的最近造られたと思われる断崖絶壁が存在する（巻頭カラー写真6）。このような地質変動によって露出した地層からも、大昔、陸上に生えていた植物の断片に由来する古い有機物や、陸水域で沈着した炭酸カルシウムなどが湖に供給されオールドカーボンとなっていると考えられる。

そこで、古い地層が露出した断層が続く北側と、断層がほとんど見られない南側とのそれぞれの湖岸沿いの湖底から、東西約一五キロにわたって、表層堆積物（〇～一センチ層）を採取し、それらに含まれる全有機物（TOC）を対象に年代の比較を行った。その結果、北側の表層堆積物は南側のそれよりも有意（一・二～一・三倍）に古い年代を示し、上記の可能性が示唆された。

もし、これらの二つの地質学的要因の影響がほとんどないようなチベット高原の領域であれば、オールドカーボンによる年代の測定妨害にそれほど悩まされることがなくなる。例えば、ヤルツァンポーを境とした北側のチベット高原のほとんどの領域には、テチス海の海底堆積物が基本的に行き及んでいないことから、チベット南部域に見られるようなオールドカーボンの寄与は、ほとんどないと考えてよい。後は、簡単ではないが、そのような北側の領域で古い地層が露出していない、ある程度地質学的に安定で、かつ陸上（および、湖）の生物生産が比較的高い地域にある湖を研究対象にすれば、その湖底柱状堆積物の年代決定は、そこに含まれるＴＯＣを使っても問題なく行えると考えられる。今後の調査・研究に注視したい。

再び、オールドカーボン問題の現実に戻ろう。先の、かなりのオールドカーボン効果が見られた沈降粒子や堆積物から、どのようにしてオールドカーボンを取り除くかについての具体的な方法が考えつかないまま月日が過ぎて行った。ある先入観に囚われていたようだ。ある日、沈降粒子を水に入れた小さな試料瓶を何気なく振りながら見ていると、水面近くまで一時的にフワリと浮き上がる〇・数ミリの細粒子が、わずかながら存在することに気付いた（巻頭カラー写真17）。それらをピペットで集め顕微鏡下でみると、思い掛けなくも維管束植物に特徴的な組織構造をもった陸上植物由来の微細片であった。ついで、柱状堆積物についても同じようにして観察してみると、同様な植物片と共に陸上植物の葉の表皮などに針状をなしている微小な組織片と思われる物質も、全層にわたって微量ながらも存在するではないか！　加えて、両者を合わせると年代測定がなんとか可能な量になった。

日本と違って標高五〇〇〇メートルのチベット高原の大部分は、植生が極めて乏しく、乾燥ぎみの大地にわずかに草が生えているに過ぎない環境である。そんな地域の広大な湖の堆積物にも、年代測定ができる程の陸上植物片が分解されることもなく沈積しているとの現実に気付くまで、それはなかなか認め難いことであった。一同の〝微小な植物片をもつかむ思い〟が通じたのだろう。さっそく、PY409PC（コアNo.2）の堆積層（一センチ幅）の一つ一つから細心の注意を払いながら集めたわずかな植物片を対象に、名古屋大学年代測定総合研究センターの中村俊夫氏と渡邊隆広君とによって加速器質量分析法（ＡＭＳ）による年代測定が行われた。その結果、これまでのＴＯＣから得られた年代（図18）とは全く違って、深度と共にほぼ矛盾なく、一次直線に近い年代変化が引き出されるに至った（図22）。続いて、二〇〇一年と二〇〇四年に採取した二本のプマユム湖柱状堆積物（コアNo.1とNo.2）の信頼しうる年代決定が達成された。関係者一体となった地道な協力の積み上げが実を結び、六年余りにもわたるチベット高原のオールドカーボン問題の長いくびきから解き放たれた。

チベットにおける、この年代測定の手法は、その後、国外の研究者によっても使われ始め、多くの成果と共にその手法を中心とした、より正確な年代決定のための新たな挑戦がなされようとしている。

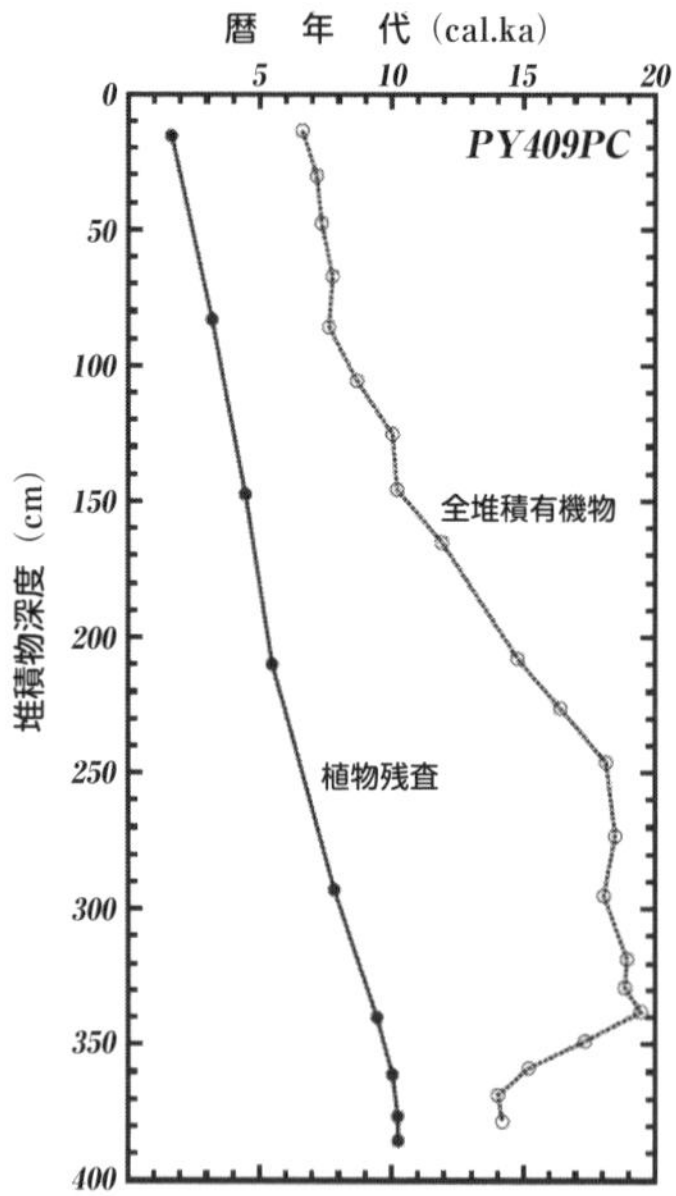

図22　PY409PCコア中に含まれる陸上植物由来のわずな微細片（巻頭カラー写真17を参照）を使って得られた年代測定結果と、全有機炭素物質を使って得られたPY409PCコアの年代測定結果（図18）との比較

五　大詰めの湖底柱状堆積物採取

ピストンコアラーを使ってほぼ四メートルの柱状堆積物を採取する作業は、第一章の五と六節で述べたように一見単純そうだが、なかなか奥が深い。特に、天候が不安定な五〇〇〇メートル余りの高地で、深い湖

底から、表層から厚さ四メートル内で二万年前近くまで遡る柱状堆積物を採取しようとする作業は、技術的に常に挑戦的である。ましてや、湖の各所における堆積物や堆積速度の分布が分かっていない状態においては、挑戦的を越え山師的でもある。今回は、その大詰《おおづ》めの採取作業を果たすためにやって来たとの意気込みが日中両者にあった。

まず、採取に必要なプマユム湖の湖盆図作成は、二〇〇四年、先出の寺井氏の指導によって開始され、それを受け継いだ中国の大学院生らの働きによって二〇〇五年には完了した。その湖盆図を前に、問題の堆積物はどの辺りで採取できるかを、ツー氏と湖岸で改めて議論した。これまでの採取結果を教訓に、堆積速度が最も遅い地域は、やはり、西側の河口から遠く離れた湖の中央部より東に寄った深い所であろうと推測され、その範囲で互いに五〜六キロの離れた三地点で、一地点二本、計六本を採取することにした（図12）。期間は、八月一四日から一六日までの三日間で行うことになった。この日程は、台船を必要とするセジメント・トラップの設置・回収、採水、表層堆積物の採取などの各予定が押し合って、その三日間しか取れない状況に迫られた結果である。チベットで六本のコアを取るのであれば、労力と時間の点から、ある程度の余裕をもった四日間が必要なところだが、いたし方ない。採取チームは、日本側四名、中国側三名の計七名から成る。第二次調査の時と同様、今回も筆者とツー氏を除く五名は大学院生かポストドクターで、平均年齢は二七〜二八歳。パワーもチームワークも優れた面々である。

八月一四日、晴天。湖は凪《なぎ》の状態である。午前一一時近く、第一候補である湖盆の中央から一〇キロ程東寄りの水深五二メートルの地点（図12）にアンカーを入れコアリングを開始。昨日、問題のピストンのワイヤーと重り用のロープの絡みが生じないようにと、両者を十分延ばし、不自然なねじれをできるだけ取り除くようにまき戻しておいた甲斐あってパイプを打つ金属音が響き、四メートル近くのコアが取れたとの手応えがあった。しかし、二・五メートルしか取れてこない。コアリング操作を辿ってみると、コアパイプを湖底に下ろす際にピストンのワイヤーに余分な力が加わって、湖底に着地する前にピストンがパイプの底部から一メートル余り引き上げられてしまったようだ。注意点をみなで確認し、二度目へ。問題の絡みもなく、最初の一撃の感触は悪くない。みなで十分打ち込み、引き上げた。しかし、手応えが軽い。なんとパイプの中味は水のみで、金属製のピストンの中軸のみがパイプ上部に、また、ピストンの役割を果たすべく硬質弾性ゴムのみがパイプの最端部から五〇センチの所に、それぞれ止まっていた。みな、何が起こったのかと呆然としている。ピストンの働きをする弾性ゴムが劣化し、ピストンが移動する際その中軸から引き離されてしまったのだ。その状況を確認した直後、天候が急変。大粒のあられとひょうが激しく降り出し、間もなく強い風も加わり横殴りのみぞれに変わった。加えて、すぐ間近に雷が轟《とどろ》き始めた。五〇〇〇メートル下での雷はみな初めての体験である。平地のそれよりもかなり間近に轟き腹部にまで響く感があり、凄《すご》みを感ずる。台船以外、近くに何もない広い湖上で、雷が我々を直撃するかも知れぬとの強い不安と恐怖にかられ、台船上の金属の三脚櫓《さんきゃくやぐら》（巻頭カラー写真6を参照）からできるだけ離れ、みな船上に身を縮こませた。そうして間もなく、強い風で閉じた我まぶたに湖岸で見たマニ・トイ（図7）が浮かんできた。チベット高原での、この時期のフィールドワークに際しては、あの遊牧の民のように、我々もマニ・トイを携え避雷への備えをせねばと思う。

そんな思いを抱き篠突《しのつ》くみぞれに一時間余り叩きつけられながらも、我々七名の一団は夕方六時頃なんとか無事にベースキャンプに辿り着いた。中国側のメンバー達が湯気立つジンジャースープで出迎えてくれた。すっかり冷え切ってしまった心と体の隅々に、その温かさが浸みていく。その心地に身を任せて束の間、我々と同じ頃に湖へ出かけて行った湖水観測グループ（二名）が未だ帰っていないことに気付き、まさかとみな落ち着かなく湖上はるかを見渡す。ソワソワと待つこと一時間余り、風神雷神が鎮まり、暮れかかる南のはるか湖上に小さな舟影を見つけ、一同歓声を上げげた。雷と嵐を避けて、南側の湖岸に一時退避していたのだ。全員、ジンジャースープで乾杯をする。しかし、人心地がつくにつれ、今日のコアリングの結果が苦々しくも蘇《よみがえ》ってくる。

翌日、うって変わっての晴天で湖上は凪の状態。昨日の不手際を取り戻そうと重ね重ね点検・確認をし、一〇時過ぎ昨日と同じ地点に向かう。日中隊員の甲斐甲斐しい働きで、四時頃までには一度も失敗することなく、三八五センチと三八〇センチの二本の柱状堆積物を採取。残る他の作業を済ませ夕方を迎えるが、この日は、前日のように天候が変わることなく、珍しくも湖上は終日静かであった。

続く八月一六日も昨日同様、コアリング絶好の日和である。午前一一時近く、今度は湖中央部より南東に五キロばかり行った水深五一メートルの第二候補地点（図12）に向かう。正確な測深、二本のロープの絡み防止、およびチームワークに心しながらコアリングを開始。再び、大きな失敗をすることなく、三七五センチと三八〇センチの二本の柱状堆積物を採取できた。ただ、前者の柱状堆積物を船上に引き上げる際、堆積物の自重による押し出しでロスが一〇センチばかりあって、今後に問題を残した。しかし、五〇〇〇メートルのチベット高原で、二日続けて四メートル近い堆積物のコアリングの成功率をほぼ一〇〇パーセント近くにまで引き上げることができた。これは、やはり日中のチームワークの賜物以外の何ものでもない。四時近く、またぞろ空はにわかに曇りだし、あられを伴って時雨だした。一昨日の二の舞にならないよう残る作業を打ち捨て、早々にベースキャンプに帰ることにする。急ぐ船に揺られながら、チベット南部での湖底堆積物の採取を成功させるに適った季節は、雷神は恐いが、晴天と凪の多い八月上旬から中旬がその一つであると思った。

もう一地点でのコアリングを切望するのだが、前述の事情で、もう残された時間はない。日中両メンバー後ろ髪を引かれる思いだが、二地点から得られた計四本のコアを日中で分け合い、互いの分析試料とした。

六　新たな柱状堆積物試料の古文書としての評価とその教訓

プマユム湖の中央部から東寄りの地点で得られた日本側のコアはPY608EPC（コアNo.3）と、また南東寄りの地点からのそれはPY608WPC（コアNo.4）と名付けられた。この節では、これら二本のコアと、二〇〇一年に大島の南東部から採取したPY104PC（コアNo.1）の計三本（図12）の中で、どのコアが、二万年前近くまでの年代をもち、かつ、その期間のチベット南部域の気候・環境変化に関する情報をより明確で、詳細に持っていたか、つまり、古文書として最も優れていたコアはどれであったかと言うことと、その結果が我々にもたらした思いも掛けない教訓について述べる。

まず、東寄りで採取されたコアNo.4（全長：三八〇センチ）は、困ったことに水草遺骸は全く含まれず、さらに全層を通して陸上植物の細片も極めて少なく、堆積年代の測定を拒んでいるのである。そこで、そのコア中のいくつかのプロキシ（気候・環境に関する情報を有する物質：代替指標）の深度分布と、年代が詳細に明らかにされた前出のPY104PC（コアNo.1）やPY409PC（コアNo.2）のそれらとを対比した結果、コアNo.3の堆積年代は一万二〇〇〇年前程度までしか遡《さかのぼ》らないことが明らかになった。

それに対し、より中心部に近い地点で採取したコアNo.4（全長：三八〇センチ）には、陸上植物の細片が微量ながら全層に含まれ、かつ、コア底部から七〇センチ上部の間にのみだがかなりの水草遺骸が存在していた。まず、後者を使って堆積年代測定がなされた結果、コアNo.4はコアNo.1に較べ約二〇〇〇年古く、一万八六八〇年前まで遡ることが分かった。しかしながら、水草遺骸がなくなる三一〇センチより上の部分について、一センチに細断された堆積物中には年代測定に十分な植物細片が含まれておらず、細断試料を三個から五個、場合によっては六個から七個をまとめて一試料として植物細片を集めないと年代測定ができないことが分かった。したがって、そのようにして測定されたコアNo.4の年代値の正確さは、試料一個で年代測定が可能なコアNo.4のそれに較べかなり劣ることになる。加えて、このコアには気候・環境変化に関する有用なプロキシとなる花粉が、ほとんど含まれていないのである。一方、その他のプロキシとなる様々な物質の深度変化を両者間で比較しても、コアNo.1においてより多くの大小の変化が認められる傾向があり、気候・環境変化に関する情報がより豊富に含まれているものと判断された。

以上の比較から、二〇〇一年以来、プマユム湖の計四地点から採取された柱状堆積物試料のうち、最初に得たコアNo.1が、過去約一万九〇〇〇年間にわたるチベット南部域の気候・環境変化についての情報をもっとも多様に、明確に、かつ詳細に記録している古文書であると結論された。

改めて、これまで得られた結果に沿って採取地点の堆積状況を比較してみると、湖の中央域から東に向かって約一〇キロの範囲内の三地点から採取したコアの間で、堆積速度、および堆積物の質に三者三様それぞれ、思いも寄らない大きな違いがあることが分かる。今さらながら、なんと蒙昧な採取地点の選択をやっていたものだと冷や汗が出る思いだ。やはり、湖での物質の堆積状況を正しく推察するには、湖での様々な関係要因や動きをそれなりに詳しく調査しなければ、湖盆図のみでは相当の無理があることを思い知らされた。

しかし、広大な湖から望む堆積物を得るために、そのような検討を一つ一つ行うとしたら時間と経費ばかりがかかり、実質的な古環境研究はなかなか進まなくなる。ましてや、チベット高原でのケースはなおさらである。結局の所、望む堆積物の採取にあたっては、多かれ少なかれ山師的に何本ものコアを実際に採取し検討せざるを得ないのが現状のようである。その感覚を、それなりにもっと磨くか、短期間でやれる確実な手法を新たに創り出す必要がある。

七　湖の女神からの六年前のメッセージ

第一次調査を行った二〇〇一年早春のプマユム湖は、その大部分が氷に覆われる中、何故か大島の周辺のみに、黒い程の紺碧《こんぺき》の湖面を大きく開いていた（巻頭カラー写真1）、ということを第一章で述べた。我々は仕方なく、春のおとずれと共にそこからさらに湖面が大きく開いていくことを願って、その島に比較的近い北湖岸にベースキャンプを設営し、気象と湖の氷結状態が日々激しく変わる五〇〇〇メートル下で三週間を過ごした。しかし、願いかなわず。広がらぬ湖面に見切りをつけ、大島周辺の水域で、湖底から厚さ四メートル内の堆積層に約二万年前まで遡れる堆積物が存在するであろうと期待される場所を山勘《やまかん》で選び、ともかく採取を試みた。薄氷を踏む思いの中、二〇〇一年四月二〇日、三・八メートルで約一万九〇〇〇年前まで達する貴重な一本のコア（PY104PC：コアNo.1）を得ることができた。

しかしながら、月日が経つにつれ、あの広いプマユム湖で、北岸に近く、大島のすぐそばの地点の堆積層よりも湖のもっと中央部域の深みに、過去二万年間の詳細な古環境を記録した代表的な堆積層が存在しているはずだとの思いが強くなっていった。加えて、堆積物を研究している日本の研究者の何人かに、湖盆図のみの情報しかない状態で、我々が得ようとしている代表的な堆積物はこの湖のどの辺りに存在する可能性が高いかをたずねたところ、条件をいくつか付けながらも、やはり、異口同音に、大島の南部域周辺を除く湖中央部から東寄りの地域を指さした。このことを参考に二〇〇四年と二〇〇六年、コア採取地点について改めてツー氏と話し合い、前に述べた三地点で採取を行うことになった。その結果は前節で述べたように、正確な年代測定に不可欠な陸上植物の微細片の存在量、堆積年代の古さ、花粉の存在量、その他プロキシとなる各物質の深度変化（つまり、気候、環境変化に対する応答）の明瞭さの四点においてコアNo.1よりも優れた古文書を、その存在が最も期待された湖中央部東寄りの深みで得ることができなかったのである。また、これまでの結果をもとに、そのようなより優れたコアを他の地点から改めて得ようとする試みも、現時点では容易に成功しそうもない。

では、コアNo.1地点は、何故、これまで検討されたどの地点よりも優れた古文書をもたらしうるのか？これには、様々な環境要因が関与していて、現時点で、その確たる原因を知ることはたいへん難しい。主な要因として、大島の存在、流入河川からの距離、湖内の地形、湖岸からの距離、湖流、風向、水深などが考えられる。それにしても、チベットの古環境解析に有用な種々の物質が他の場所よりも優れて集積する所が、処女湖であるプマユム湖の何処にどのように分布しているかなど、初めて訪れた我々は知る由もない。それにもかかわらず、二〇〇一年の初調査で、情報源となる諸物質が集積し、それも湖底から四メートル内に存在する、年代が約二万年前まで遡る堆積物を巧《たく》まずして見事採取していたのである。ようやくにして思い返せば、それが偶然の結果とはとても思えなくなる。

事の過程を遡ってゆくと、大島に近い地点でコアNo.1を採取する流れは、実は、二〇〇〇年にプマユム湖の調査日程が決定される時点から、すでに始まっていたと思われる。この湖の学術調査は、本来、東海大学―チベット大学クーラカンリ友好学術登山の一環として計画されたことから、慣例に従い、調査日程は、登山隊のそれに併行するように実施されることになっていた。ヒマラヤの高峰を目指す登山は、一般に、冬が終わり、インドモンスーン開始前（プレモンスーン）の三月後半から五月末までの期間に限定される。しかし、そんな春浅い標高五〇〇〇メートルのチベット高原は、まだ厳寒の北東モンスーン（偏西風）の影響下にあり、湖の調査や試料採取が雪氷に阻まれ十分な作業はできないと日程の変更を申し出た。それに対し、現地に詳しい中国登山協会から「三月に入ると、雪は少なく、湖の氷はなくなり、調査は十分可能である」との話が伝えられ、日程変更なしとなった。ヒマラヤで鍛えられた山男達の感覚に引っぱり込まれた感じだが、今にして思えば、氷結した湖へ我々を敢えて向かわせた山男達は、どうも誰かの使命を受けた存在のように思えてくる。そして、湖盆図も何も得られない状況下で、あのコア採取地点に我々を導いたのは湖面の氷結状態であり、それを造りだしたのはチベットの早春であった。そして、日ごと荒れる気象状況の中、二〇〇一年四月二〇日、調査終了二日前にしてようやく、コア採取に適した凪の一日が訪れた。こうした試練の自然の中で、良悪《よしあし》折り混ぜながら事がよりよき方向に実現していくさまは、いわゆる一種のシンクロニシティ（意味のある偶然の一致、または共時性）と呼ぶのであろうが、やはりここは、我々を苦難の中から引き出してくれた何か特別な存在を意識してしまうのである。ましてや、神々、諸仏、諸尊などが至る所に鎮座されると言われるチベット高原においてはなおさらのことである。三月末からの湖の調査日程を決定づけたあの山男達は、実はプマユム湖の女神（水に関わる湖や河川は、古来、チベットでも女性姓）の使者（メッセンジャー）であったこと、そして、当時の湖面の氷結状態は、女神から届けられた、優れたコア試料を採取できる地点を指し示すメッセージであったことを、我々は六年余りの種々の迷いと試練を経てようやく気付かされたと思えてくる。また、後章で述べる実際の古環境解析の進行と共に、コアNo.1採取に至るまでの一連の諸事は、天佑《てんゆう》によるとの感をさらに深くさせるのである。

第四章

古文書が語る過去約二万年間のチベット南部域の気候・環境変動と、その特徴

一　古文書を読み解くための鍵となる物質

第二章で述べたように、チベットの湖底堆積物に記録されたインドモンスーンを中心とする古環境情報を読み解く場合、これまで筆者が関わってきた有機地球化学的な手法（巻末の「気候・環境の情報をもたらす指標物質に関する参考文献」を参照）にこだわることなく、乾燥・湿潤の気候変動に関する情報を提供できる物質（プロキシ：一般に、当時の気候・環境についての情報をもたらしてくれる指標物質）であれば、分野を問わず研究対象とする必要があることがこれまでの研究から分かった。

コアNo.1（PY104PC）を対象に、そのような乾燥・湿潤の時代変化を明瞭に物語ってくれる有用なプロキシとして、次の五項目が候補としてあげられる。花粉、炭酸カルシウム（$CaCO_3$）、砂粒、水草遺骸、および全有機物の炭素安定同位体比（$\delta^{13}C$）である。各々が、どのような理由から、そのようなプロキシとなりうるのかについて以下にその概要を述べる。特に花粉や炭酸カルシウムについて興味ある人は、巻末の参考文献を参照されたい。

①　花粉

花粉は、物理的、化学的に強靭なスポロポレニンという膜物質によって覆われているため堆積物中では長期にわたって保存されていく。また、植物種群ごとに特徴的な形態をしていることから、湖底堆積物中に含まれる花粉を取り出し、分類し、組成を検討する、いわゆる花粉分析によって、堆積当時の比較的広い集水域の植生の変化、つまり、気候の変化を追跡することが可能である。

しかし、チベット高原南部域でも特に標高五〇〇〇メートル周辺の集水域では、植生がさらに乏しく、プマユム湖から得られた堆積物には花粉分析に十分な花粉数が含まれているケースは実に稀であった。その中で好運にもコアNo.1のみに、なんとか信頼しうる花粉分析が可能な花粉数が認められた。そのコアから得られた花粉組成の時間的変化（花粉ダイアグラム）をもとにすると、チベットの森林限界（標高四六〇〇メートル）をかなり超えたプマユム湖周辺の植生を反映して、堆積物中の六〇～八〇％の花粉が草本から由来していた。さらに、一部の区間（九五〇〇～五五〇〇年前間）を除くほとんどの堆積物試料の花粉のうち、六〇～八〇％がカヤツリグサ科（Cyperaceae）、ヨモギ属（Artemisia）、およびアカザ科（Chenopodiaceae & Amaranthaceae）の草本花粉から成っていた。これら三種の草本花粉の組成比は、特に最近の多くの研究から、それぞれ、高山における乾燥・湿潤の気候・環境変化に関する次のような指標になり得るとされている。

カヤツリグサ科：高山草地では、主として湿潤な地域で繁茂することから、その花粉組成比は気候の湿潤度の変化を示す指標となる。

アカザ科：この花粉の高い組成比（三〇％以上）は、高山草地のかなりの乾燥化や砂漠化を示す指標となる。

ヨモギ属：高山草地でのこの花粉の高い組成比（五〇％以上）は、前記二つの花粉が示す乾湿条件のおおよそ中間の気候（半乾燥）であったことを示す。

これらのことと、コアNo.1中における三者の花粉の組成比の深度変化（図23）をもとに、花粉数が極端に少なかった九五〇〇～五五〇〇年前間を除く、約一万九〇〇〇年前から四〇〇〇年前までのチベット南部域の乾燥・湿潤度の変化を追うことができる。

② 炭酸カルシウム（$CaCO_3$）

チベットの湖底堆積物には、多かれ少なかれ炭酸カルシウムが含まれている。対象とするコアNo.1とコアNo.2（PY409PC）の両者のコアにおけるその深度分布を図24に示した。その起源については、河川による湖外からの運搬、陸からの風送、湖水中での生物学的、化学的な過程による生成、あるいは、湖底の表層堆積物中での生成など様々な可能性が考えられる。プマユム湖では、両者のコアを対象に、それぞれ一つ一つの起源の可能性を検討した結果、次の二点が明らかになった。まず、一万九〇〇〇年前から一万四五〇〇年前までの堆積物中の炭酸カルシウムの存在量には、いくつかの要因（水草の繁茂による水中の

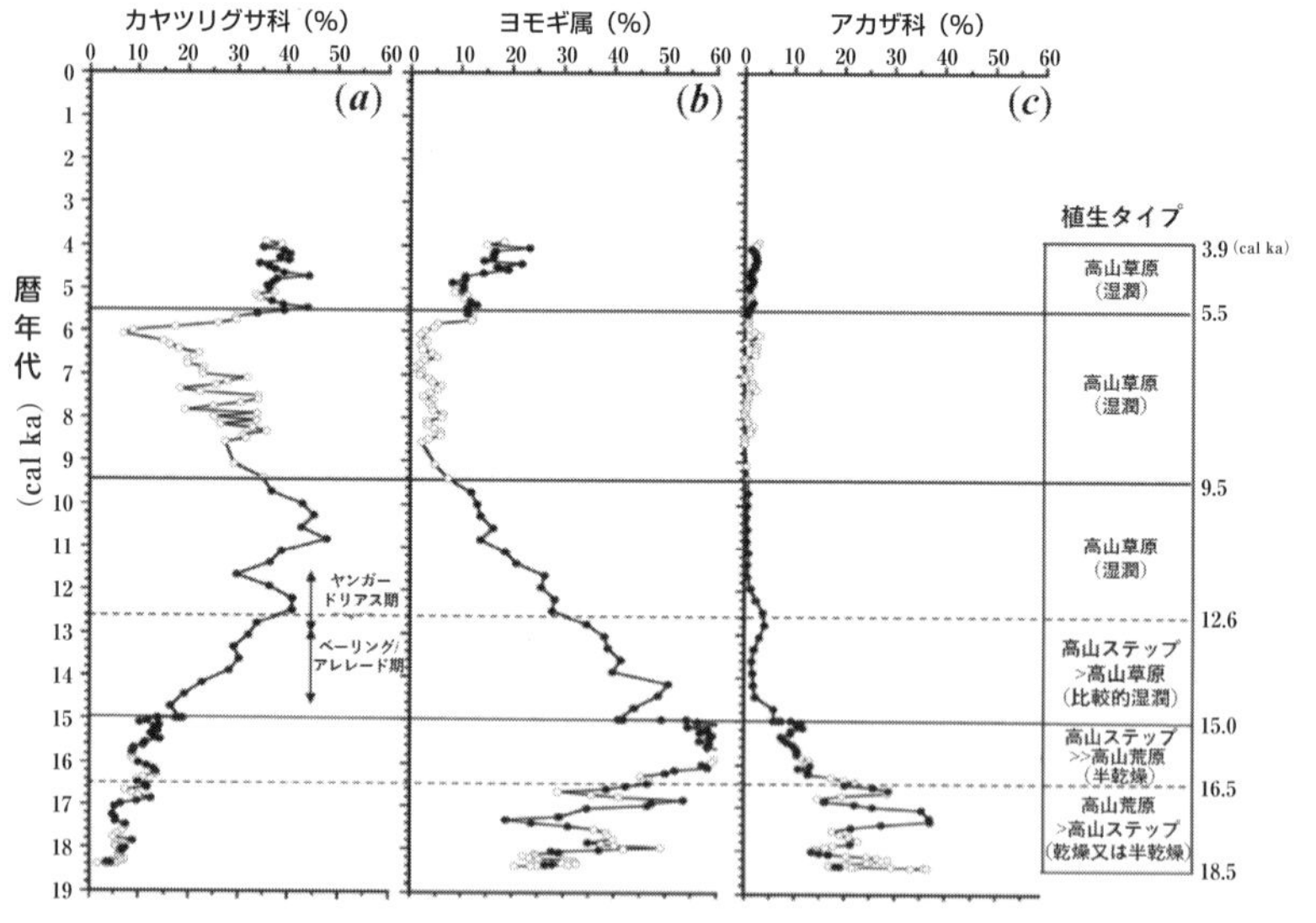

図23　プマユム湖柱状堆積物（PY104PC）中の主要草本3種（カヤツリグサ科、ヨモギ属、およびアカザ科）の花粉の各出現率とそれを基にしたチベット南部域の植生タイプと気候・環境の変化（Nishimura et al., 2014）

pHの変化、堆積物中の水草遺骸の分解によって起こる炭酸カルシウムの溶解、気候の乾燥化〔水の蒸発〕による水中での炭酸カルシウム生成、など）が絡んでいて乾湿のプロキシとして使用できないこと。それに対し、一万四五〇〇年前以降の炭酸カルシウムの存在量は、基本的に湖への降水の供給量と湖水の蒸発量とのバランスによって決められていること（つまり、湖水の蒸発量が供給量を上回れば上回る程炭酸カルシウムが湖水中で生成され、反対に、湖への水の供給量が蒸発量を上回るとその生成は起きない）。したがって、一万四五〇〇年前以降

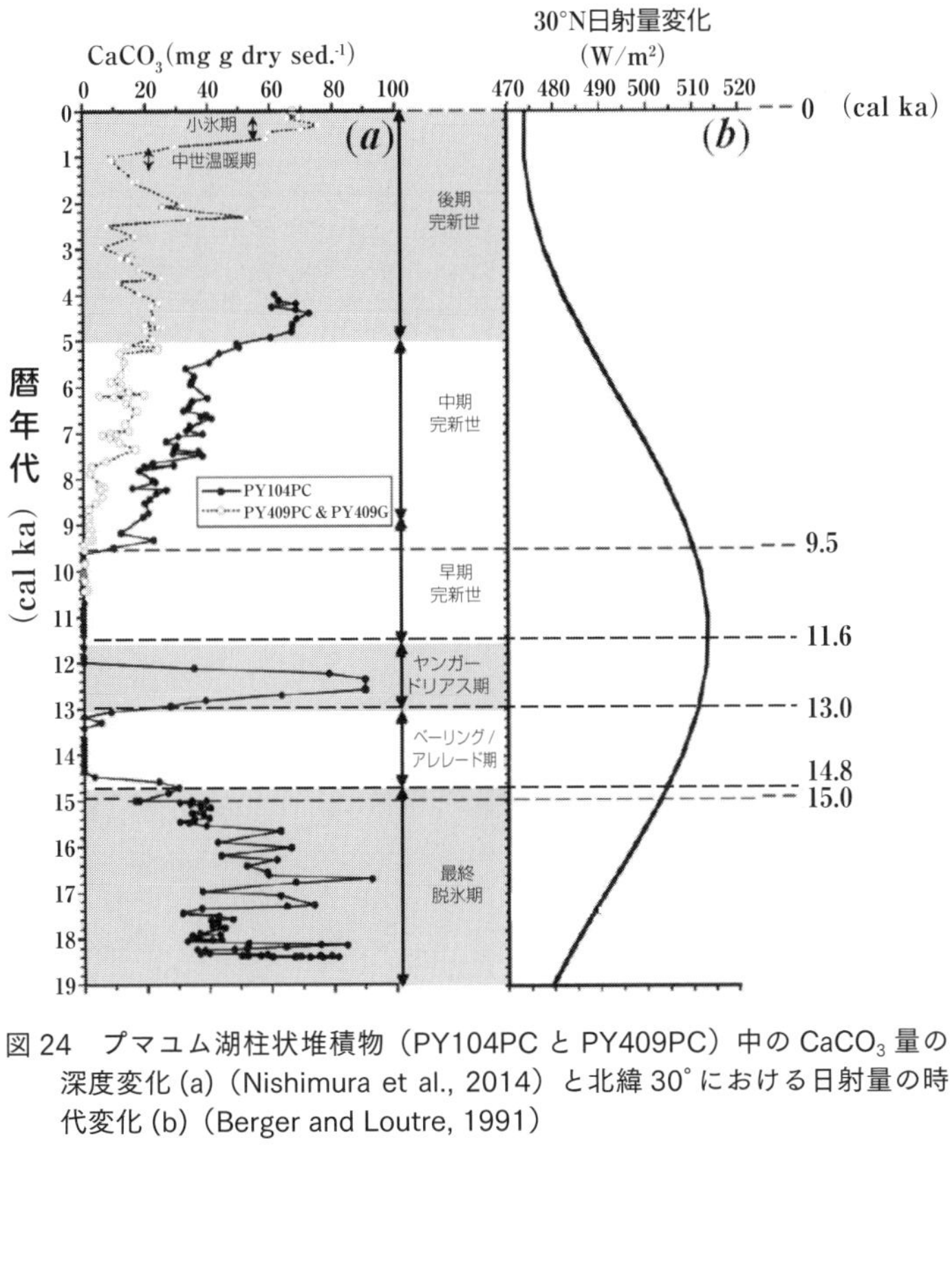

図24　プマユム湖柱状堆積物（PY104PCとPY409PC）中の$CaCO_3$量の深度変化(a)（Nishimura et al., 2014）と北緯30°における日射量の時代変化(b)（Berger and Loutre, 1991）

の堆積物中の炭酸カルシウム量の深度変化は、プマユム湖周辺域の乾燥・湿潤度の変化に対応することが分かった。

③　砂粒

湖底堆積物中の粒径が六三マイクロメートル以上のサイズを持った鉱物粒子は、一般に砂（細砂、中砂、および粗砂から成る）と呼ばれる。チベットの湖のある一地点における砂の粒子（以下、砂粒）の沈積量は、いくつかの要因によって支配されている。その主な要因として、河川などの流水による運搬、風送、冬期から早春にかけての岸からの浮氷による運搬などがあげられる。コアNo.1とコアNo.2の両コア中の砂粒を対象にそうした起源の検討を行った結果、いずれのコアについても周囲の陸からの流入水による運搬が主であることが分かった。このことから相応の砂粒の存在は、陸から湖へ水が流入していたことを明瞭に示す証拠となる。

④　水草遺骸

特にチベットでは、堆積物試料に認められる水草遺骸（図13）はその堆積年代を決める上で特別貴重な存在であるが、同時に、次に述べるように湖の水位の変動についても有力な情報を与えてくれる存在でもある。プマユム湖のコアNo.1に認められた水草遺骸の深度変化を図25に示した。それらは、当時、国際日本文化研究センターの那須浩郎《ひろお》氏によって、形態的特長や種子の存在からヒルムシロ科の水草（ポタムゲトン）であると特定された。この植物は、現在も主として水深二〇センチから二メートル内の湖岸近辺に限定し生育している。このことから、堆積物中におけるこの水草遺骸の存在の有無は、湖の水深の変化を知る有力な手掛かりとなる。

⑤　全有機物の炭素安定同位体組成比（$\delta^{13}C$）

自然界の炭素（C）は、主に重さが一二のもの（^{12}C安定同位体）と一三のもの（^{13}C安定同位体）とからなっているが、前者がほとんどを占め後者は一％程度である。大気や水中のCO_2を使って光合成をする植物は、種によって$^{12}CO_2$に対する$^{13}CO_2$の取り込み量がかなり異なっていることが知られている。したがって、植物によって作られる有機物中の^{12}Cに対する^{13}Cの量比は、植物種によって様々な特定幅の値を取ることから、堆積物中に存在する各有機物（そのほとんどは植物由来）のその量比を知ることによって、有機物がどのような植物から由来したかを明らかにできる。その有機物中の^{12}Cに対する^{13}Cの量比（$\delta^{13}C$）は次式で計算される。

$$\delta^{13}C = \left[({}^{13}C/{}^{12}C)_{sample} \,/\, ({}^{13}C/{}^{12}C)_{PDB} - 1 \right] \times 1000\ (‰)$$

このように個々の有機物の$\delta^{13}C$は、特定の標準試料（PDB：化石の矢石《やじりいし》〔炭酸カルシウム〕）からの差を千分偏差（‰：パーミル）で示す。つまり、有機物試料（sample）の$\delta^{13}C$がプラスである場合は、標準試料より^{13}Cの含有量が多く、マイナスは少ないことを意味する。

例えば、日本の周辺では、一般の陸上樹木の有機物の$\delta^{13}C$は約マイナス二五‰であり、沿岸の植物プランクトンのそれはマイナス二〇‰近辺にある。これは、樹木の有機物には植物プランクトンのそれに較べ、^{13}Cの量が約五‰少なく含まれていることを意味しているが、この差をもとに両者の有機物を識別することができる。同様に、プマユム湖堆積物中の有機物の主要な供給源である陸上草本植物の$\delta^{13}C$は、マイナス二八〜二四‰の範囲にあるのに対し、現在の水草（ヒルムシロ科）やその化石のδ^{13}Cはマイナス一七〜〇‰と重く、^{13}Cがかなり多く取り込まれている（図25）。この明らかな違いをもとに、湖の周辺に水草がかなり生育できる程に水深が浅くなった。つまり、湖への水の供給が大きく減少するような乾燥状態が起きたかどうかを、水草の明瞭な残存物がなくても、コア中の全有機炭素のδ^{13}Cの深度変化（図25）から判別できる。

二　チベット南部域の古気候の変化特徴

約二万年前以降の地球環境は、前に述べたように最寒冷・乾燥期（ＬＧＭ）から次第に温暖・湿潤化へと進むが、その変化は約一万年前頃をピークに数千年前から逆転し、現在、再び低温・乾燥化に向かう流れにある。この地球規模の大きな気候変化の流れの中で、チベット南部域の気候・環境、特に乾燥・湿潤が、どのような特徴的な変化をしてきたかを、コアNo.1（PY104PC）とコアNo.2（PY409PC）を古文書とし、前節で述べた五種のプロキシを案内役として辿ってみよう。

この節では、主として、草本の花粉組成の変化（図23）、および炭酸カルシウム（図24）をもとに、約二万年間を大きく四区間（①一万九〇〇〇〜一万五〇〇〇年前間、②一万五〇〇〇〜九五〇〇年前間、③九五〇〇〜二五〇〇年前、および④二五〇〇年前から現代）に分け、その変化の概略を述べる。

①　一万九〇〇〇〜一万五〇〇〇年前間の気候変化

当期間の初めから一万六五〇〇年前間の草本花粉（図23）は、主にアカザ科（強い乾燥環境の指標）とヨモギ属（半乾燥環境の指標）から成り、両者が交互に激しく増減を繰り返している。したがって、その約二五〇〇年間の気候は、強い乾燥気候と半乾燥気候とが交互に入れかわり、プマユム湖の周辺域の植生は草本の疎らな高山荒原となっていたと考えられる。そのような環境下で、湖の水位は、現在より四〇メートル余り低下していたことが多量の水草（ヒルムシロ科ポタムゲトン）遺骸の出現から推測される（図25）。しかし、コアNo.1の最低部（一万八五〇〇年前以上の層）に多量の砂粒が認められ、その近接部の堆積速度が七〇センチ／一〇〇〇年を越えることから、LGM後間もない一万九〇〇〇

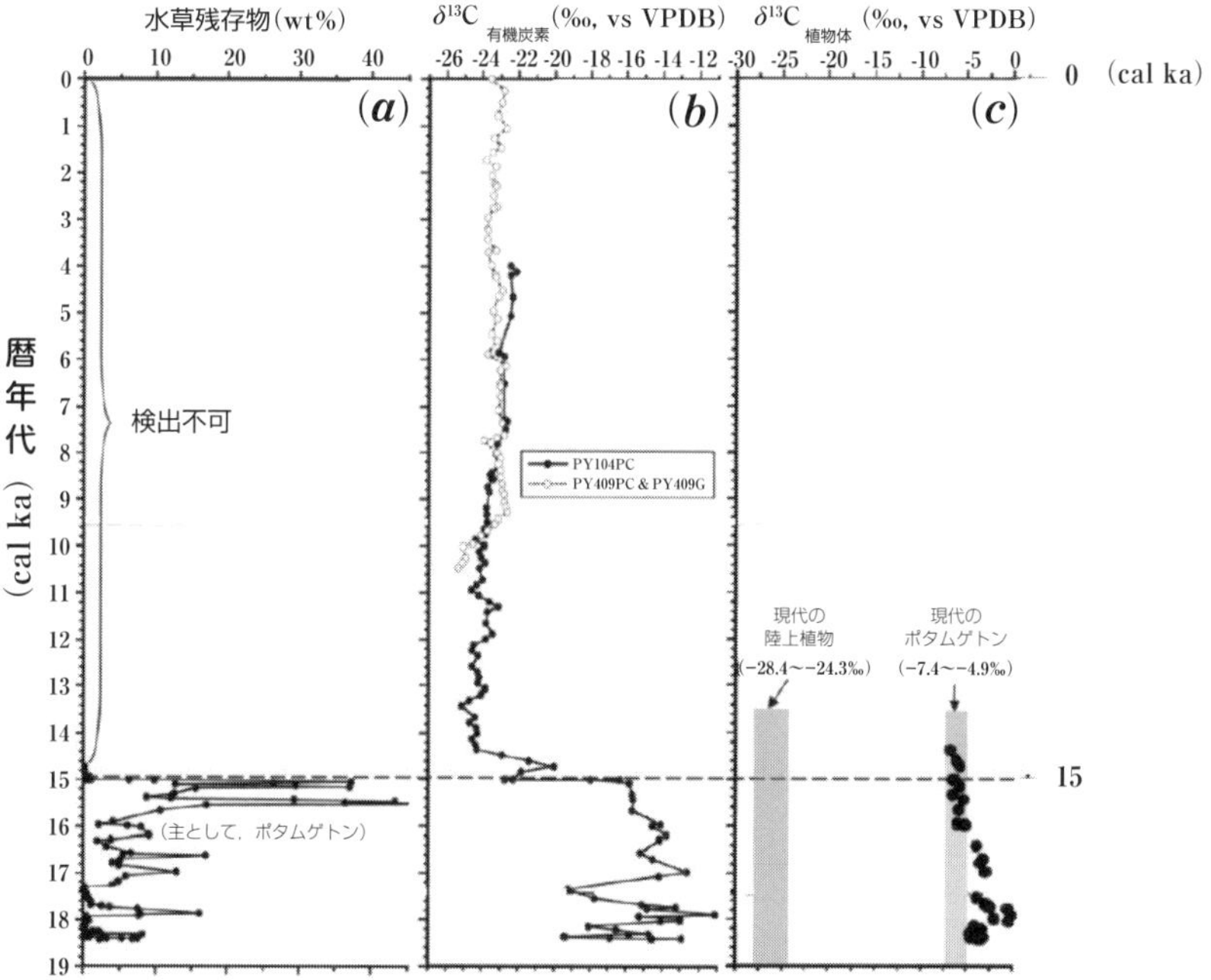

図25　プマユム湖からの柱状堆積物（PY104PCとPY409PC）中における水草（ヒルムシロ科ポタムゲトン）残存物量（a）、堆積物有機炭素のδ^{13}C（b）、および水草残存物のδ^{13}Cの深度変化（c）（Nishimura et al., 2014）

年前頃にはすでに、陸から湖へ氷河の融氷水を主としたある程度活発な水の流入が始まっていたことが分かる。

その後、一万六五〇〇年前から一万六〇〇〇年前にかけてアカザ科の花粉が急速に減少（約三〇％から七％へ）、逆にヨモギ属の花粉が著しい増加（約三〇％から六〇％へ）を示すが、その後の花粉組成には一万五〇〇〇年前まで大きな変化は見られない（図23）。このことは、一万六五〇〇年前からの五〇〇年の間に気候が乾燥から幾分湿潤へと急速に変わり、その後の一万五〇〇〇年前までの一〇〇〇年間、その湿潤な気候状態がかなり安定に維持されたことを意味している。

② 一万五〇〇〇～九五〇〇年前間の気候変化

この期間の主要三種の草本花粉の時代変化の特徴は、一万五〇〇〇年前に、いずれも著しい増減を示した後、それぞれ一定の方向性をもった変化をすることである。すなわち湿潤な環境指標となるカヤツリグサ科の花粉が一〇％から一八％へ急増、ヨモギ属とアカザ科の花粉は、それぞれ六〇％から四〇％、一三％から五％へといずれも急減し気候が急速に湿潤化したことを示している。このような陸上の植生が大きく急速に変わる湿潤化は、氷河の融水よりも降水によるものと考えてよい。また、同時に、多量の水草遺骸が一万五〇〇〇年前を境に突如として消失していることから（図25）、水草が生育できなくなる程の湖水位の上昇をもたらす降水が突発的に生じたと考えられる。

その後、カヤツリグサ科の花粉は途中多少の変動（後節で詳述する）を示すものの、一万年前頃まで、基本的に比較的急速な増加傾向（二〇％から四八％）を示す。それに対し、ヨモギ属とアカザ科の花粉は、それぞれ五〇％から一〇％へ、五％からほぼ〇％へといずれも急速に減少していった。つまり、この期間、チベット南部域では急速な湿潤化が進み、植生が高山ステップから高山草原へと変化し、緑地化がさらに進んだことを示している。しかし、その後のカヤツリグサ科の花粉の変化（図23）にもとづくと、その湿潤化は一万八〇〇〇年前から一万年前にかけてピークを迎え、その後九五〇〇年前にかけて幾分減少に転じたと推察される。

③　九五〇〇～二五〇〇年前間の気候変化

この期間のうち、九五〇〇～五六〇〇年前間の堆積層には、花粉分析を行うには余りにも花粉量が少なかったので、ここではコアNo.1とNo.2の両コア中の、九五〇〇年前以降の炭酸カルシウム（乾燥度のプロキシ）の深度変化（図24）をもとに話を進める。両コア中における炭酸カルシウム量は大きく異なっているが、これは、当時の湖の二つの地点における水の流入量や蒸散量の違いを反映していると考えられる。しかし、両コア間の炭酸カルシウムの深度変化には良好な対応が認められることから、それらは共通して、プマユム湖近辺の乾燥・湿潤の変化を記録しているものと考えてよい。

それによると、九五〇〇年前頃からチベット南部域の乾燥化が始まり、九五〇〇年前、七六〇〇年前、そして五四〇〇年前頃の三時点で急速に進む段階的な乾燥化が見られる。この変化は、これまでの研究結果をもとにすると、当時、一万一〇〇〇年前から始まった地球の回転軸の傾きの漸減《ぜんげん》によって地表に届く太陽からの日射量が減少し、それがある値（臨界値）に達した時点で初めて、チベットの南部域の乾燥化が次の段階へと進む応答をしていることによることが分かった。続いて、四〇〇〇年前から二五〇〇年前にかけて乾燥化は一旦ゆるみ、湿潤化が見られる。

ここで、炭酸カルシウムの増加量をもとに判断される九五〇〇～二五〇〇年前間の乾燥度の変化が、植生にどの程度の影響をもたらすものであったかを、花粉分析が可能な五四〇〇年前から四〇〇〇年前間を対象に、花粉組成の変化（図23）と炭酸カルシウムの量的変化（図24）との対比をもとに判断してみよう。その約一五〇〇年間のカヤツリグサ科、ヨモギ属、およびアカザ科の三種の主要草本花粉の組成は、それぞれ三五〜四五％、七〜二三％、〇〜三％で、それは、温暖・湿潤だった一万〜九五〇〇年前間の、あるいは一万一〇〇〇年前頃の花粉組成に対応することから、五四〇〇年前から四〇〇〇年前の間、植生として安定した高山草原が依然と維持されていたことをうかがわせる。このことから、九五〇〇〜四〇〇〇年前間の炭酸カルシウムの増加量は比較的多いように思われるが、それが示唆する湿潤度の減少はそれほど大きくなく、当時の植生を衰退させるほどの影響を及ぼすものではなかったと判断される。したがって、チベット南部域では、一万一〇〇〇年前頃から、少なくとも、二五〇〇年前までの八五〇〇年余りの長きにわたって湿潤な気候がほぼ維持されていたと考えられる。

④　二五〇〇年前から現代にかけての気候変化

ところが、二五〇〇年前以降から現代にかけて、過去一万年の間で最も著しい炭酸カルシウムの急増が約二〇〇〇年前頃と五〇〇年前頃の二点に見られ（図24）、これらの時代にチベット南部域に比較的深刻な乾燥化が急激に引き起こされたことを示している。また、その中間の約一〇〇〇年前頃にかけての炭酸カルシウムの減少は、その時期に乾燥化から比較的湿潤な気候への変化があったことも示唆している。

以上の事柄をもとに、チベット南部域における過去二万年間の気候変化の特徴とそのメカニズムの概略について、以下のようにまとめることができる。

チベット高原の他の地域とは違って南部域（特にプマユム湖周辺域）では、LGMが終わって間もない約一万九〇〇〇年前頃から、主に氷河の融氷水による比較的活発な堆積作用がすでに起こっていた。さらに、一万六五〇〇年前から、それまでの乾燥気候が比較的湿潤な気候へと急速に変化（脱氷期化：Deglaciation）したことがこの研究から初めて明らかになった。他の地域では、このような明らかな脱氷期化は一万四八〇〇年前より後に起こる。この違いは何によるのであろうか？　これまでの比較研究をもとにすると、それは、チベット高原の中でも南部域は緯度が最も低い北緯二八～三〇度に位置し、かつプマユム湖周辺域が五〇〇〇～六〇〇〇メートルもの高い高原上にあることが主な原因の一つであると考えられる。つまり、その低い緯度と高い標高によって、チベット高原の中でも南部域の大地が太陽からの熱放射を最も強く受け、どこよりも速く加熱されることが大きな要因であろう。

そんな湿潤化と共に注目すべきことは、一万六五〇〇年前頃を境として、植生は高山荒原の状態から、次第に高山ステップへと変化したことである（図23）。これは、疎らであるが草本が生育し始め、南部域の大地にどの地域よりも早く、緑地化が進み出したことを示している。この緑地化は、地表の太陽放射の反射率（アルベド）を大きく低下させるという点から重要な意味を持つ。つまり、以前まで砂漠のような裸地同様の大地（荒原）に、疎らであってもある程度植生が分布を広げていくことは、それまで大地がほとんど反射していた太陽放射をより吸収するようになり（つまり、アルベドを低下させ）、地表を次第に加熱していくことになったことを意味する。

このような気候・環境変化の一環として、一万五〇〇〇年前、チベット南部域に特有の突発的な降水が起き、湿潤化がさらに進み始めた。こうした湿潤化は、緑地化の拡大による地表のさらなるアルベドの低下に加え、二万年前頃から一万一〇〇〇年前頃まで続いた地球の回転軸（地軸）の傾きが次第に大きくなることによって起きる太陽放射の増加（図24）との相乗効果で地表の加熱が急速に促進され、加熱領域が拡大された結果だと判断される。それによって、チベット南部域に強い低気圧帯が生じ、大気と地表との間での水の対流循環が活発になり、急速な多量の降水のきっかけがつくられたと考えられる。

比較的湿潤な気候・環境がつくられ始めた一万五〇〇〇年前以降、さらに続く太陽放射の増加の下、緑地化の拡大とアルベドの低下が互いに促進し合うことになる。つまり、比較的安定した両者による正のフィードバック効果（ある変化の結果が、その変化をさらに促進させる効果。反対に、抑制させる効果を負のフィードバック効果という）を土台としたチベット南部域の湿潤化が活発に進み始めた。その正のフィードバック効果は、一般に、植生—アルベド・フィードバック効果と呼ばれているが、それによって、南部域に高山ステップが拡大し、続いて、アルベドがさらに低くなる高山草原へと変化していった。その結果、地表が時代と共に増々加熱されやすくなり、かつ加熱領域が拡大し、一万五〇〇〇年前から一万年前にかけて、いくらかの変動はあるものの、基本的に湿潤化が急速に増大していくことになった。

九五〇〇年前以降からは湿潤化が止まり、長く、ゆっくりした乾燥化の傾向が炭酸カルシウムの深度変化（図24）から読みとれる。これは、これまでとは逆に、一万一〇〇〇年前頃から始まる地球の回転軸の傾きが徐々に減少することによって起こる太陽放射の減少（図24）を反映したものである。その長期にわたる湿潤度の減少、つまり乾燥化の傾向には、九五〇〇年前、七六〇〇年前、および五四〇〇年前の三つの時点で、段階的に急増する特徴が認められる。しかしながら、これら一万年前から二五〇〇年前頃までの乾燥化の程度は、当時の高山草原の植生を衰えさせる、明らかなマイナスの影響をもたらすほどのものではなく、一万年前頃の湿潤度が幾分低下した程度のレベルであったと推測される。したがって、チベット高原南部域における植物（高山草原）の成長にかなり適した時期が、約一万一〇〇〇年前頃から二五〇〇年前までの、チベット高原では例を見ない八千数百年の長きにわたって維持されていたことになる。

ところが、二五〇〇年前以降の特に二〇〇〇年前頃と五〇〇年前頃に、過去一万年余りの間で最も強く、急速な乾燥化が引き起こされた。同様な乾燥化は、チベットの南東部域においても報告されている。最近の研究によると、特にこの南部域と南東部域の両域で、三〇〇〇年前頃から、遊牧地や畑地などの拡大と、木材や薪炭の需要増大などを背景に人間による山岳森林や高山草原の大々的な植生破壊が行われ、かなりの地域が、現在見られるような疎らな草本のみしか生えない環境（高山ステップ）に変えられてしまったと結論されている。そのような南部域における大々的な植生破壊が地表のアルベドを著しく増大させ、深刻な負の植生―アルベド・フィードバック効果をもたらしたことは想像に難くない。つまり、それまで一定の安定した豊かな植生の存在によって支えられていたチベット南部域の水循環システムが、人為的な大規模植生破壊によって機能しなくなり、二五〇〇年前頃から深刻な乾燥化が引き起こされたと考えられる。

三　グローバルな気候イベントに対するチベット南部域の応答の特徴

一般に、数百年から二〇〇〇年前後の比較的短期間にわたって起こる地球規模の気候変動をイベントと呼ぶ。過去約二万年の間でそのような事例が比較的多く知られているが、ここでは代表的なグローバルな気候悪化イベント、および気候改善イベントの両者に対するチベット南部域の気候・環境の応答（反応）の特徴にについて、本研究から初めて明らかになったことを述べる。

（一）気候悪化イベント（または、寒冷・乾燥イベント）

これは一般に、気候が温暖・湿潤から寒冷・乾燥化へと急変化するケースで、寒冷・乾燥イベントとも呼ばれる。過去二万年間においてよく知られているイベントには、年代順にハインリッヒ―1（Heinrich-1: H1）イベント（一万六五〇〇年前頃）、ヤンガードリアス（Younger Dryas : YD）イベント（一万三〇〇〇～一万一六〇〇年前間）、八二〇〇年前（八・二ka）イベント、および五四〇〇年前（五・四ka）イベントの、主に四つの例があげられる。因みにka（kilo anneé）のkは一〇〇〇、aは年の意、つまり一〇〇〇年前を表す。

本論に入る前に、各イベントの原因について触れておこう。四つのイベントのうち、気候悪化の原因がほぼ分かっているのは、現在のところH1イベントとYDイベントに限られる。まず、H1イベントは、北極圏周辺の大陸氷河が、塩分を含まない氷山として大量に海洋に押し出され、北大西洋の表面海水の塩分濃度を大きく薄めることが発端となって起こった。この北大西洋の表層水の広範な塩分濃度の低下、すなわち、水の比重の大きな減少は、海洋大循環（海洋全体の水が、表層から数千メートルの深層へ、深層から表層へと一つながりの巨大な流れとなって地球全体を巡り、結果的に、赤道域の熱を地球の南北に運ぶ役割をしている）を停滞させ、それよって一時的ではあるが地球規模の寒冷イベントが引き起こされたとされている。YDイベントの原因も基本的に同じである。一万三〇〇〇年前近く、北米大陸内部の現在の五大湖近くに氷河が溶けて巨大な湖（アガシィ湖）が生じた。しかし、途中、決壊し、その膨大な真水が北大西洋表層に一気に流れ出したため、同じく海洋大循環が停滞し、一五〇〇年間にわたる急速かつ深刻な地球規模の寒冷化が起きたと言われている。この寒冷化によって、当時の地球の年平均気温は五〜六度も急低下したと言われている。

説明の関係上、YDイベントに関する説明を最後にし、残る三つのイベントに対するチベット南部域の気候応答から述べる。

★H1イベントと八・二kaイベント

一万六五〇〇年前頃のH1イベントに対する応答を花粉組成の深度変化（図23）で、また、八・二kaイベントに対する応答を炭酸カルシウム（図24）の深度変化で、それぞれ見てみると、両年代の頃の乾燥度にいずれも有意な増加は認められない。つまり、チベット高原の他の地域とは違って、南部域はこの二つの寒冷・乾燥イベントにほとんど応答しなかった（影響されなかった）ということである。

★五・四kaイベント

このイベントは、炭酸カルシウムの深度変化に見られる五四〇〇年前頃から四〇〇〇年前にかけての急上昇（乾燥）（図24）が、それに対応していると思われる。また、同時期におけるカヤツリグサ科の花粉組成も湿潤度の有意な減少を示している（図23）。しかしながら、既に述べたように、その湿潤度の減少は、当時の高山草原の植生を大きくを変えるほど影響のあるレベルではなかった。したがって、前二者と同様、五・四kaイベントのチベット南部域への影響は、他の地域に較べ極めて少なかったと推測される。

★YDイベント

このイベントは、過去約二万年間における寒冷・乾燥イベント中でも、世界各地に深刻な影響をもたらした最も著名な気候悪化イベントとして知られている。そのチベット南部域へのインパクトの度合を、炭酸カルシウムと花粉組成の深度変化から見てみよう。

まず、炭酸カルシウムは一万三〇〇〇年前から著しく急増し、続いてYDイベントの真最中の一万二四〇〇〜一万二〇〇〇年前の間で急減し、消失してしまった（図24）。しかし、この炭酸カルシウムの急速な深度変化から推測される気候変化（急速な乾燥化に続く急速な湿潤化）と、特にカヤツリグサ科の花粉組成の変化から示唆されるそれ（急速に湿潤化した後、急速に乾燥化）（図23）とを対比すると、互いに全く相容れない気候変化をしていることになる。ここでは詳細を割愛するが、さらなる検討の結果、当期間の炭酸カルシウムの深度変化は、YDイベントのみによって説明することは極めて難しく、気候の乾湿よりも、当時のプマユム湖の状況変化、つまり、湖水域の縮小拡大による影響が大きいと結論された。興味のある方は、巻末のチベットの古気候環境解読に関する参考文献を参照されたい。

次に、改めて、当期間中の、湿潤環境の指標であるカヤツリグサ科の花粉組成の深度変化を見てみよう。その変化はYDイベントの前半と後半に大きく分けられる。まず、一万三〇〇〇年前から一万二二〇〇年前の間では、その花粉組成は、ヨモギ属のそれが急減する中、三〇％から三八％へと増加を続け、周囲の植生は高山ステップから高山草原へと移行していることを示している（図23）。つまり、YDイベントの前半の八〇〇年間は、チベット南部域に対し、その寒冷・乾燥のインパクトはほとんど及ばなかったことになる。それに対し、後半の一万二二〇〇年前から一万一六〇〇年前の六〇〇年間では、カヤツリグサ科の花粉は三八％から二七％へと減少し、YDイベントの影響がある程度あったことを示している。しかし、その間のカヤツリグサ科の花粉の組成比は、一万三〇〇〇年前以前の温暖期（ベーリング／アレレード期〔Bølling/Allerød: B／A〕）のそれを下まわることはなく、植生は高山草原を維持していたことを示唆している（図23）。さらに当期間、コア中には炭酸カルシウムは全く検出されていない（図24）。これらのことと、カヤツリグサ科花粉の急減（三八％から二七％）から判断すると、YDイベントの後半でもチベット南部域に対する乾燥化のインパクトは基本的に少なく、それよりもカヤツリグサ科の成長を抑制するような気温低下によるインパクトがあったと判断される。しかしながら、北大西洋周辺域やチベット高原の他のインドモンスーン域で報告されている深刻な寒冷・乾燥化のインパクトと較べれば、YDイベント後半のチベット南部域に対する影響はかなり小さかったと考えられる。

以上四種のグローバルな寒冷・乾燥イベントによるチベット南部域へのインパクトは、いずれも他の地域とは異なって、ほとんどないか、あってもYDイベントで見たように一時的に限定され、かつ比較的マイルドなものであることが分かった。このことは、他の地域にはない、チベット南部域特有の気候・環境特性をよく反映したものと考えてよい。つまり、寒冷・乾燥という気候悪化に対し、そのインパクトをはねかえすかなり安定した気候・環境体制（システム）が、過去一万九〇〇〇年前から二五〇〇年前の間チベット南部域にほぼ維持されてきたことを示している。

その南部域の安定した気候システムの中枢は、既に述べた正の植生―アルベド・フィードバック機能であり、それは比較的短期間の気候悪化イベントによって容易に機能停止されることのない、ある程度の柔構造を有していると考えられる。その柔構造の中心をなしているのは、比較的豊かな植生の維持であろう。YDイベントで見られたように、その植生が大きく壊されずある程度維持されていれば、強い太陽放射による地表の加熱によって引き起こされる地表の対流性水循環が止まることなく機能し続け、湿潤な気候・環境が安定に維持されると考えられる。

ところで、主な気候悪化イベントの中にいれなかったが、比較的最近(約四〇〇年前から一〇〇年余り前)起きた気候悪化イベントとして「小氷期」が知られている。それに対するチベット南部域の気候応答は、約八〇〇年前から二〇〇年前に見られる著しい炭酸カルシウムの増大(つまり、乾燥度の上昇)(図24)がそれに対応すると思われる。この応答は、これまで議論した主要な四つの気候悪化イベントに対する応答とは全く異なって、明らかな比較的強い寒冷・乾燥化が起きたことを示している。この違いは、前に述べたように、それまでチベット南部域に存続してきた強い正の植生—アルベド・フィードバック機能が、二五〇〇年前頃からの人間による大々的な植生破壊によって大きく損なわれた結果によるものであろう。

(二) 気候改善イベント(または、温暖・湿潤イベント)

このイベントは、気候が寒冷・乾燥から反転し、急速に温暖・湿潤化に変化するケースである。過去約二万年の間で起こったグローバルな気候改善イベントとして、LGM後から一万五〇〇〇年前頃までの間に起こった脱氷期化(デグレシエイション:Deglaciation)、一万四八〇〇年前頃から突発的に起こったベーリング/アレレード(B/A)イベント、一万一六〇〇年前から急速に始まるプリボリアル(Preboreal)・イベント、および一〇〇〇年前頃の「中世の温暖期」の四例をあげることができる。このうち、前三例の温暖・湿潤化は、基本的に一万九〇〇〇年前以降から約一万年前にかけ次第に明確になってきた、地球の公転軌道変化による地表への太陽放射の増加（図24）が背景にある。しかし、その状況の中で、さらに急速な個々の気候・改善イベントをもたらした要因についてはいずれについても未だよく分かっていない。現研究で明らかになった、これらのイベントに対するチベット高原南部域の気候応答について年代順に述べる。

★脱氷期化

脱氷期化については、この章の三節でおおよそ述べたので要点のみにとどめる。チベット南部域での脱氷期化の基本的な動きはLGM後間もなく始まっているが、それによる湿潤化が花粉組成にはっきり見え始めるのは、一万六五〇〇年前頃からである（図23）。そのような早い時期から脱氷期が始まったケースは、チベット高原の他のインドモンスーン域では報告されていない。

★ベーリング／アレレード（B／A）イベント

突発的に起こったB／Aイベントに対する気候応答の年代は、アジアのインドモンスーン圏でも地域によって異なるが、一般に、一万四八〇〇～一万四〇〇〇年前の間にある。しかし、チベット南部域では、その期間湿潤度が急速に増加する変化は見られない（図24）。そのような湿潤度の急増に対応するのは、一万五〇〇〇年前に同時に起きた、カヤツリグサ科花粉の急増と水草遺骸の突然の消失である。この一万五〇〇〇年前の湿潤化は、チベット南部域のさらなる脱氷期化の一環として引き起こされた急速な降水の急増と見なすことができる。しかし、当時のチベット南部域には、次第に強まる太陽放射の下で、高山荒原から高山ステップへの植生変化による緑地化が進んでいた（図23）。そして、すでに、かなり安定した正の植生―アルベド・フィードバック体制がつくられていた気候・環境条件を考えると、そのような急速な湿潤化はそこで自立的に引き起こされたとは考え難い。むしろ、他の地域からのチベット南部域に対する何らかのインパクトによって引き起こされた気候応答と考えられる。タイミングからすれば、一万五〇〇〇年前の急速な湿潤化は、当時、すでに起こり始めていたB／Aイベントからのインパクトに対し、チベット南部域がかなり早い段階で敏感に呼応できる状態にあった結果であろうと思われる。以上のことから、チベット南部域におけるB／Aイベントに起因する気候改善は、他のインドモンスーン域と違って、一般的なその開始時期とされる一万四八〇〇年前よりも約二〇〇〇年も早く始まったと判断される。

★プリボリアル・イベント

先に述べたようにYDイベントは一万一六〇〇年前に終了し、その後、約一万年前辺りまで気候が急速に温暖・湿潤化していく。当時、グリーンランドでは、五〇年の間に年平均気温が七度前後も急上昇したと言われる。その期間は、一般に、プリボリアル期と呼ばれる。その温暖・湿潤化が本格的に開始された時期は、脱氷期化やB／Aイベントと同様、地域によって大きく異なる。チベット南部域におけるその開始時期を判断できるプロキシは、特にカヤツリグサ科とヨモギ属の花粉組成の変化（図23）である。それをもとにすると、チベット南部域では、遅くとも一万一四〇〇年前にはすでに、B／Aイベント期を大きく越える温暖・湿潤化が始まっていたと判断される。したがって、この南部域での湿潤化開始時期も、チベット高原の他のインドモンスーン域のそれらと較べ数百年から一〇〇〇年余り先行していたことが分かった。

★中世の温暖期

中世の温暖期は、一般に一一〇〇年前から九〇〇年前に起こったとされるが、チベット南部域では、炭酸カルシウムの深度変化に見られる約一八〇〇年前から九〇〇年前にかけての比較的急速な減少（図24）がそれに対応すると思われる。これに従えば、チベット南部域は中世の温暖期に対し、前出の気候改善イベント同様、その他の地域よりも数百年早く応答し、温暖化が進んでいたと思われる。しかし、その温暖化は、前に述べた炭酸カルシウムの深度変化の大きさと植生の変化との対比から判断されるように、植生にかなりの影響を与える程のものではなかったと思われる。もし、チベット南部域に存続してきた正の植生―アルベド・フィードバック機能を大きく損なわせた二五〇〇年前頃からの人為的な植生破壊が起きていなければ、中世の温暖期に対する応答のタイミングはもう少し早く、かつ植生の生育を促進する影響がかなり進んだのではないかと考えられる。

このようにLGM後の代表的な気候改善イベント、四例に関するチベット南部域の気候応答はいずれも、チベット高原の他のインドモンスーン域と較べ明らかに数百年から一〇〇〇年余り早くなっていることが初めて示された。これは、チベット南部域のより強い太陽放射（つまり、低い緯度と高い標高）によって、地表の加熱に始まる湿潤化の速さと規模がどの地域よりも大きく勝っていたことによると考えられる。つまり、気候改善イベント前の寒冷・乾燥化によって深刻なダメージを受けた植生を、正の植生―アルベド・フィードバック効果が広く働き出すまでに回復させるのにかかる時間が、緯度や標高、そして植生の状況の違いから、チベット南部域では他の地域に較べかなり短くなっているのであろう。

四　「チベット氷床」説をめぐって

〝氷期には、広大なチベット高原全体がすっぽりと氷床に覆われていた〟という「チベット氷床」説は、一九三〇年、ドイツのトリンクラーによって提唱され、後、ゲッティンゲン大学のクーレによって受け継がれた学説であることはすでに序章で述べた。ドイツと言えば、氷期のたびごとに、現在の首都ベルリンをはじめとし、ハンブルク、ブレーメン、ライプチヒ、ゲッティンゲンなどの多くの主要都市を含む北部の国土（北緯五一～五四度）が、巨大氷床、フェノスカンジア氷床によって覆いつくされてきた歴史を持つ国である。また、南部のスイスとの国境沿いには、氷河を各所に抱く険しいヨーロッパアルプスを望む位置にある。こうした歴史や自然の背景がその氷床説を生み出し、積極的に受け入れる大きな要因になったことは想像に難くない。

「チベット氷床」説の概要は序章一で

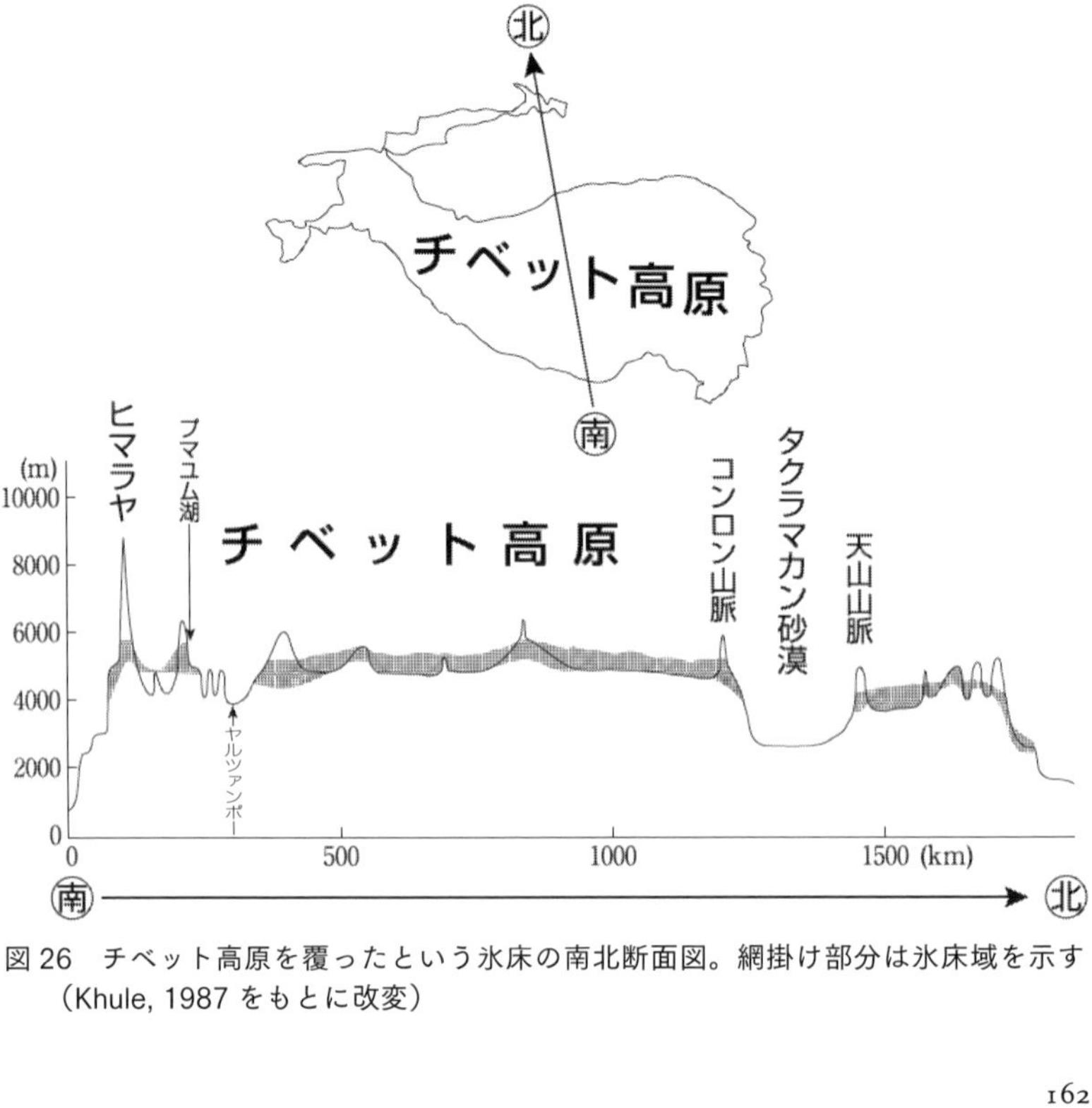

図 26　チベット高原を覆ったという氷床の南北断面図。網掛け部分は氷床域を示す（Khule, 1987 をもとに改変）

述べたが、ここではもう少し詳しい説明を加えながら話を進めよう。

トリンクラーのその考えは、当初、ロマンのある説として注目された。しかしながら、特別な証拠が示されることなく定性的な内容に終始していたがために、次第に顧みられなくなっていった。それから半世紀余りが過ぎた一九八七年、クーレによるチベット高原での広範囲なフィールド調査が行われ、それをもとにチベット氷床復元図（図26）が作成された。その氷床は、トリンクラーが提唱したように、基本的に、低地であるツアイダム盆地やヤルツァンポーの谷筋を除くほぼすべてのチベット高原をすっぽり覆うもので、概略、次の過程を経て形成されたとしている。


地球への日射量の減少（一〇万年周期）→地球気温の低下→まず、チベット高原上に雪氷域が出現・拡大→地球の日射の反射（アルベド）の増大→さらなる地球気温の低下－－－－→チベット高原全体に氷床が拡大

このように、広大な氷床がチベットという比較的低緯度域を覆ってしまうと、基本的にアルベドの増大によって、チベット高原は地球を温める熱源から逆に冷やす冷源へと変わる。したがって地球全体の寒冷化が促進され、氷期の引金となったとクーレは結論している。さらに、この厚いチベット氷床は最終氷期の一〇万～一万五〇〇〇年前の間存在していたとしている。クーレによるチベット氷床の南北断面図（図26）にもとづけば、プマユム湖が位置する地域もその氷床の真下にあったことになる。

そこで、二〇〇〇年における調査・研究の計画段階で、少なくともＬＧＭ（最終氷期最寒冷期：二万三〇〇〇～一万九〇〇〇年前）の一万九〇〇〇年前に達する湖底柱状堆積物（コア）の採取を目指し

た。そして、当時の湖の堆積状況や環境の解析をもとに、プマユム湖自体やその周辺が氷床によって覆われていたか否かを明らかにすることにした。実際のコア採取では、既に述べてきたように惜しくも一万九〇〇〇年前に届かなかったが、最高一万八七〇〇年前まで遡る試料を得た。

得られたコアを対象に、最終氷期の期間に入る一万八七〇〇年前から一万五〇〇〇年前までの堆積物を解析した結果、前節で述べたことであるが、次の四つの事柄が明らかになった。

① LGM直後の一万八七〇〇年前、すでに湖には種々の物質の堆積作用が起こっていた。

② 花粉分析が可能なコアNo.1(PY104PC)では、最底部の一万八五〇〇年前の堆積物から途切れることなく草本花粉が検出された。

③ 遅くとも一万八七〇〇年前から一万五〇〇〇年前にかけて、かなりの水草が絶えることなく繁茂していた。

④ ③と同様の期間、炭酸カルシウムの沈殿が相当量存在していた。

これらの結果を、LGM期にはチベット氷床が存在していたが、一万九〇〇〇年前から三〇〇〇年間のうちに急速に融解したと解釈することができるかも知れない。しかし、同じ時期、北欧や北米などの氷床にそのような急速な融解が起きたとの報告はない。したがって、当時、プマユム湖が厚い氷床に覆われていたとすれば、上記四つの事柄はいずれも認められないはずのことであり、少なくともチベット南部域に、クーレが主張するような氷床の存在の可能性は極めて低いことを示している。

チベット高原の地図を俯瞰《ふかん》すると実に多くの湖が広く点在し、その数一五〇〇にも上るという。その中から、研究に適した湖を選び、LGMまで達する各湖底柱状堆積物を採取し、同様の解析を行えば最終氷期に高原を覆う大氷床が存在していたか否かを明確にできるであろう。しかしながら、以下に述べるように、もうその必要性はなさそうである。

「チベット氷床」説に対しもっとも基本的に問われていることは、そもそも、そんな広大で厚い氷床をチベット高原上に形成するために必要とされる膨大な水分の供給がどのようにして可能か、ということである。まず、図26から判断されるように、ヒマラヤ山脈が衝立《ついたて》となって主要な水分供給源であるインド洋からチベット高原への水分輸送は、基本的に阻止されている。その上に、高原上に広大な氷床が発達するということは、チベット高原は冷源となりアジアモンスーンが著しく衰退していることを意味しており、当時のインド洋からチベットへの水分輸送は極端に少なくなるはずである。したがって、現在のような地理的状況におかれた高原上に、大氷床を形成するために必要な水分供給のルートはほとんど絶たれているのである。

一方、中国の研究者達は、長年にわたってチベット高原の氷河地形や堆積物の研究を広域で行ってきた。その結果をもとに、氷期の高原上の氷河は、突出している山々の上部から発達し下方に流下してきたが、特に高原の中央域では、それらの山麓からさらに標高四〇〇〇〜五〇〇〇メートルの広い平原などに拡大するまでには至らず、高原上の氷河の発達は部分的であったと結論している。このことは最終氷期における万年雪の下限（雪線）が、現在のそれと較べ、チベット高原の中央域でより高くなっていたという多くの研究結果からも支持されている。つまり、氷期にはアジアモンスーンが衰退し、高原の中央域に近づけば、近づくほど、水分を含んだ気団の供給が著しく限定され、高原を覆うような氷床の発達は起きなかったということである。

以上のことから、チベット氷床がもし存在したとすれば、現在のようにヒマラヤ山脈が、上昇しインド洋からチベット高原への水分輸送の障壁となる前の段階のことであろう。すなわち、ヒマラヤ山脈の標高はまだ低く、チベット高原の方がすでにモンスーンを起こしうる程度の高さにまで達していた頃のことである。その段階では、高原はほぼ全域にわたって湿潤な環境となり、氷期には大規模な氷河が発達し、間氷期には大森林が覆っていたであろう。そのような状況になりえたのは、ヒマラヤ山脈の上昇の歴史から考えて、一〇万年周期の氷期、間氷期サイクルが始まる前の、少なくとも一〇〇万年以上も昔のことと考えられている。

ともあれ、最終氷期における「チベット氷床」説は、地理学的、および気象学的観点からほぼ否定されてしまった感がある。そんな批判の中、クーレが一九八〇年代から二〇〇〇年代初めまでに行ったチベットの広範囲におよぶ険しい山岳域の調査と、それらをもとにした数々の論文の発表に彼の研究に対する並々ならぬ熱意と執念が感じられ、チベットの研究に携わったものとして心から敬服の念を禁じ得ない。

ところで、チベット高原が、地球の一〇万年周期の氷期／間氷期サイクルの形成に大きく関与しているかも知れないとのロマンも失われてしまったのだろうか。幸いにもそうではないらしい。

ヒマラヤ山脈が現在の高さに上昇した後のチベット高原の雪氷圏は、氷期には大氷床というかたちではなく、広域の積雪というかたちで高原上の強い日射を大きく反射し、続いて、北半球における一連の大気循環過程を通じて地球の寒冷化に関与している可能性があると言われてきている。つまり、チベット高原の冬期の雪氷圏が拡大するとその夏のモンスーンが大きく衰退するが、それが何年も続くと、偏西風の風下側（東側）にある北米大陸北東部に、氷期開始につながるローレンタイド氷床の形成・維持にかなり都合の良い気候・環境条件が造られると言われている。詳しくは第八章の二節を参照されたい。今後の研究の進展がまたれる。

チベット高原は、地球規模の気候・環境変動をもたらす中心の一つとして、これからもなお多くの研究者を引き付けて離しそうにない。第二、第三のトリンクラーやクーレの出現・活躍を期待したい。

第五章

チベット高原上のインドモンスーンの回復・拡大および衰退の仕組みについて

一　アジアモンスーンとチベット

一般に、モンスーンとは、ある地域における降水を伴った季節的に卓越した風のことである。その顕著な発達は、特にアジアを中心とした地域やオーストラリア、アフリカの一部に見られる。

世界的に最も卓越した夏季（六～九月）のモンスーンは、インドモンスーン（別名、南西モンスーン）である（図6）。インドモンスーンの形成・発達に中心的な役割を果たしているのは、平均標高が四五〇〇メートル、面積が日本の六倍もあるヒマラヤ・チベット山塊の存在である。この広大な山塊は、北緯二七度の低緯度にまで張り出したユーラシア大陸上にそびえ立ち、夏季の強い太陽放射によって加熱される。一方、インド洋上では、三〇度近い水温を持った表層海水の盛んな蒸発によって大気の冷却が進む。これによって生じる大陸と海洋との間のきわめて大きな熱的な落差によって、ヒマラヤ・チベット山塊上に低気圧帯が、インド洋上では高気圧帯がつくられ、結果的に、後者から前者に向かって降水を伴った強い風が吹くことになる。この季節風がインドモンスーンと呼ばれる。この風の大筋の経路は、地球の回転の力（コリオリの力、または転向力）、アフリカ大陸の存在、アラビア半島からチベット高原にかけて形成される熱帯収束帯（別名、モンスーントラフ）と呼ばれる巨大な低気圧帯などの干渉を受けながら、始点のインド洋上の赤道域からアフリカ東岸に沿い、南西風となってアラビア海に至り、さらにアラビア海上で東に方向を変え、ヒマラヤ山脈という高い衝立《ついたて》に前進を遮《さえぎ》られながらインドや東南アジア域に向かって吹き込んでいく（図6）。特に、マダガスカル島に近いアフリカ東岸からアラビア海におけるこの季節風は、著しく強い南西風となっていることからインドモンスーンは南西モンスーンとも呼ばれる。さらに、この季節風は、長距離の洋上を渡る間に海から多量の水蒸気の補給を受け、かなり湿った気団となる結果、その大気が上昇するインドや東南アジアの各地に活発な積乱雲を発生させ多量の降水をもたらすことになる。降水の特に多い国は、ヒマラヤ山脈の南側に面した国々（インド他四か国）、東南アジア諸国（ミャンマーをはじめとする七か国）、および雲南をはじめとする中国南部である。

一方、ヒマラヤ・チベットの山塊の存在によって引き起こされているもう一つの重要な夏期の季節風に、東アジアモンスーン（別名、南東モンスーン）がある。これはインドモンスーンと基本的に同様のメカニズムで、ヒマラヤ・チベット山塊と西太平洋との間の熱的な落差によって生じる季節風で、太平洋側からチベットにかけての中国内陸部に向かって吹き込み、太平洋の水蒸気を大陸内部に降水として送り込んでいる。

このように、チベット高原は二つのモンスーンの影響下にあるが、東アジアモンスーンよりもインドモンスーンのより強い影響下にある。

以上のインドモンスーンと東アジアモンスーンは、合わせてアジアモンスーンと呼ばれる。このように、ヒマラヤ・チベット山塊の存在によって、北緯四〇度以南のアジア南部域の大部分に湿潤な気候帯がつくられ、その影響下にある一帯を合わせてモンスーンアジアと呼ぶ（図6）。日本もその一部に属し、六〜七月の梅雨はその代表的な影響例である。こうした背景から、インドやネパールに始まるヒマラヤ山脈南面から中国南部を通り日本列島に至るひと続きの地域には、照葉樹林を中心にした共通の種構成をもつ森林が帯状

（グリーンベルト状）に分布し、稲作が行われ、栽培植物や発酵食品などの多くの食文化にも共通した特徴が見られる。ヒマラヤ地域がしばしば日本文化のふるさとと言われるのは、ヒマラヤ・チベット山塊に端を発するアジアモンスーンのなせる働きなのである。

もし、ヒマラヤ・チベットの山塊が存在しなかったならば、現在、その影響下にある北緯四〇度以南のアジアの気候はどうなっていたのだろうか。その可能性を検討する大気循環の比較実験（シミュレーション）が、種々行われている。それによれば、インドモンスーンは発生しても、せいぜい北緯一〇〜一五度までしか北上できず、それから以北には降水はもたらされないという。その結果、インドや中国の大部分と東南アジアの一部にまで、かなりの乾燥気候が広がると考えられている。また、大陸内部になればなるほど乾燥化が進み、現在のチベットに対応する陸域のほとんどはタクラマカン砂漠などのような砂漠となっていたことは想像に難くない。しかし、五〇〇〇万年前のアジア大陸とインド亜大陸同士の衝突に始まる地殻変動によってヒマラヤ・チベットが数千メートルへと上昇した結果、砂漠となる運命だったチベットにまで湿潤なモンスーンが吹き込むようになり、一定の植生が広がる自然・風土が造られるに至った。

しかし、インドモンスーンの吹き込みによる、チベット、特にヒマラヤ山脈北面に隣接した南部（図5の高原温帯半乾燥気候帯に相当）や南西部（図5の高原温帯乾燥気候帯に相当）の乾燥した気候帯での降水量は、反対側のヒマラヤ山脈南面のそれと較べるとたいへん小さい。例えば、ヒマラヤ山脈を境として、南北に一〇〇キロメートル程度互いに離れた二つの地点で比較すると、北面のチベット側の年間降水量（二〇〇〜五〇〇ミリ）は、南面のインドやネパール側のそれの一〇分の一以下程度となる。チベット側をさらに北方へ行けば行くほどその量は急速に少なくなって、北緯四〇度近くから気候は砂漠化していく。これは、七〇〇〇～八〇〇〇メートルを超えるヒマラヤ山脈が衝立てのようにそびえ立ち、モンスーンのチベット側への吹き込みを妨げていることと、もう一つは、モンスーンに含まれる水蒸気の多くがヒマラヤ山脈の南面を急上昇する間に降水として除かれ、乾燥した気団となってチベット高原内部に至ることから説明されている。

一方、ヒマラヤ山脈北面に隣接したチベット南部や南西部とは違って、ヒマラヤ山脈から遠く離れ、森林帯が広がるチベット南東部（図5の高原温帯湿潤気候帯に相当）や東部（図5の高原温帯半湿潤気候帯に相当）の湿潤な気候帯へ、どのように降水が供給されているのだろうか。まず南東部については、水蒸気をたっぷり含んだモンスーンが先に述べたようにヒマラヤ山脈の南面を通過する際、その相当量が、バングラデシュにあるブラマプトラ河（源流はチベット高原上のヤルツァンポーである）の谷筋に沿って山腹を駆け登って行く（巻頭のチベット地図を参照）。さらに、その風（気団）は、遥か上流のヤルツァンポーの深い渓谷を通気道としてチベット高原南東部へと上昇しながら吹き込み、降水をもたらすことになる（図6参照）。それに対し、東部への降水の供給は、東南アジアに達したモンスーンの一部が、主に中国の雲南地域からチベット高原に延びる「横断山脈」やバヤンカラ山脈の渓谷（図1）に沿って太平洋側からの東アジアモンスーンと共にチベット高原東部へ吹き込むことによる（図6参照）。こうして、主としてチベット南東部や東部から侵入したインドモンスーンが、チベット高原のかなりの範囲に多かれ少なかれ降水をもたらしていると言われている。その結果、人間にとって厳しい気候・環境が支配する所ではあるが、なにはともあれチベット高原には草地や森林が広がることができるようになった。そして、それが基盤となって、そこには遊牧に端を発する自然に寄り沿うような一大文化圏が創られるまでに至ったのである。

では、このように、自然と共に様々な文化を育んできたアジアモンスーンは、いつ頃誕生したのであろうか。この疑問に答えることは、約五〇〇〇万年前以降、ヒマラヤ・チベットがモンスーンを引き起こすに十分な高さの山塊にいつ頃達したかを明らかにすることにもなる。陸や海に深く埋もれたヒマラヤ周辺の気候の歴史を掘り起こすダイナミックな数々の研究から、まだ議論の余地のあるところだが、チベット高原は、少なくとも一〇〇〇万年前頃にはモンスーンを発生させることができる程度にまで高くなり、さらに七五〇〇万年前頃には現在と同じぐらいの標高になっていたと考えられている。つまり、チベット民族はもとより、人類が出現するずっと以前からすでに、現在に比較的近いチベット高原が存在し、モンスーンが高原を吹き渡り、アジアを潤《うるお》してきたのである。

二　過去約二万年間のチベット南部域におけるインドモンスーンの盛衰とその支配要因

前章で、過去約二万年間のチベット南部域の気候・環境、特に乾燥・湿潤がどのように変化してきたかを草本の花粉組成と炭酸カルシウム量の変化をもとに見てきた。その乾燥・湿潤の変化を図27にまとめて示した。その図示された変化は、とりもなおさず、アジアモンスーンのなかでもインドモンスーン（以下、モンスーン）の盛衰を大きく反映したものである。これまでの我々の古環境解析をもとに、チベット南部域の過去約二万年間における乾燥・湿潤度に明らかな変化が起きている時代を、次の七区間、つまり、①約一万九〇〇〇～一万六五〇〇年前間、②一万六五〇〇～一万五〇〇〇年前間、③一万五〇〇〇～一万三〇〇〇年前間、④一万三〇〇〇～一万一六〇〇年前間、⑤一万一六〇〇～四〇〇〇年前間、⑥四〇〇〇～二五〇〇年前間、および⑦二五〇〇年前～現代に大別できる。これらの時代区間の一つ一つを対象に、チベット南部域におけるモンスーンの盛衰状況とその支配要因を、アラビア海周辺域やインドなど他のインドモンスーン域におけるモンスーンの盛衰とを比較しながら辿ってみよう（図27）。

①　約一万九〇〇〇～一万六五〇〇年前間（第一脱氷期）

これまでの我々の調査結果をもとにすると、最終氷期最寒冷期（ＬＧＭ：

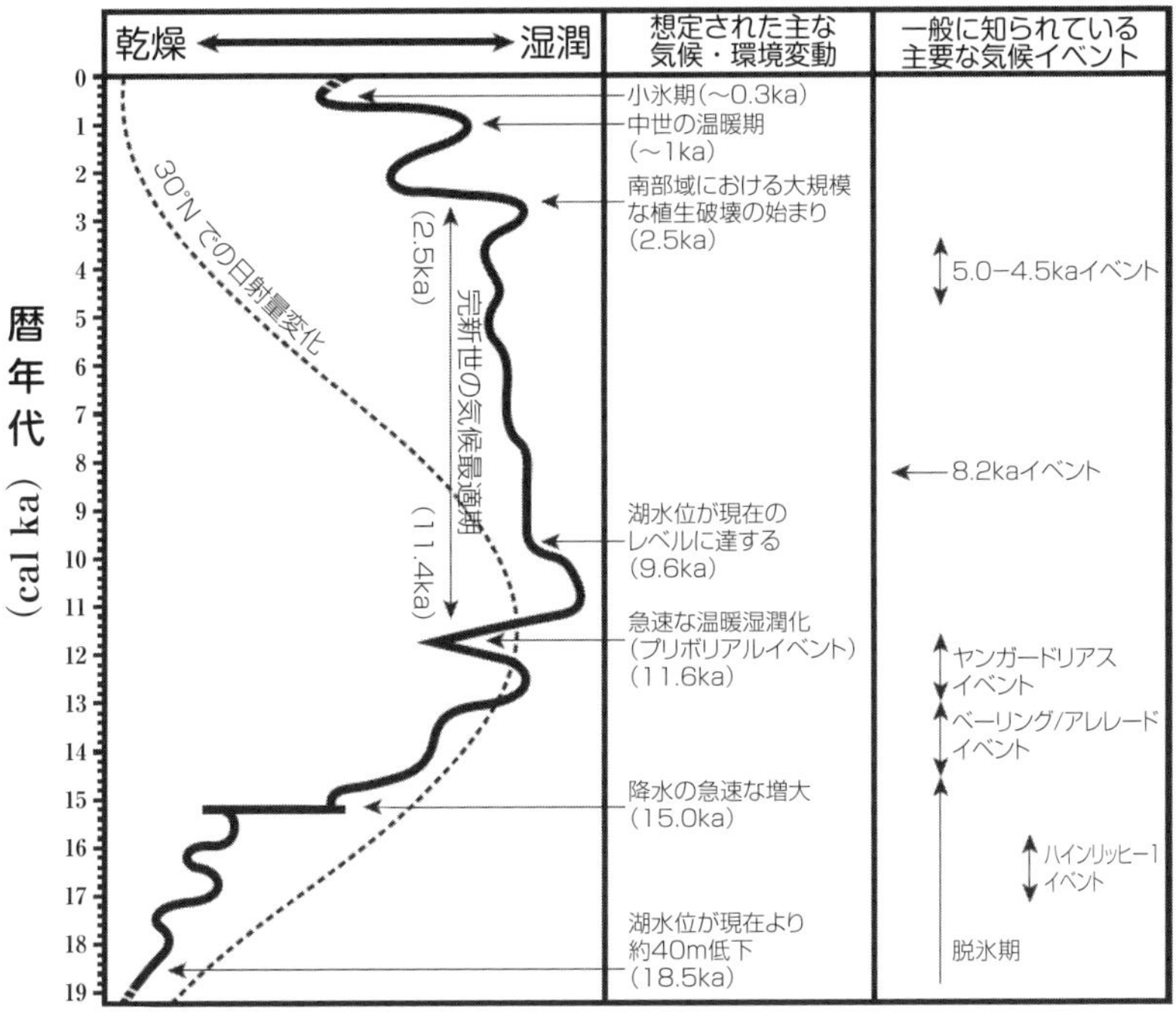

図27　過去1万9000年間のチベット南部域における乾燥・湿潤の変化と主な気候・環境変動（Nishimura et al., 2014 をもとに改変）

二万三〇〇〇〜一万九〇〇〇年前）後のチベット南部域における脱氷期は二段階で進んだと考えられる。その第一段階であるこの時期を、チベット南部域の第一脱氷期と呼ぶことにする。

この期間、プマユム湖の堆積物には相当量の砂粒の存在が認められ、すでにそれなりの流水があったことが分かっている。しかし、周辺には高山荒原が広がるかなり乾燥した気候だったことから（図23）、その流水の大部分は降水ではなく周囲からの氷河の融氷水と考えられる。一般に、この第一脱氷期の間、いずれのモンスーン域においてもモンスーンの活動は著しく衰退していたと言われている。しかし、降水をもたらすモンスーンがほとんどなくなっていた訳ではないであろう。これまでどんな氷期においてもヒマラヤ・チベットにおける氷河が消滅することはなかったとされていることから、その最寒冷期においてすら、かなり限定的であったにしろ、ある程度、氷河を維持できるだけの夏季の降水があったと考えられる。このことから、氷期においても、インド洋からヒマラヤ・チベット山塊に向かって吹き込む夏季モンスーンが、弱いながらも存在していたと推測される。このことと共に、一万九〇〇〇年前以降、地球の自転軸の傾きの変化による地表への太陽放射の徐々の増加が加わって（図27）、この期間にはLGM時よりも多少回復したモンスーンがチベット南部域に出現していたと思われる。

このように考えてくると、当時の流水の源はあながち氷河の融氷水ばかりではなく、モンスーンの回復による相応の降水の寄与もあったと考えられる。

② 一万六五〇〇〜一万五〇〇〇年前間（第二脱氷期）

この期間も、いずれのモンスーン域においてもモンスーンの活動は、一般に著しく抑制されていたと言われている。しかし、チベット南部域の植生は、一万六五〇〇年前から高山荒原から高山ステップへと明らかな変化をし、大地の緑地化が進行した（図23）。これに地球の自転軸の傾きの変化による太陽放射のさらなる増大が加わり、正の植生―アルベド・フィードバック効果が活発になったことは想像に難くない。それと共に、少なくともインド洋からチベット南部域へのモンスーンの吹き込みが弱いながらも、かなり回復し始めたと考えられる。したがって、この期間は第一脱氷期に較べ、モンスーンが回復し湿潤度がかなり増大した第二脱氷期と呼ぶことができる。

③　一万五〇〇〇～一万三〇〇〇年前間（ベーリング／アレレード期：B／A期）

この期間の初っ端《ぱな》の一万五〇〇〇年前に起きた突然の湿潤化（図27）は、モンスーンの急速な回復・発達を想起させる。しかし、インドモンスーンを記録している様々な地域のいずれの古文書（堆積物や鍾乳洞の石筍《せきじゅん》など）にも、それに対応する急速な湿潤化は認められていない。したがって、その突発的な環境変化は、当時進行していた地表の緑地化に端を発する、チベット南部域に限定したモンスーンの急速で著しい吹き込みによるものと判断される。このことは、脱氷期化後、チベット高原に最初にインドモンスーンが回復した場所は南部域であることを強く示唆している。その後の南部域におけるモンスーンの回復は、高山ステップから高山草原への変化による正の植生―アルベド・フィードバック効果の増大と、当時、地球規模で進行し始めていたB／Aイベント（気候改善イベント）の初期段階による温暖・湿潤化が加わる相乗効果によってさらに強化された。そして、一万四八〇〇年前頃からチベット南部域にLGM後初めて、モンスーンが本格的に発達し始めたと考えられる。その後、南部域のモンスーンは、少なくともB／Aイベントが終わる一万三〇〇〇年前頃まで益々発達していった（図27）。

④　一万三〇〇〇～一万一六〇〇年前間（ヤンガードリアス期：ＹＤ期）

ＹＤイベントという地球規模の深刻な気候悪化が起きていた時代、チベット高原南部域を除くインドモンスーン域のいずれの古文書においても、ＹＤ期が始まる一万三〇〇〇年前からモンスーンは急速に衰え、一万一六〇〇年前以降まで復活することはなかったと記録されている。それに対し、チベット南部域における花粉組成（図23）は、この期間の一万三〇〇〇年前から一万二二〇〇年前にかけて、予想に反する急速な湿潤化が進行していたことを示した。さらに、その後の一万一六〇〇年前にかけても、チベット南部域の湿潤度は著しく減少することはなく、かなり維持されていたことを示している。したがって、一万三〇〇〇年前から一万一六〇〇年前までのＹＤ期の間、各地におけるモンスーンが著しく衰退する中でも、チベット南部域は他の地域とは大きく違って、乾燥化することなく、むしろ、ある程度のモンスーンによる湿潤な気候・環境が維持されていたことになる。

⑤　一万一六〇〇～四〇〇〇年前間（完新世前期）

一万一六〇〇年前頃からＹＤイベントが終了すると共に、太陽放射の増大を背景にグローバルな温暖・湿潤化が急速に進行した。同時に、アフリカ東海岸からアジア南部にかけて強いインドモンスーンが次第に回復・発達したことが知られている。この時代を画する一万一六〇〇年前以降は完新世と呼ばれる。湿潤・乾燥のプロキシの時代変化をもとに既に述べたように、チベット南部では少なくとも一万一四〇〇年前からある程度強いモンスーンが回復し、その後、時代と共に急速に強化され、一万八〇〇〜一万年前にかけて最も強くなった（図27）。

その後、チベット南部域の湿潤度は、四〇〇〇年前まで緩やかな減少傾向を示す（図27）。この傾向は、ソマリア（アフリカ北東岸）の鍾乳洞からの石筍《せきじゅん》やインドの湖底堆積物などに記録されたモンスーンの変化とよく対応していることから、チベット南部域においても一万年前から四〇〇〇年前にかけては、モンスーンが次第に減少傾向にあったと推察される。この傾向は、約一万年前以降から顕著になり出した、地球の自転軸の傾きの変化による地表への太陽放射の減少を反映したものと考えられる。

⑥　四〇〇〇〜二五〇〇年前間（完新世後期前半）

いわゆる完新世後期の前半にあたるこの一五〇〇年間、チベット南部域では湿潤度の減少は止まり、変動はするものの増加傾向が認められる（図27）。このような湿潤度の増加は他のモンスーン域の古文書には認められないことから、南部域に限定した特有な気候・環境変化によると考えられる。つまり、各地のモンスーンは弱まって行く中、南部域の正の植生―アルベド・フィードバック効果がなんらかの原因で強まり、モンスーンの引き込みの増大をもたらしたのであろう。

⑦　二五〇〇年前〜現代（完新世後期）

この期間、過去一万年余りの間で最も著しい炭酸カルシウムの増加が二度も認められた（図24）。これは、チベット南部域に人間による大規模な森林や草原の破壊が急速に進み、地表の裸地化による負の植生―

アルベド・フィードバック効果が増大し、モンスーンをインド洋から南部域に引き込む力が急減した結果であろう。

以上のことから、チベット南部域における過去約二万年間のインドモンスーンの盛衰とその支配要因は、図27にしたがって概略、以下のようにまとめられる。

LGM後、それまで衰退していたモンスーンは、特に地球の自転軸の傾きの変化による地表への太陽放射の徐々の増加を背景に、二段階の脱氷期化を経て回復傾向を辿り始めた。特に第二脱氷期が始まる一万六五〇〇年前からの高山荒原から高山ステップへの植生変化（熱源領域の拡大）と共に、モンスーンはさらに強まっていった。特に一万五〇〇〇年前から植生は高山ステップから高山草原へとさらに変化し始め、さらなる地表の緑地化（熱源領域の拡大）、太陽放射の増大、B／Aイベントによる温暖・湿潤化などの相乗効果によって、モンスーンは急速、かつ著しい増大の一途を辿った。一方、一万三〇〇〇年前からの地球規模の深刻な寒冷・乾燥気候による植生被害をもたらしたYDイベントの勃発《ぼっぱつ》と共に、各地のモンスーンは急激に衰退してしまったが、植生の被害がほとんど生じなかった南部域では目立ったモンスーンの衰退は起きなかった。その後、YDイベントが終息する一万一六〇〇年前から遅くても一〇〇〇年以内に、一万三〇〇〇年前以前に発達していたモンスーンと同等の強さをもったそれが、チベット南部域に発達し始めた。その強度はさらに高まり、一万八〇〇〇年前から一万年前の間で最大となった。一万年前以降、それまでとは逆に、太陽放射の徐々の減少と共にモンスーンは四〇〇〇年前に至るまで減少していく。しかし、その減少度は、チベット高原南部以外のモンスーン域のそれに較べかなり小規模で、かつ緩慢であった。これは、緯度が比較的低く、植生が豊かであったチベット南部域の特徴と考えられる。続く四〇〇〇年前から二五〇〇年前までの間、南部域のモンスーンは、アラビア海やインド洋などでの古環境記録に見られるそれとは違って幾分増加を示した。しかし、二五〇〇年前以降、チベット南部域での人間による森林や草原の大規模な破壊によって引き起こされた裸地化（熱源領域の減少）によって、モンスーンは著しく衰退したと考えられる。

こうして衰退したインドモンスーンを、現在、我々は体験していることになる。因みに、ラサやプマユム湖周辺での現在の夏季モンスーンによる降水量は三〇〇〜四五〇ミリの範囲にあるが、二五〇〇年前以前の植生がかなり豊かであった時代のそれは南部域をもっと潤していたはずである。

三　チベット高原上でのインドモンスーンの回復・拡大および衰退はどのようにして起こるか？

このテーマに関して、一般にどのような理解がなされているのであろうか。これまでの見聞をもとにすると、概略以下のようである。

まず、インドモンスーンの回復と拡大について触れよう。モンスーンが衰えていた地球規模の強い寒冷化の終了後、チベット高原の大地が太陽放射によって次第に強く加熱され、インド洋上の高気圧帯に対し高原上に強い低気圧帯が発達し始める。その低気圧帯に向かって、インド洋上からの気団（風）が、主として二つの経路から徐々にチベット高原に吹き込んでくる。一つは、ブラマプトラ河をさかのぼり、チベット高原南東部域の「ヤルツァンポー大渓谷を通気道とする経路」である(図6参照)。もう一つは、ヒマラヤ山脈の南面に沿って西方から比較的標高の低い南東部や東部に回り込み、雲南地域から始まるチベット高原に向かう「横断山脈」の谷筋や山腹(約三〇〇〇メートル)を通気道とする、いわゆる「横断山脈経路」である(図6参照)。これらの経路からチベット高原に達したモンスーンはさらに、加熱された中央部、北部、西部などへと引き寄せられ、高原全体に風系が拡大していくとする理解ではなかろうか。

一方、その衰退については、主にチベット高原側とインド洋側にそれぞれ原因がある場合が考えられるが、ここでは前者に原因がある場合に限定すると、気候寒冷化によって夏季のチベット高原が雪や氷床で次第に覆われ、地表の熱源領域が大幅に減少することが主要因となるであろう。その結果、モンスーンの原動力である強い低気圧帯が高原上に形成されなくなっていくとの理解であるように思われる。

以上の説明で、チベット高原上のインドモンスーンの回復・拡大、および衰退のメカニズム(仕組み)の概略を理解したような感を受けるが、未だ多くの基本的な事柄が解らないままになっている。例えば、一般に気候が比較的長期の寒冷・乾燥状態(氷期)から温暖・湿潤状態(間氷期)へと改善していく過程で、強いモンスーンが再び回復してくる際、チベット高原上のどの地域で最初の強い低気圧帯が生じるのか、つまりチベット高原での最初の強いモンスーンが、どの地域で発生するのか。その後、それが、どのような経路を経て高原全体に拡大・発達していくのか。逆に、気候が間氷期から氷期に移行する気候悪化の際、チベット高原のどの地域からモンスーンが衰退し始め、それが、どのような経路を経て高原全体に拡大していくのか。さらに、各地域でのモンスーンの回復・発達や衰退に関与しているチベット高原上の主な要因は何か、などといった事柄である。

地球の一〇万年周期の気候サイクルから言えば、現在は温暖期から寒冷期へと向かう途上にあり（図2）、やがてモンスーンの衰退がさらに顕著になってくると考えられる。あるいは、その前に何らかの原因によって、地球の温暖化、あるいは寒冷化が急速に進行するグローバルなイベントが起こり、モンスーンの大きな変動が起こりうるかも知れない。こうした将来の気候・環境変動によって、チベット高原上やその他のインドモンスーン域における降水の分布や量が、今後どのように変化するかを明らかにしていく上でも前述の事柄を理解することは基本的に欠かせない。また、その理解は、高原上やその近辺に源頭をもつ、インダス、ガンジス、ブラマプトラ、黄河、長江、メコン、サルウイン、イラワジといったアジアの主要河川のそれぞれの水供給量や、各河川に沿った地域と河口域の治水や土地の維持などをはじめとする、モンスーンアジア各地の自然に対する影響を考える上でも重要である。

そこで、チベット高原上のモンスーンの回復・発達や衰退に関するより具体的な手掛りを得るため、次の二点に関するデータを集め比較を試みた。一点目は、寒冷・乾燥期から温暖・湿潤期へとグローバルな気候改善が進行する過程で、チベット高原上の各地域において本格的な温暖・湿潤期（モンスーンの強化時期）がいつから開始されたか。二点目はその逆の気候変化、つまりグローバルな気候悪化が進行する中で、いつ、それまでの温暖・湿潤な気候・環境が終息（モンスーンの衰退）し始めたかについてのデータである。

過去二万年の間で、氷期から間氷期に移行する気候改善の代表的な例は、ＬＧＭ後（一万九〇〇〇年前）からB／Aイベント（一万四八〇〇年前）までの脱氷期の期間である。しかし、研究を進めていた二〇一四年当時、一万四〇〇〇年前よりもさらに古くまで遡るチベット高原での古文書の研究はかなり少なく、その期間での十分な比較研究はできない状況であった。ここでは、比較的多くの報告がなされている一万一六〇〇年前のYDイベント以降の気候改善（プリボリアル・イベント）のケースを取り上げる。このグローバルな気候改善は、基本的に、当時進行していた地球の自転軸の傾きの変化から起きる、北半球への太陽放射の増大によって急速に促進された。その過程で、植物の成長に過去二万年間で最適な気候状態となる気候最適期（クライメート・オプティマム：Climate Optimum）と呼ばれる時代が出現した。したがって、この期間は、それまで弱まっていたモンスーンが十分回復し、さらに強まった時期にあたる。

チベット高原の各地域における気候最適期の始まりは、YDイベント後のモンスーンの本格的な回復・発達の開始時期に、逆にその終息の始まり（以降、終息時期と記す）は、モンスーンの衰退の始まりの時期に概ね対応させられる。そこで、各地域における気候最適期の開始時期と終息時期について、これまでの研究からデータを収集した。多数のデータが引き出されてくるが、それらのうち、次の三つの条件をほぼ満たし、相互の比較が可能なデータのみを対象とした。信頼できる年代測定法が使われていること、古環境解析が詳細で時間解像度がよいこと、および花粉や有機物といった共通した生物由来のプロキシを使用していること。収集されたデータを北から南へと緯度順に並べ、表1にまとめて示した。しかし、当時（二〇一四年）、議論に耐えうる研究は一〇報であった。

まず、チベット南部域の気候最適期について、これまでの我々の研究結果を整理し確認しておこう。一万一六〇〇年前のYDイベント終了間もない一万一四〇〇年前には、高山草原が維持される中湿潤度は急速に上昇し、B／A期のそれをかなり超えていた（図27）。このことから、当時のチベット南部域では、遅くとも一万一四〇〇年前には、すでに、かなり強いモンスーンが回復・発達していて、植生の成長に十分適した気候・環境が成立していたと考えられる。その後の湿潤度の変化や植生から、その環境は、一万年前以降多少の湿潤度の減少傾向を示すが、二五〇〇年前頃まで植物に最適な環境が維持されていたことが分かった。したがって、チベット南部域の気候最適期は、遅くとも一万一四〇〇年前から始まり、二五〇〇年前頃までの約九〇〇〇年間という長きにわたって持続されていたことになる（図27）。

一方、残る九地域における気候最適期の開始時期（表1）は、一万九〇〇年前から七三〇〇年前の範囲にあり、チベット高原上のインドモンスーンの回復時期は各地域によって大きく異なっていることが分かる。さらに重要なことは、チベット高原で強いモンスーンが、遅くとも一万一四〇〇年前頃にまずチベット南部域とインド洋との間で最も早く発生していたことを表1は示している。

ところで、チベット高原を除く、アラビア海、ベンガル湾、インド北部、中国南西部など、インドモンスーン圏内の各地域において、YDイベント後にモンスーン強化が開始された最も早い時期は、いずれの地域においても、一万一五〇〇〜一万一四〇〇年前であることが明らかにされている。そのモンスーンが向かう所は、も

表1　チベット高原上のインドモンスーン圏内における各地域でのヤンガードリアス期の気候最適期の開始時期、終息時期などの比較データ（Nishimura et al., 2014）

調査地（地域）	位置 緯度	位置 経度	標高 (m a.s.l)	永久凍土*	気候最適期 開始と終息 (千年前: cal ka)	気候最適期の期間 (kyr)	参考文献
Dunde 氷冠 (北部域)	38.0	96.2	5325	−	10.5 − 4.3	5.7	Liu et al. (1998)
Qinghai 湖 (北東部域)	37.0	100.0	3194	−	10.5 − 4.5	6.0	Shen et al. (2005)
Bangong 湖 (西部域)	33.3	79.0	4241	+	9.5 − 7.0	2.5	Van Campo et al. (1996)
Zoige 湿原 (東部域)	32.8	102.3	3492	−	9.4 − 4.0	5.4	Yan et al. (1999)
Hongyuan 泥炭地 (東部域)	32.4	102.3	3466	−	10.9 − 5.5	5.4	Hong et al. (2003)
Zigetang 湖 (中央域)	32.0	90.9	4560	+	7.3 − 4.4	2.9	Herzschuh et al. (2006)
Seling 湖 (中央域)	31.8	89.0	4500	+	9.6 − 6.8	2.8	Sun et al. (1993)
Cuoe 湖 (中央域)	31.2	91.2	4532	+	8.5 − 5.7	2.8	Wu et al. (2006)
Naleng 湖 (南東部域)	31.1	99.7	4200	−	10.7 − 4.4	6.3	Kramer et al. (2010a)
Pumayum 湖 (南部域)	28.3	90.2	5030	−	11.4 ± 0.03 − 2.5 ± 0.07	8.9	Nishimura et al. (2014)

*永久凍土：＋有，−無 (Gorunov, 1978; Wang et al., 1979)

ちろん基本的にはチベット高原である。したがって、一万一五〇〇～一万一四〇〇年前と同時期に、チベット高原のどこかにモンスーンの回復・発達が起こっているはずである。しかし、その地域はこれまで特定されていなかった。今回、我々が明らかにしたチベット南部域におけるYDイベント後のモンスーンの回復・発達時期は、インド洋やその周辺域のそれらとほぼ同じ、遅くとも一万一四〇〇年前であった。この一致は、チベット高原の中でもまず南部域とインド洋との間で、本格的なモンスーンが一万一四〇〇年前頃初めて回復し始めたことを改めて示している。

表1の各地の気候最適期の開始、つまりモンスーンの回復年代に従えば、モンスーンは、チベット南部域から南東部&東部、北東部、北部、そして中央部&西部域へと三〇〇〇～四〇〇〇年をかけ、チベット高原全体に発達・拡大していったと推測される。この発達・拡大に際しての各地域間の相互関係は現在の所不明であるが、この高原上のモンスーンの回復・発達の順序は、YDイベント終了後、当該地域が加熱され、強い低気圧帯がいかに早く形成されるかにかかっているはずである。そのためには、各地域の植生がYDイベントによる深刻な気候悪化被害から早く回復し、正の植生―アルベド・フィードバック効果が働き出し、地表がどんどん加熱される態勢がすみやかに作られる必要がある。そうした過程の進行には、各地域における日射量、それに関係する緯度と標高、および植生の被覆度が特に重要である。また、表1に見られるように、地表の加熱や植物の成長を抑制する可能性がある氷久凍土の分布状態とモンスーン開始時期の遅速との間にも、有意な関連があるように見える。今後さらに検討すべき点と思われる。こうした要因が互いに関係し合って、各地域の地表が十分加熱されるまでにかかる時間が決まり、モンスーンの回復の順序が決まることになると考えられる。

ここで、各地域におけるモンスーン回復の順序をきめている主な要点について概観しておこう。まず、YDイベント後チベット高原でいち早くモンスーンが回復した南部域について、そのもっとも重要な要因として、YDイベントによる植生被害が比較的少なく、植生が密な（アルベドが低い）高山草原がほぼ変わりなく維持されていたことがあげられよう。それに加え、他のどの地域よりも緯度が低いため太陽放射が強く、永久凍土の分布がかなり限定されていたことなどによってチベット高原上でもっとも早く地表の加熱が進んだからであろう。

反対に、モンスーンの回復がもっとも遅かったチベット西部域や中央域では、ほとんどの地域が永久凍土で覆われ、植生は高山荒原か、疎らな高山ステップで、かつYDイベントによる深刻な植生被害を受けていた。加えて、それらの影響によって地域の熱源領域を減少させる雪氷域が拡大したことが考えられる。こうしたことが、西部域や中央域での地表の加熱を一〇地域の中でもっとも遅れさせたと要因と考えられる。

一方、チベット南東部や東部は、緯度が比較的低く、他の地域に較べ山岳森林と高山草原がかなり発達している所であるが、やはり、YDイベントによって比較的深刻な植生被害を受けたことや、標高がそれ程高くないことから、地表の加熱に南部域より五～六〇〇年の遅れが生じたのであろう。

残るチベット北東部と北部域については、いずれもより高い緯度（北緯三七～三八度）にあって、元々植生が疎らであることに加え、YDイベントによるより深刻な植生被害を受けたことが、南東部や東部よりもモンスーンの回復時期を遅らせた主な要因と考えられる。

次に、チベット高原の一〇地域における気候最適期の終息時期（表1）、つまりモンスーンの衰退時期を見てみよう。その範囲は、七〇〇〇年前から二五〇〇年前にあり、その時期の多くは、一般に知られたモンスーンの著しい衰退時期（六〇〇〇～四〇〇〇年前）に必ずしも対応していない。終息時期もやはり各地域によって大きく異なっていて、地域の環境条件によって大きく左右されていることが分かる。

チッベト各地域のモンスーン衰退年代に従えば、モンスーンの比較的著しい衰退はまず西部と中央部域で始まり、北部&東部、北東部&南東部、そして南部へと約四五〇〇年をかけ、高原全体に広まっていったことが分かる（表1）。各地域におけるモンスーンの衰退を生じさせる基本的な要因は、気候悪化による植生の衰えに続き、地表の正の植生―アルベド・フィードバック効果が失われ、地域の水循環を維持すべく地表の加熱の衰え（熱源領域の減少）である。したがって、高山荒原や高山ステップが広がる西部や中央部域からモンスーンの顕著な衰退が始まったのは、その地域がチベット高原の中でも植生が最も乏しいことに加え、気候悪化による植生被害をいち早く受け始めたからだと考えられる。それに対し、最も強い太陽放射の下で安定な植生（高山草原）を維持していたチベット南部域では、気候最適期が最も長く二五〇〇年前まで続いていたことからも分かるように、気候悪化による植生の衰えは容易に起こらず、自らモンスーンの衰退を招く環境変化は起きなかったのであろう。残るチベット北部から南東部域にかけてのモンスーンの衰退の順序も同様に、気候悪化の中で正の植生―アルベド・フィードバック効果をある程度持続できる安定な植生が、各地域にどれだけ維持されていたかによって決められていると考えられる。

以上、我々の調査・研究の結果を中心に、YDイベント後のチベット高原上におけるインドモンスーンの回復・発達、および衰退の過程と、それを支配する主な要因について概観してきた。ここで述べてきたことは、少なくとも過去二万年間で起きた他のいずれの気候改善や気候悪化においても、インドモンスーンの盛衰は基本的に同様な仕組みで起きたと考えてよいであろう。

四　アジアモンスーンの強さを決めるチベット高原上の基本的な要因

前節で述べたチベット高原の各地域における気候最適期の開始時期や終息時期の比較をもとに、チベット高原上のインドモンスーンの盛衰の主要因について、次の事柄が結論される。気候の寒冷・乾燥化後の各地域におけるインドモンスーンの回復時期は、緯度や標高によっても影響を受けるが、植生の疎密の広がりの程度によってより大きく支配されている。つまり、植生が元々ある程度密であったり、また、疎から密に速やかに変化すればするほど各地域でのモンスーンの回復（引き込み）は早く、かつ、その強さは増大していく。逆に植生が疎から密に移行する速度が遅くなればなるほど、モンスーンの回復は進まず遅れることになる。

このことをもとにすると、インドモンスーンばかりでなく東アジアモンスーン（別名、南東モンスーン）もアジア各地で衰退することなく、活発に維持されるための基本的な要因が引き出されてくる。繰り返し述べているように、アジアモンスーンは、海洋（インド洋や太平洋）とチベット高原との間で生じる熱的な勾配が原因で起きる。つまり、チベット高原のできるだけ広い範囲に、効率の良い熱源領域が拡大すればするほどアジアモンスーン全体の強度は強くなっていく。そのような熱源領域が広がるには、高原の表層が岩石や土壌に代わって、密な植生（草原や森林）によって広く覆われることがより重要になることを我々の研究結果が示している。その結果、地表における正の植生―アルベド・フィードバック効果を根幹とする、アジアモンスーン（インド洋上と太平洋上の大気）を高原に引き込むことができる強い低気圧帯が、高原上に広く活発に発達することになる。このように、夏季にチベット高原はもちろんのこと、アジア各地にアジアモンスーンが常時発達し安定に維持されるためには、まずは高原上に熱源領域、すなわち豊かな植生領域がある一定以上保持されていることが基本的に重要であることになる。

因みに、アジアモンスーンの衰退に関与する要因として、これまで論じてきたチベット高原上の植生の在り方以外に、幾つかの外的要因があげられる。例えば代表的なものとして、太平洋上でのエルニーニョ／ラニーニャの発現、北極振動、インド洋ダイポールモード現象、中央アジアの冬から春にかけての積雪域の拡大などが知られている。しかし、それらが現れる期間はいずれも、第四章三節で述べた過去約二万年間に起きた様々な気候悪化イベントの期間（数百～数千年）と較べればほんの一時的な出来事に過ぎず、アジアモンスーンの長期的な衰退に強く関与することは知られていない。加えて、これまで述べてきたように、チベット高原の植生（森や草原）の豊かさが安定に、長期的に維持されていれば、それらの影響は現在の議論からほぼ無視できるものと考えられ、ここでの議論の対象から外すことにした。

第六章

インドモンスーンはヒマラヤ山脈を横断しチベット高原に直接流入して来るか？

過去約二万年間の地球規模の環境変動に対するチベット南部域の応答には、チベットの他の地域には認められない二つの特徴があることを第四章で述べた。繰り返しになるが、その一つは、強い気候悪化(温暖・湿潤からの寒冷・乾燥化)による影響をほとんど受けないか、受けても他の地域と比べてかなり小さいこと。二点目は気候改善(寒冷・乾燥からの温暖・湿潤化)に対する応答が、他のチベットのどの地域よりも数百年から一〇〇〇年も早く進行すること、つまり、換言すると、気候改善後、チベット高原上に強いインドモンスーンが最初に復活する場所はチベット南部域であることである。しかしながら、これら二つの気候応答の特徴が、チベット南部域の、どのような環境特性によって引き起こされるのかについては、関係する文献をつぶさにあたっても、より強い日射量という要因以外にこれはという手掛かりは得られない。強い日射量は、その重要な要因の一つであることは間違いないであろうが、それだけではチベット南部域のその特有な気候応答のプロセスを具体的に説明することはできない。その他いくつかの要因が関係しているはずだが、それらを知る手立てがないままチベットの土壌や植生に関する新たな調査を始めていた。ただ、胸中には、日射量以外の主要因が現在のチベット南部域に変わることなく存続しているのであれば、南部域をはじめ、その他の地域を広く巡るうちに関係する要因に気付かされないだろうか、との淡い期待があった。

その思いが通じたのだろうか、チベット南部域に特有な気候応答を引き起こす思い掛けない地学的要因が、新たな調査から引き出されてきた。この章では、まず、その経緯と共に、これまでの発想に大きな転換を迫る地学的要因の発見、および、それによって明らかとなったチベット高原へのインドモンスーンの新たな供給ルートとその気団の振る舞いについて述べる。

一　ヒマラヤ連峰北面の降雪

チベット高原の南端部に五〇〇〇～八〇〇〇メートルの高度で、東西約二四〇〇キロメートルに及ぶヒマラヤの長城が横たわっている（巻頭のチベット地図参照）が、我々がフィールドとするチベット南部域からはその東側半分を一望することができる（巻頭カラー写真1）。そんな高原に立つといつも不思議に思うことがあった。チベットから遥かヒマラヤ連峰を見渡すとその北面を見ることになるが、南面であればいざ知らず、なぜ、どの峰の北面もすっぽりと雪に覆われているのだろうかと。つまり、インド洋からチベット高原に向かって吹きつけてくるモンスーン気団にたっぷりと含まれた水蒸気（気体）は、六〇〇〇～八〇〇〇メートルのヒマラヤ南面を上昇してくるが、それと共に減少する気温と気圧によってその多くが雨（液体）や雪（固体）となって南面に降水として落下してしまう。その結果、かなり乾燥したモンスーン気団がヒマラヤを越えチベット高原に入ってくるのみで、その気団がほとんど降水をもたらすことはない、と広く言われていることと矛盾するのではと思い続けてきた。

一方、一般に、チベット南部域のモンスーン季の気候・環境は、主として、インド洋（ベンガル湾）からブラマプトラ川を上りヤルツァンポーへとチベット高原に西進してくる多量の水蒸気を含んだモンスーン気団によって支配されていると言われている（図6参照）。しかし、モンスーンの侵入通路であるヤルツァンポーは三五〇〇から三八〇〇メートルの標高にあるが、東経九五度より以西の、その大河の南岸沿いには急峻な四五〇〇～五〇〇〇メートルを超える山々が延々と連なっている光景を現地調査や地図から知るにつけ、ヤルツァンポー経由のモンスーン気団がその衝立のような山々を越え、さらに南側に位置するプマユム湖周辺のチベット南部域にまでやって来て、その地域の夏季の降水を支配しているとの通説に少なからず違和感を持つようになっていた。

　こうした二つの想いから、いつしか、次のような考えに囚われることになった。ヒマラヤの長城のどこかに、水分をかなり含んだモンスーン気団がほぼそのまま、ヒマラヤの南面から北側（チベット高原）に通り抜けられる、高度がかなり低い場所、つまり、「通気道」がいくつかあるのではないか。そして、そこから抜け出て来たたっぷりと水分を含んだインド洋からのモンスーン気団が、ヒマラヤ北面（北緯約二八・五度）とヤルツァンポー（北緯約二九・五度）とに挟まれたプマユム湖周辺を含む広い地域（図28）に、これまで見てきたような相当の降水をもたらし、青々とした畑地を広げ、河川を潤し、氷河が発達する比較的湿

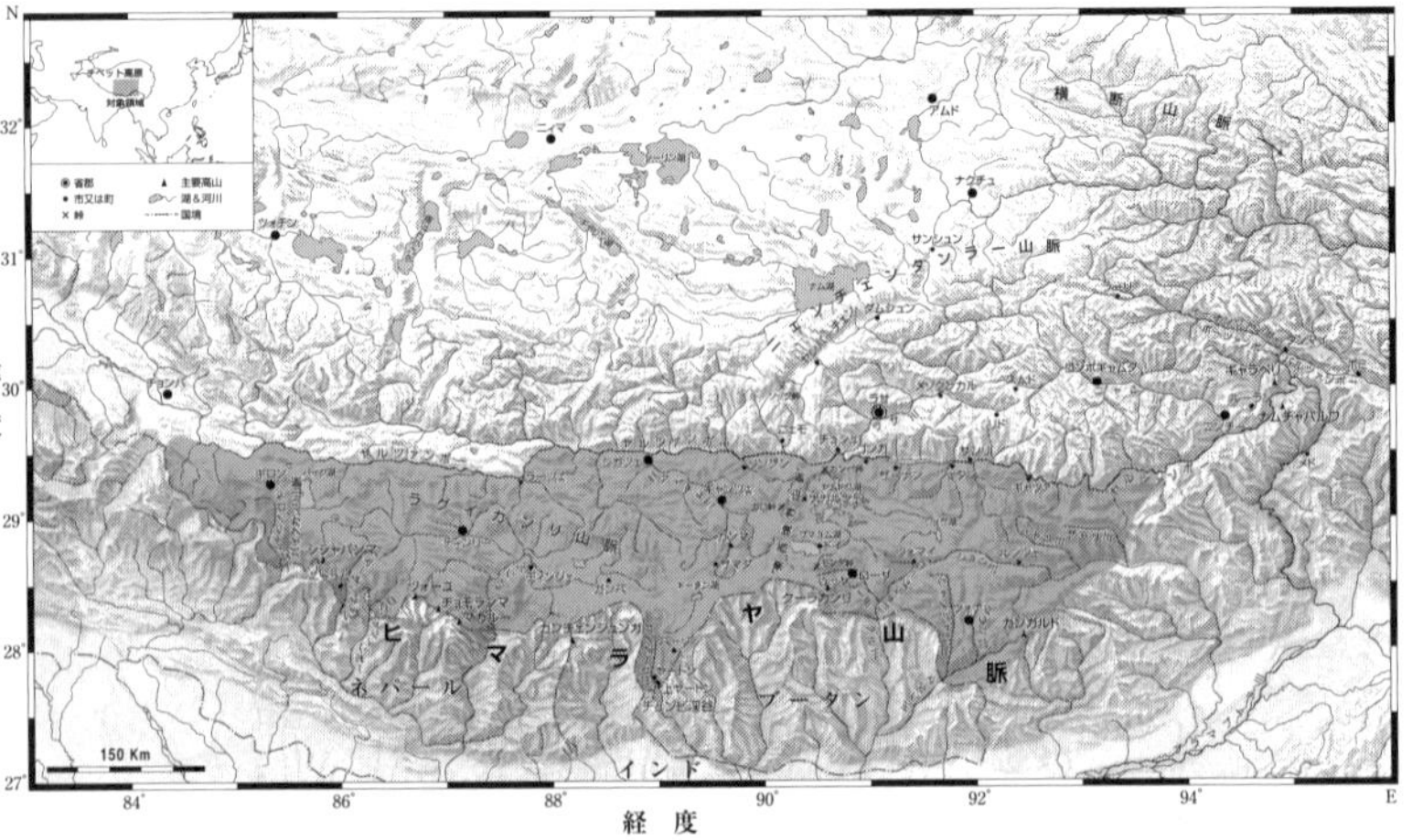

図28　チベット高原の「低緯度帯域」の範囲（北緯27.5～29.5度、東経84.5～93.5度：陰影が付けられた範囲）

潤な風景（巻頭カラー写真18、19、および20）を造ってきたのではないかと。もしそうだとすれば、北面の雪の量から考えても、そのような「通気道」を通り抜けてチベット高原に入って来るモンスーン気団の規模を軽く見ることはできないように思えてくる。

特にヒマラヤに平行したチベット南部域（図28）に入って来るモンスーン気団は、ヤルツアンポー経由からのそれによるよりも、ヒマラヤの「通気道」から入ってくるその影響の方がかなり大きいのではとの想いに次第に囚われる。残念ながら、これに答えてくれる研究はこれまでのところ見当らない。こうした現代のチベット南部域の気候・環境に大きな影響をもっている要因を明らかにすることは、第四章で述べた南部域の過去の気候・環境の特徴的な応答や変動のメカニズムをより深く掘り下げ、将来の気候・環境予測の信頼性を高め、かつ、その対策を考える上で欠かせない。

そんな想いから、ヒマラヤ連峰とヤルツァンポーとにはさまれた東経八四・五度から九三・五度の間にあり、チベット南部域でも最も緯度の低い地域（北緯二七・五〜二九・五度）（図28）を対象に、当地域へのモンスーン気団の供給源（ヤルツァンポー渓谷経由か、ヒマラヤの「通気道」経由か？）とその気団の振るいを明らかにすべく調査を二〇〇九年から行うことにした。図28に示すこの調査対象域となる最も緯度の低い地域（陰影が付けられた部分）を、ここでは以後、「チベットの低緯度帯域」、略して「低緯度帯域」と呼ぶことにする。

二　ヒマラヤを南北に横切りインドモンスーンの「通気道」となりうる渓谷の存在

調査を思い立った当時は、その「通気道」として、日本アルプスなどで見られる山並みが突然ある所でV字形に深く切れ込んで低くなっている、いわゆる「切戸《きれっと》」のような存在をイメージし、通常の地図では特定が難しい規模のものと想像していた。ところが、調査計画を練っていく過程で、チベット高原に源頭を持ち、ヒマラヤを横断し隣国のブータン、ネパール、およびインドに流れ下る幾筋もの河川が、ヒマラヤを削り、深いV字型、あるいはU字型の渓谷を形成していることに気付かされ、モンスーンの「通気道」のイメージを大きく変えることになった。そのような渓谷の標高の多くは六〇〇〇〜七〇〇〇メートルを超えるヒマラヤ山中にあって、二三〇〇〜三五〇〇メートルと特別に低く、かつ谷幅は数キロから数十キロ、長さは数十キロから一〇〇キロ余りにおよび、「切戸」の規模を遥かにしのぐ。こうした渓谷が、「チベットの低緯度帯域」に接したヒマラヤに、地図上で確認できるだけでも一二本も集中的に存在することに気付き（巻頭のチベット地図参照）、インド洋からのモンスーン気団がヒマラヤを北に通り抜けることのできる「通気道」の存在を積極的に考える後押しとなった。

三　チュンビ渓谷への道

述べてきた「低緯度帯域」におけるモンスーン気団の供給源の可能性とその振る舞いを明らかにすべく調査を、日本科学技術振興会からの研究助成を受け、二〇〇九年から三年をかけて行うことにした。供給源の調査にあたって主要な一二本の渓谷のうち、まずは、ラサから比較的近く、道路の状況が悪くなさそうなルートにあるチュンビ渓谷（巻頭のチベット地図参照）を皮切りに調査を始めることにした。この渓谷は、チベットからブータンへと流れ下るカンブーマ川の源頭に位置し、五キロから三〇キロの谷幅をもって両者の境界を南北約一〇〇キロメートル余りにわたってまたぎ、標高二五〇〇〜三〇〇〇メートルの深いU字谷をなしている。チュンビ渓谷という名は余り知られていないこともあって、調査メンバーの間で話題になった時しばらく気付かなかったが、チベットへ潜入した河口慧海《えかい》が一九〇二年にチベットから脱出を謀る際、この渓谷を通ってインドのダージリンに向かったことを思い出した。その時の『旅行記』の一部を再度見てみると、パーリから三〇キロ程南に下った所からのチュンビ渓谷内の様子について、「このころ（六月半ば）は雨季で、山中のダージリンから北の方（パーリ）にかけては非常に雨が多い……。山中には、三、四人でかかえる位の大きな木がたくさんはえている一二キロばかりの森林」があったと記されている。この記述は、まさに、チュンビ渓谷が「通気道」となって、モンスーン気団がヒマラヤの深い谷筋を上り雨を降らしながらチベット内に入って行く様子を想起させる。

二〇〇九年、夏季モンスーン季が始まる六月から、前出の大学院生、松中君と井筒君と共に、チベット高原研究所の大学院生ワン・ジュンボ君の協力を得て調査を開始した。チュンビ渓谷内にチベット最南端の街ヤートンがあるが、そこからインド洋上のモンスーン気団がどのようにチベット内に入り、どこまで広がり、どこに、どの程度の降水をもたらすかなどについての手掛りを得ることがこの調査・研究の主目的であった。それに際し、ルート上の主要な地域の気候・環境の調査と共に、夏季モンスーンの動き（流入や移動ルート）についての情報をもたらしてくれる降水と河川水の採集を平均三〇キロ間隔で行いながら、インド洋から入ってくるはずのモンスーン気団と共に北へ東へと進むことにした。

降水の採集は、直径二〇センチのプラスチック製のロートを使い、底部に五〇ミリリットルのポリ瓶を付けた自家製の簡易降水採集装置（図29）で行った。この装置の設置から回収までに一～二日を要する場合があるので、その間の降水の蒸発をできる限り防ぐために、ロートとポリ瓶の間を径一センチで一メートルのビニール管でつないでいる。

降水（雨や雪など）や河川水の起源（供給源）や振る舞いを知るための原理と手法は、概略以下の通りである。自然の水（H_2O）をつくっている酸素原子（O）には主に二種類の安定同位体、^{16}O（全O中の九九％以上）と^{18}O（全O中の約〇・二％）があるが、水の起源の違いによって$H_2{}^{16}O$に対する$H_2{}^{18}O$の取り込み量に様々な違いがあることが知られている。そこで、各試料水中の^{16}Oと^{18}Oの各量を測定し、^{18}Oの取り込み量が特定の標準試料（標準平均海水）とどれだけ違っているかの量比（$\delta^{18}O$）を知ることによって、水の起源や振る舞いを推定することができる。試料水のその量比（$\delta^{18}O$）は次式で算出される。

$$\delta^{18}O = [(^{18}O/^{16}O)_{sample} / (^{18}O/^{16}O)_{SMOW} - 1] \times 1000\ (‰)$$

このように、試料水（Sample）中の^{18}Oの取り込み量と標準試料（標準平均海水：ＳＭＯＷ）中のそれとの違いを千分偏差（パーミル：‰）で示す。実際のデータ解釈例は後節で述べる。

二〇〇九年の六月下旬、ラサからネパール・カトマンズへの古代のシルクロード（現在の省道三〇七号）を通って、チュンビ渓谷の二〇〇キロ近く手前のギャンツェまで行き、翌日からの調査開始に備えることにした。

約五〇〇〇メートルのカロ峠を越えギャンツェに近づくにつれ、比較的平坦な大地が広がり出す。それと共に荒々しい岩肌をむき出しにした山々を背景に、無数の小さな灯をともしたような菜花畑が鮮やかに浮かび上がり、緑濃い麦畑が点々と広がり出した（巻頭カラー写真19）。明るい黄色と濃い緑のコントラストがみずみずしく実にきれいだ。途中、道端に降り立ってみると、日本の春先に見るような豊かな草地が広がり、丈の低い矮性《わいせい》ではあるが、リンドウ、レンゲ、ナズナ……などの種々の花々が咲き、四〇〇〇メートルの標高とは思えない程の種構成の豊かさにみな驚かされる。この風景は、ヤルツァンポー経由のモンスーン気団に加え、やはり、ヒマラ

図29　使用された降水採集装置

ヤのチュンビ渓谷を経由してやって来るモンスーン気団の寄与による所も大きいのではと思わせる。

ギャンツェとその近くに点在する村や街を遠く取り巻く山々から水が下り寄り、南から北方向へと次第に大きくなる川ニャンチュウが流れヤルツァンポーに注いでいる（巻頭のチベット地図参照）。その流域は農耕に適していて古くからチベットでも有数の豊かな土地として知られ、その中心地がギャンツェである。ここは、かつて、チベット全域やブータン、インドからも僧侶を集め、「文化大革命」時の紅衛兵による略奪にあうまでは仏教研究の重要な拠点であったらしい。加えて、ギャンツェは一四世紀末頃からの城下町で、ラサ、シガツェ、インド、ブータンなどへの交通の要衝《ようしょう》であると共に、交易の中心地の一つとして栄えてきたと言う。今でもチベットで三番目に大きな都市らしく街路に所狭しと様々な商店が立ち並び、夕闇迫る中を人々は肩をぶつけ合うようにして忙しく行き交っていた。一二〇年程前、チベットを脱出する際にここを通った河口慧海もこの街の活気に触れている。南の街はずれで振り返ると、一〇〇メートル余りある岩山の頂上に、ギャンツェの栄枯盛衰を物語る城壁や楼閣が見え隠れして旅情を誘う。

翌朝九時頃、曇天の中、いよいよヤートンに向けて出発。ギャンツェから南へ向かう道路（省道二〇四号）はよく整備され、かつ両側の約一メートル幅の水路には澄んだ水が音を立てて流れ、周辺に灌漑《かんがい》が行き届いている様子がうかがわれる。そんな田園の中を、間もなく始まる調査のあれこれを考えながら五〇キロ余り進んだカンマの手前で停車を余儀なくされた。警察による検問所である。警官とジュンボ君とのやり取りがひとしきりあって、ようやく一区切りついたようだがらちがあかない様子。ここから南への外国人の入境は最近厳しくなっていて、我々が所持している入境許可証ではヤートンはもちろんのこと、検問所のこの地点からの南進は許されないと言う。中国と国境を接するインドやブータンとが境界問題でかなりの緊張状態にあるらしい。ヤートン手前一五〇キロ近くまで来ていてなんてことだと、みな無念の思いを飲み込む。

その後、二〇〇九年に予定していた河川水や降水の採集計画とルートを仕方なく大幅に変更し、ギャンツェから北へ約五〇〇キロメートルのナクチュへ、ナクチュから東へ一〇〇〇キロメートル余りに位置するボミへと調査を進めることにした。しかし、今回の調査で最も重視していた、ヒマラヤを横断する主な一二の渓谷周辺での調査の望みがすべて絶たれるのではとの怖れで、調査行への気力を大いに欠くことになった。

四　インドモンスーンはヒマラヤを横断しチベット高原に直接流入して来る！

二〇一〇年も状況は変わらず、カンマからチュンビ渓谷への入境申請は許可されなかった。続く二〇一一年は、この調査プロジェクトの最終年だったことから、かなり執拗な〝懇願〟をした。その結果、「日本人研究者をはずし中国人の研究者一人とドライバーのみで行き、二四時間内に戻って来ること」という相当無理のある条件が検問所から出された。背に腹は代えられない。八月二〇日から翌日にかけて、最重要区のカンマからチュンビ渓谷間の約一五〇キロでの試料採集をジュンボ君に託した。時間制約によって十分は望むべくもなかったが、目的をなんとか果たすことができた。

降水の採集は約三〇キロメートルおきに降水採集装置を設置し、半日から一日後に再び戻って回収する方法で行うが、困ったことが調査開始からしばらくの間続いた。降水採集装置がチベットの住民には珍しく、設置中に持って行かれてしまうことだ。遊牧民らしくチベットの人々は我々とは違って、広大な草原上のちょっとしたものの存在の変化に気付く敏感な視覚を持っているようだ。種々のカムフラージュに腐心し、調査の後半はかろうじて被害を免れ、試料の確保ができた。

チュンビ渓谷からカロ峠の二五〇キロメートル余りの区間で、チベット高原へのインドモンスーンの流入の有無とその振る舞いを知るための調査を始めた八月二〇日からの二日間は、降水がほとんどなく河川水のみの採集となった。チュンビ渓谷（ヤートン）からカロ峠に至る河川水のδ^{18}Oの測定結果を図30に示す。予想していたとは言え、驚い

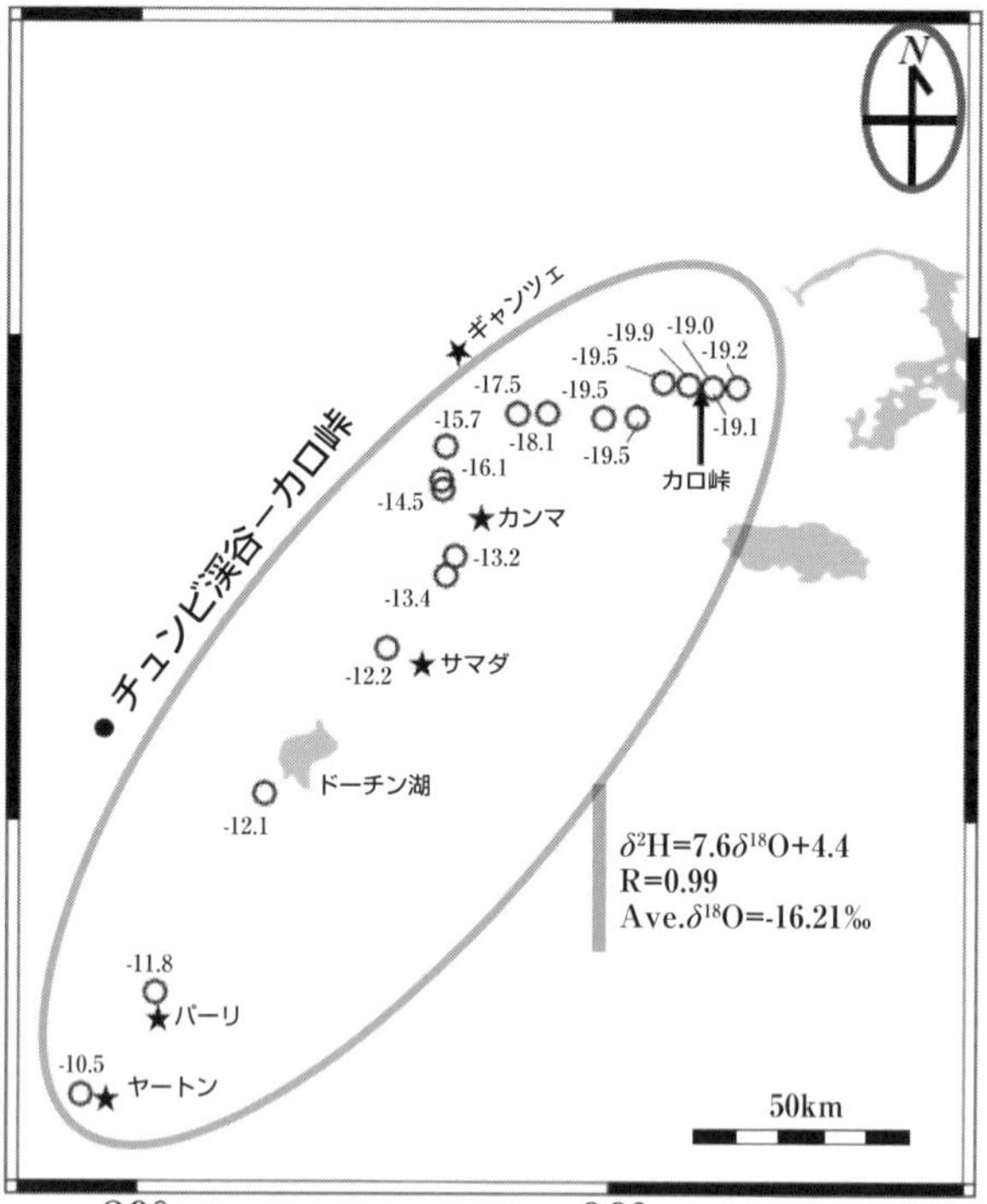

図30　チュンビ渓谷（ヤートン）―カロ峠間で2011年8月中に採取した小川の水のδ^{18}の分布と地域的なδ^{2}Hとδ^{18}Oの関係（Rは相関係数、Ave.δ^{18}Oはδ^{18}Oの平均値）（Nishimura et al., 2020）

たことに、ヤートンでマイナス一〇・五‰であった河川水の$δ^{18}O$が北に向かう調査ルートに沿って、ほぼ連続的に減少し、カロ峠近くに至るまでに約半分のマイナス二〇‰となっていた。この結果の意味するところを述べる前に、インドモンスーンの強い影響下にある「チベットの低緯度帯域」における河川水の$δ^{18}O$が、どのような環境要因によって決められているかについて、いくらかの説明が必要であろう。

一般に河川水量は、降水と共に地下水、氷河の融水、蒸発など様々な要因によって支配されていることから、河川水中の$δ^{18}O$はそれらの要因の相対的な寄与によって決まり、したがって、それぞれの河川水ごとに様々な値を取ることになる。しかし、チベットやヒマラヤの河川水中の$δ^{18}O$の一年間の変化パターンは、当地の降水中のそれとおおよそ同調していることが知られている。さらに、夏季モンスーン季（六～九月）に限定すれば、この時期、河川水に対するモンスーン由来の降水の寄与量が大幅に増大するので、両者の$δ^{18}O$の変化パターンの同調性は一層強まることが認められている。このことから、もし、対象とした河川が集水域の小さな小川であれば、降水の寄与量はさらに高まり、夏季の小川の$δ^{18}O$の変化パターンは降水のそれに一層近くなる。したがって、我々が試料採集した時期は夏季モンスーン季中であり、主に小川からの採水を行ったことから、得られた河川水の$δ^{18}O$の変化は降水のそれを強く反映しているものと考えてよい。

一般に、あるモンスーン気団が一定方向に移動しながら降水をもたらす場合、その気団中の水蒸気（H_2O）の中の重い方の$H_2{}^{18}O$がより速く降水となって除かれて（地上に落ちて）いくことによって、降水中の$δ^{18}O$の値はその気団の移動方向に向かって次第に減少していく（よりマイナスの値になって行く）ことが知られている。このことから、図30が示す河川水の$δ^{18}O$の連続性を持った北東方向への減少は、そのような気団の動きを強く反映したものと考えられ、チュンビ渓谷から入ってきたインドモンスーンが各地に大小の降水をもたらしながら北上し、カロ峠近くに達していることを示していると理解される。こうして、インド洋上のモンスーン気団はヒマラヤの渓谷を南北に横切り、少なくとも二五〇キロ余りも北上した「チベットの低緯度帯域」に侵入し、かつ、ギャンツェ周辺に、現在年三二〇ミリリットルもの夏季降水をもたらしていることが分かった。一方、チベット—ヒマラヤ間の主要な一二本の渓谷の一つ、ローザヌー（Lhozhag Nu）渓谷（巻頭カラー写真21）沿いに採集された小川水（降水は採集されず）の $\delta^{18}O$ にも、下流から上流に向かって減少する傾向が認められた。また、同じく主要な渓谷の一つであるマーザンツァンポー(Mazhang Zangbo）渓谷（巻頭カラー写真21）の近くにあるニャーラムで最近採取された降水の $\delta^{18}O$ データも、夏季モンスーン気団が明らかにその渓谷沿いでチベットに入って来ることを示している。したがって、これらのアナロジーから、残る一〇本の主要渓谷からも同様に、インドモンスーンが「チベットの低緯度帯域」に相当量侵入していることは間違いないと考えられる。

五　チベット高原上のインドモンスーンによる降水の分布特徴

さらに、このように「低緯度帯域」に侵入してきたインドモンスーンが、その後、どこに、どれ程の降水量をもたらすかを知る手掛りが降水と河川水の $\delta^{18}O$ の変化から得られた。その説明の前に、降水・河川水の $\delta^{18}O$ の減少を引き起こす要因について見ておこう。その主要因として地形の標高の上昇や高緯度への移動による気温の減少、および単位時間あたりの降水量の増大の二つがあげられる。前者による $\delta^{18}O$ の減少は「温度効果」、後者のそれは「降水量効果」と呼ばれている。ここでヤートンからカロ峠西側間で見られた $\delta^{18}O$ の変化（図30）と、ヤートンを始点とした北方向への移動距離（これを以後、緯度距離と記す。これは気温の減少に対応する）との関係を図31に示す。$\delta^{18}O$ は特にサマダからカロ峠に向かって急速に減少をするが、全体的にはヤートンからの緯度距離との間に特別な関係は見られない。一方、図中に示された試料採集地点の標高変化にしたがうと、ヤートンからパーリ間やカロ峠近くで、北東方向に向かって標高の上昇が認められる以外、ほとんどの地域間で標高は北東に向かって減少傾向にある。したがって、パーリからカロ峠西側間に至る $\delta^{18}O$ のマイナス一一・八‰からマイナス一九・五‰への減少は、基本的に「降水量効果」、つまり各地域における降水量の程度によって決められていると考えてよい。

そこで、図31が示す $\delta^{18}O$ の減少傾向の特徴をもとに、パーリ—カロ峠西側間を三つの区間、すなわちパーリ—サマダ（第一区間）、サマダ—ギャンツェ（第二区間）、およびギャンツェ

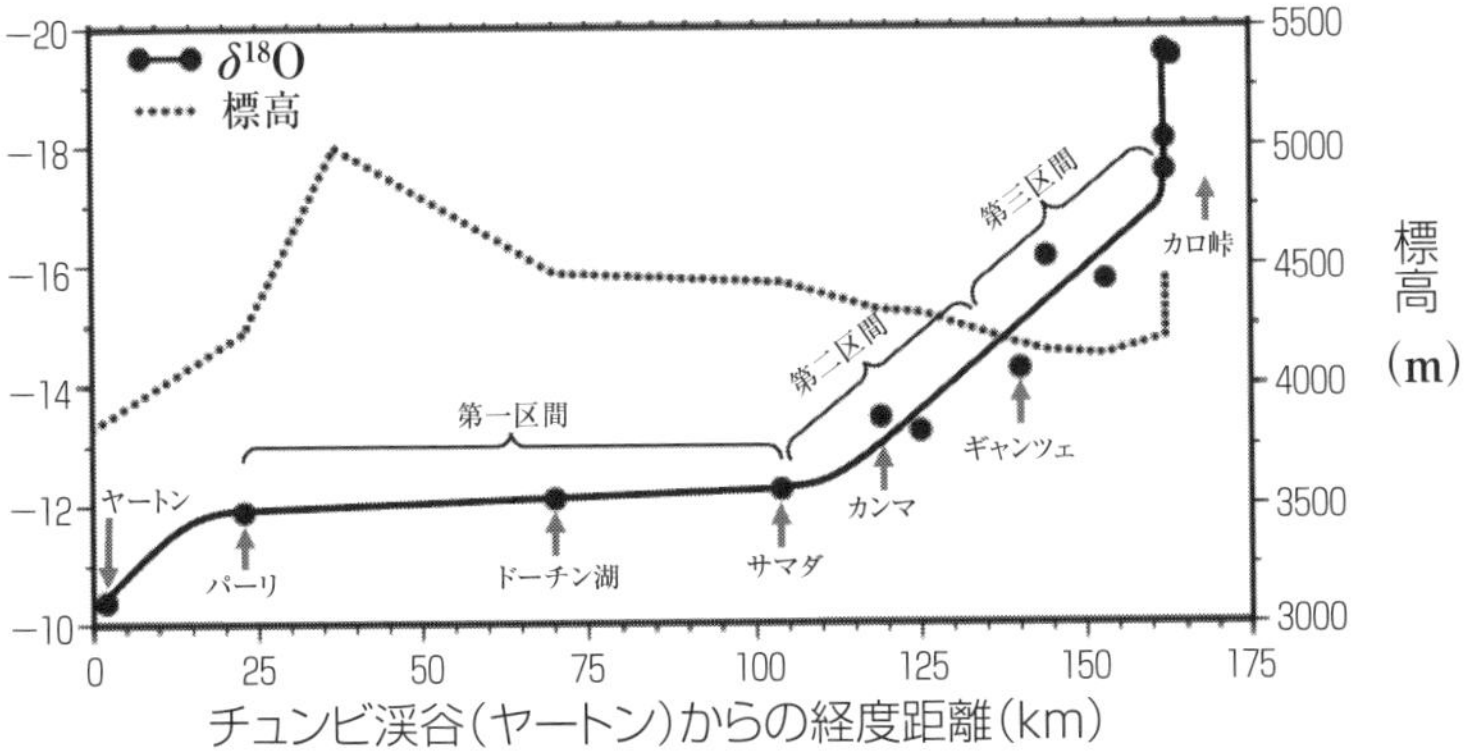

図31　2011年夏季モンスーン期のチュンビ渓谷（ヤートン）からカロ峠に向かって採取された小川の水の $\delta^{18}O$ の変化をヤートンからの緯度距離に対応して示した図（Nishimura et al., 2020）

―カロ峠西側（第三区間）に分け、降水量の違いを反映する「各区間の緯度距離一〇キロあたりの$\delta^{18}O$の減少度」を算出した。第一、第二、および第三区間の各「減少度」は、それぞれ〇・〇四、〇・六四、一・三八／一〇キロ緯度距離であった。つまり、降水量は第一区間（パーリ―サマダ）で最も少なく、第三区間（ギャンツェ―カロ峠西側）で最も多いことになる。一般に、モンスーン域で降水が引き起こされる主な要因として、標高の上昇と陸上の加熱があげられるが、この三区間には標高の上昇は基本的に存在しないので、重要な役割を果たしているのはもちろん後者である。

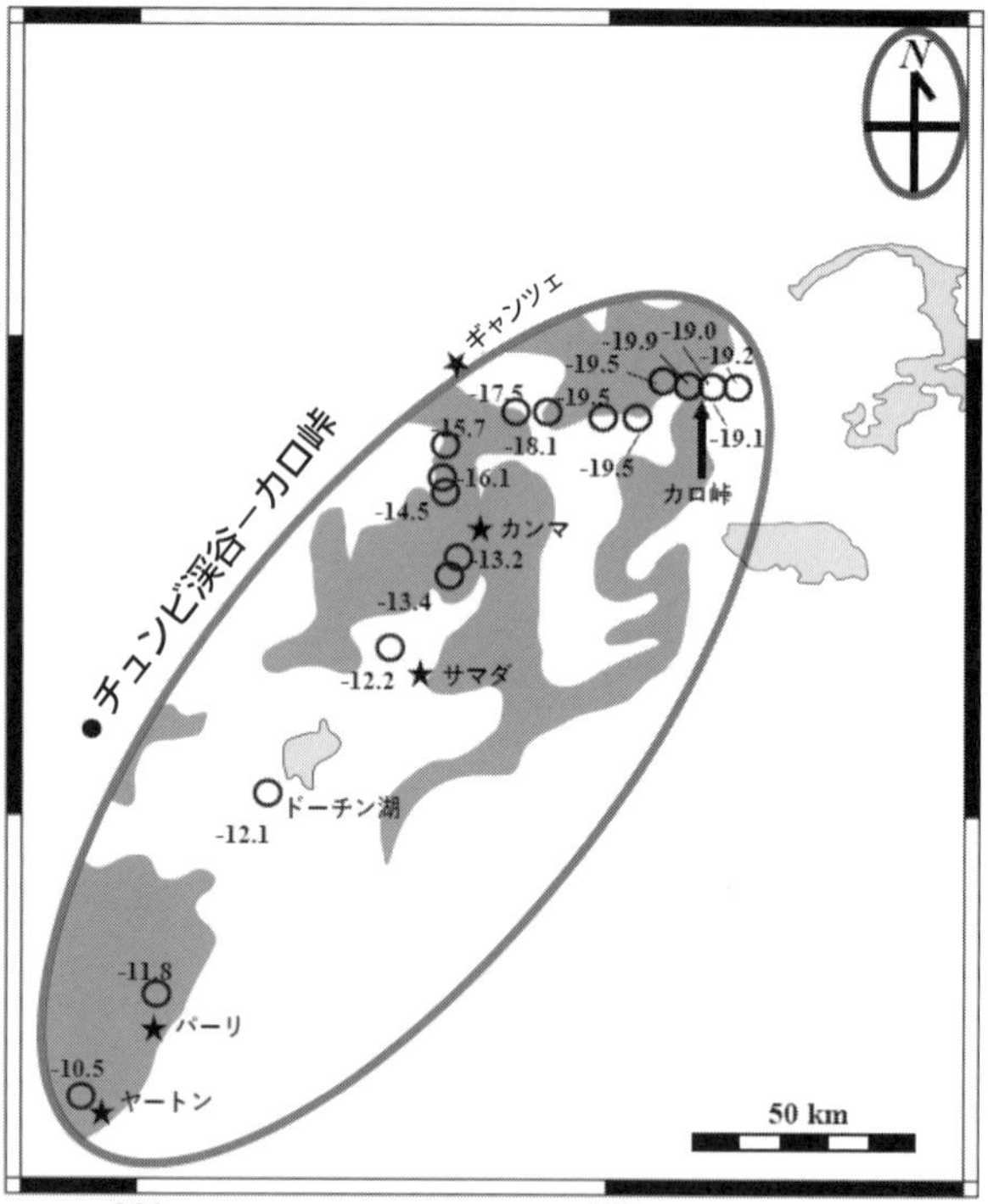

図 32　チュンビ渓谷（ヤートン）―カロ峠間の植生分布と 2011 年 8 月中に採取した小川の水の$\delta^{18}O$の分布。陰影部分は植生の密な高山草原を示す（Nishimura et al., 2020）

　陸上の加熱は、主として地表がどれだけ植物に覆われているか（植生の被覆度）によって支配される。つまり、地表は密生した植物に覆われれば覆われる程、その太陽光の反射率（アルベド）が減少し、正の植生―アルベド・フィードバック効果（第四章三節で詳述）によって加熱される。その結果、より豊かな植生域にはより強い低気圧帯が発達し、降水がより起きやすくなり、反対に乏しい植生域では降水は起きにくくなる。これらのことから、三区間における降水量の違いは各区間における植生の被覆度の違いを反映した結果であると推察される。このことを検証するため、一九八八年に発表された中国科学院チベット高原探検グループによる「チベット高原植生図」をもとに、三区間における植生の違いを比較した（図32）。それによると、パーリからサマダの第一区間の植生はヨモギや茅の一種であるスティパといった高山ステップを代表とする疎らな植物によって占められ、反対にギャンツェ周辺を中心とした第三区間は、前節でも述べたようにカヤツリグサなどに代表される高山草原や農耕植物などの密生する植生で覆われていることが分かった。また、サマダからギャンツェに至る第二区間は、高山草原と高山ステップが入り混じった第一区間と第三区間との中間の疎密にあたる植生となっている。このように、各区間の「緯度距離一〇キロ当りの$\delta^{18}O$の減少度」と「植生の被覆度」とのよき対応から、「低緯度帯域」に入ってきたインドモンスーンがその移動ルートのどこに、どれ程の降水をもたらすかは、（標高の上昇変化がなければ）ルート上の植生の被覆度に大きく依存していることが分かった。

　以上、二〇〇九年以来行ってきた「チベットの低緯度帯域」におけるモンスーン気団の供給源とその振る舞いを明らかにすべく調査・研究から、主として、次の二点が明らかになった。

（一）特に「チベットの低緯度帯域」と接するヒマラヤ山脈に、南北に横断する主に一二本の渓谷が集中的に存在し、それらが「通気道」となってインド洋からチベット高原に想像を超える規模のインドモンスーンが直接流入している。

（二）そのようにして「低緯度帯域」に流入したインドモンスーンが、その移動ルートのどこに、どれ程の降水をもたらすかは、（標高の上昇変化がなければ、）ルート上の植生の疎密（被覆度）に大きく依存する。

第七章

チベット南部域に特有な気候応答を引き起こす地学的要因と高原上のインドモンスーンの進化について

この章では、前章で述べた調査・研究結果をもとに、前述したチベット南部域における二つの特有な気候応答を引き起こす主要因について概要を述べる。それと共に、それらの主要因が示唆する、チベット高原上のインドモンスーンの進化（回復、発達、および拡大）過程に関する新たな可能性について言及する。

一　モンスーン気団をインド洋から直接引き込む「低緯度帯域」の地学的背景

チベット高原の「低緯度帯域」にインドモンスーンが入ってくるのは、ヒマラヤを横切る渓谷を通じ、インド洋から強い風が単に押し上がってくることによる訳ではない。それは基本的に、「低緯度帯域」がモンスーン気団をインド洋から積極的に引き込むことによっている。そのようなモンスーン気団を積極的に引き込む背景には、「低緯度帯域」における、次の三つの地学的要因の協同的な働きがあることが我々の調査から分かってきた。

まず一つ目は、この帯域では、チベット高原のどの地域よりも太陽放射が強いことである。これによって、チベット高原の中でも特に「低緯度帯域」はよく加熱され、インド洋と「低緯度帯域」との間に著しい熱的な落差が生じ、前者が高気圧帯、後者が低気圧帯となって両者の間に活発な大気循環が生じうる状況がつくられる。

二つ目は、広大で密な植生（高山草原）の広がりを維持している高い山々の存在である。前章で述べたように、高山草原となっている豊かな植生域には、より強い低気圧帯が発達し、モンスーンを引き込み、降水がより起きやすくなることが、この調査・研究から明らかになった。ここで、「低緯度帯域」における高山草原の分布を、中国科学院探検グループによるチベット高原植生図をもとに見てみよう。「低緯度帯域」を東西境界山脈（West/East Boundary Mts）（東経約九〇度）（巻頭のチベット地図参照）を境として東西に分け、それぞれの地域における高山草原の分布を図33と図34にそれぞれ示した。まず、西側の「低緯度帯域」には主に七つの高山草原域［1W）から7W）］が見られ、そのうちのいくつかが互いにつながり合って長大な一つのグリーンベルトを形成している。例えば、2W）から5W）の植生域は東西五五〇キロ余りの、6W）と7W）のそれらは東西約四〇〇キロのグリーンベルトをそれぞれなしている。また、1W）は周囲約二五〇キロの環状のグ

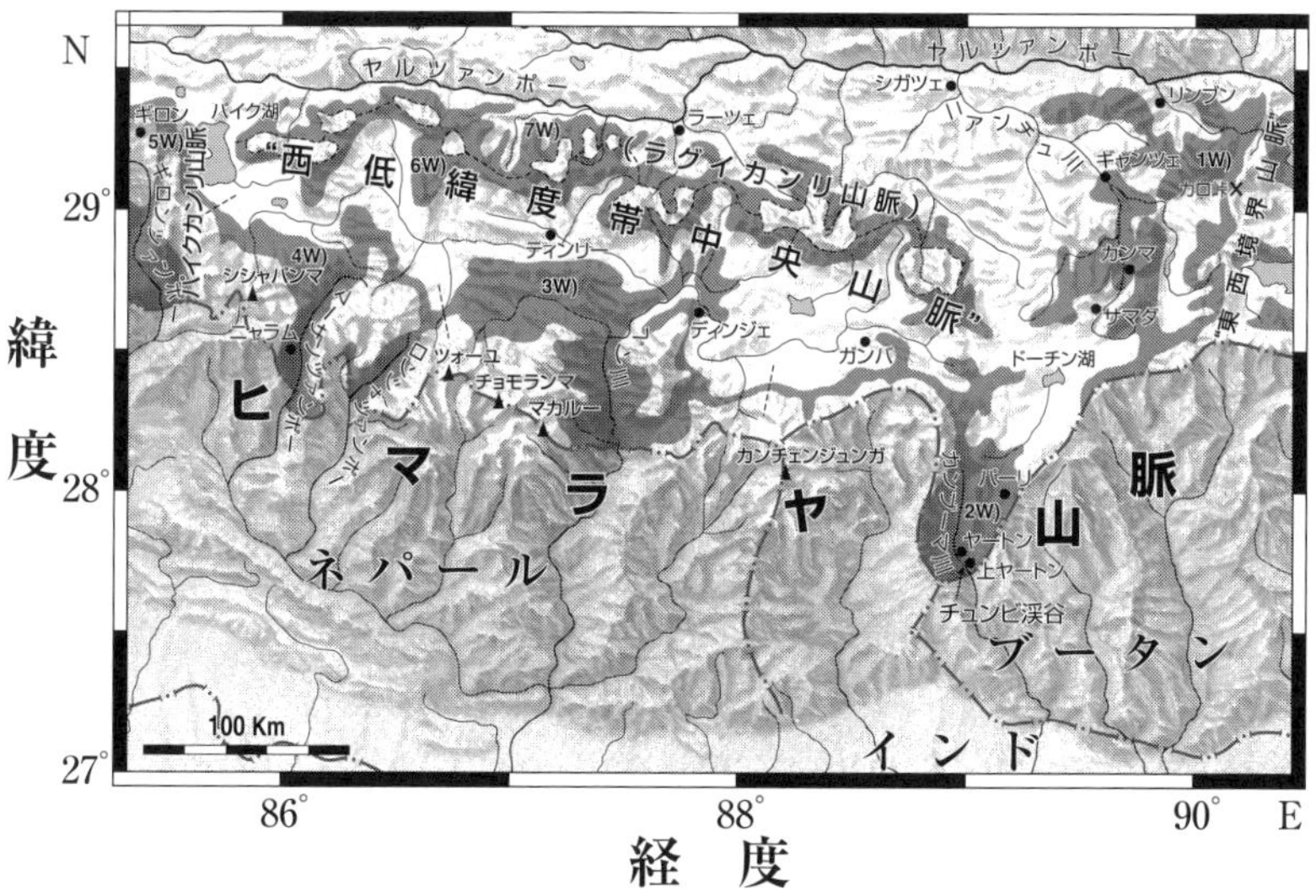

図33 「低緯度帯域」内の西側における高山草原（より濃い陰影部分）の分布図（Chinese Academic Sciences Tibetan Plateau Expedition Group, 1988 をもとに改変）

リーンベルトとなっている。一方、東側の「低緯度帯域」においても同様、高山草原の大きな広がりが主に四か所、すなわち1E)から4E)に見られる。このような密な植生の広がりを持った高い山々の存在が、その地域の植生―アルベド・フィードバック機能を大きく正に変え、インド洋から大量のモンスーン気団を引き込む上で十分に強い低気圧帯を、「低緯度帯域」の広範囲に発達させることが可能になっていると推察される。こうして、「低緯度帯域」に見られる広大な高山草原の広がりは、その一帯をより効率のよい熱源域に変え、より活発な大気・水循環を引き起こす働きをしていると見られる。

三つ目はヒマラヤ山脈を南北に深くうがち、チベットから南へ流れ下る主要な計一二本の渓谷の存在である（巻頭カラー写真21）。このうち、五本が西側の「低緯度帯域」に、残り七本が東側の「低緯度帯域」に存在する。一般に六〇〇〇〜

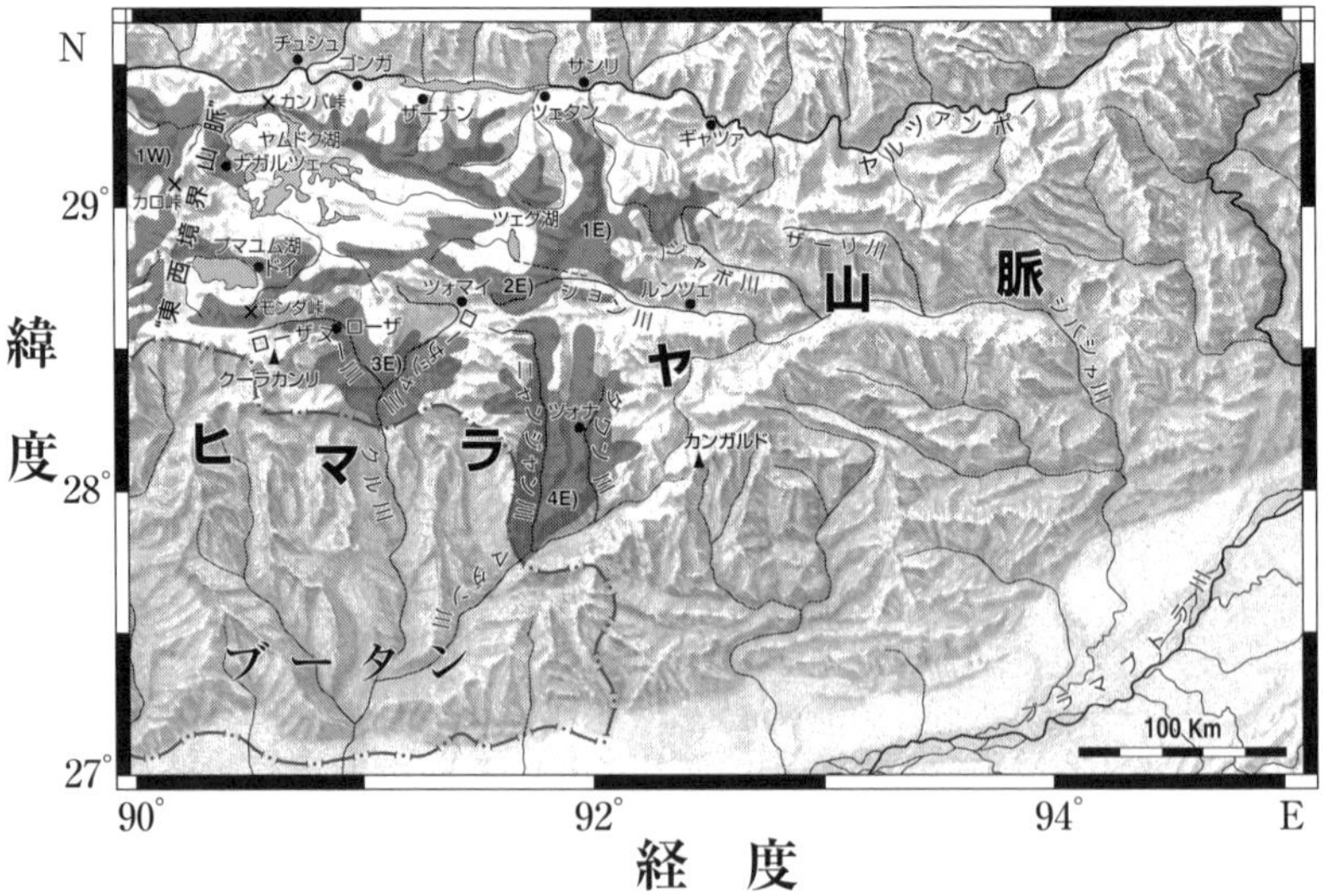

図34 「低緯度帯域」内の東側における高山草原（より濃い陰影部分）の分布図（Chinese Academic Sciences Tibetan Plateau Expedition Group, 1988 をもとに改変）

八〇〇〇メートルの標高を有するヒマラヤ山脈は衝立のようになって、インド洋からチベット高原へのインドモンスーンの北進を妨げているると言われているが、ヒマラヤ山脈の中にあって、浸食を受け標高が二三〇〇〜三五〇〇メートルと特別に低くなっているこれらの渓谷部が、インド洋から「低緯度帯域」にモンスーン気団を直接引き込むことができる通気道となっている。

以上三つの地学的背景が互いに密接に関係し合い、インド洋から「低緯度帯域」に大量のモンスーン気団を引きこむ仕組みが造られていると考えられる。つまり、「低緯度帯域」の強い太陽放射と密生した植生の広がりを維持した高い山々の存在とによって強い低気圧帯が発達し、相対的に高気圧帯となったインド洋から、モンスーン気団がヒマラヤ山脈を横切る主要な一二本の渓谷を通じて引き込まれ、「低緯度帯域」の広範囲に降水をもたらしていることになる。こうして、「低緯度帯域」には、三つの地学的背景が一体となって活発な大気・水循環環境が造り出され、チベット高原の他の地域とは異なった特有な環境が造り出されていることが明らかになった。

二 「低緯度帯域」の特徴的な気候応答を引き起こす要因

前節で述べた「低緯度帯域」に特有な地学的背景は、この地域に見られた二つの特徴的な気候応答（第四章四節を参照）の原因やメカニズムについて、ある程度納得のいく説明を与えてくれそうである。

まず、過去二万年の間、ヤンガードリアス期をはじめとする地球規模の主な寒冷・乾燥化に際し、チベット高原の中でも「低緯度帯域」に属するプマユム湖周辺域の気候・環境は、その影響をほとんど受けていないか、受けても他の地域に較べてわずかであったことは前に述べた通りである。このような「低緯度帯域」に特徴的な気候応答は、気候悪化の最中でも、密な植生を支えるシステムの中枢である正の植生―アルベド・フィードバック機能を維持する比較的安定した環境体制が、その地域一帯に存続していたことを示している。そのような環境体制が維持されるためには、前節で述べた「低緯度帯域」に特有な地学的要因が重要な働きをなす。つまり、強い日射量に、ある程度豊かさを保った高山上の植生の広がり、そして、ヒマラヤの主に一二本の渓谷を通じたインド洋からの水分を含んだ気団の直接供給である。ヤンガードリアス期などの気候悪化の間、インドモンスーンがかなり衰えていたとは言え、当時、少なからず、ヒマラヤの氷河をある程度維持できるだけのモンスーンによる降水があったはずである。したがって、渓谷を通じた「低緯度帯域」へのモンスーン気団の引き込みはそれなりに存在し、水分供給が絶たれることはなかったはずである。こうして、チベット南部域の中でも、特に「低緯度帯域」では、これらの三つの要因が相互に連係し、気候悪化の中でも水循環を維持させ、低気圧帯を発達させる正の植生―アルベド・フィードバック機能をある程度持続させることができたと考えられる。

「低緯度帯域」における気候応答のもう一つの特徴は、地球規模の気候改善イベントの一つとして知られる気候最適期（Holocene Climate Optimum: 略してＨＣＯ）の開始がどの地域よりも数百年以上早く始まると、二〇一四年までに報告されたデータをもとにすでに述べた（第五章三節）。その後六年が過ぎ、新たな研究が進んでいるので、改めて、チベット高原におけるＨＣＯ開始時期と共に、未だデータは少ないが、ハインリッヒ―1（一万七五〇〇～一万六〇〇〇年前）後の温暖期（Post-Heinlich-1 Warming: 略して ＰＨ

W）の開始時期についても、チベット全域からの信頼できる古環境解析データを対象に比較を行った（表2：データの順序は基本的に北から南へと緯度順に並ぶ）。「低緯度帯域」からは、プマユム湖の他に、東経約八六度近くにあるパイク湖（巻頭のチベット地図）からのデータが新たに加わったが、そのHCO開始時期はプマユム湖の一万一四〇〇年前よりもさらに早く約一万一九〇〇年前を示している。しかし、これら「低緯度帯域」の湖から得られたHCO開始時期と同等か、それらを上まわる年代はチベットの他の地域から報告されていない。このことはPHW開始時期についても同様であった（表2）。すなわち、「低緯度帯域」のそれら二つの湖に記録されたPHW開始時期は、いずれも一万五〇〇〇年前であったが、それ以外の地域での開始時期は一万四〇〇〇年前から一万四四〇〇年前の範囲にあった。このことは、「低緯度帯域」ではPHWも、その他の地域と較べ六〇〇〜一〇〇〇年も早く始まっていることを示している。

表2　チベット高原上のインドモンスーン圏内における様々な地域でのヤンガードリアス期後の気候最適期とハインリッヒ－1後の温暖化の各開始時期の比較データ（Nishimura et al., 2020）

調査地（地域）	位置		標高	気候最適期の開始	ハインリッヒ−1後の温暖期の開始	参考文献
	緯度	経度	(m a.s.l.)	(千年前: cal ka)	(千年前: cal ka)	
Dunde 氷冠 (北部域)	38.0	96.2	5325	10.0	−	Liu et al. (1998)
Qinghai 湖 (北東部域)	37.0	100.0	3194	10.5	14.1	Ji et al. (2005)
Bangong 湖 (西部域)	33.3	79.0	4241	9.5	−	Van Campo et al. (1996)
Zoige 湿原 (東部域)	32.8	102.3	3492	9.4	14.2	Yan et al. (1999)
Hongyuan 泥炭地 (東部域)	32.4	102.3	3466	10.9	−	Hong et al. (2003)
Zigetang 湖 (中央域)	32.0	90.9	4560	7.3	−	Herzschuh et al. (2006)
Seling 湖 (中央域)	31.8	89.0	4500	9.6	−	Sun et al. (1993)
Cuoe 湖 (中央域)	31.2	91.2	4532	8.5	−	Yanhong et al. (2006)
Naleng 湖 (南東部域)	31.1	99.7	4200	10.7	−	Kramer et al. (2010)
Zabuye 湖 (南西部域)	31.3	84.0	4421	10.7	14.4	Wu and Xiao (1996)
Taro 湖 (南西部域)	31.0	83.5	4566	11.2	−	Alivernini et al. (2018)
Tangrayum 湖 (南部中央域)	31.0	86.3	4545	>10.5	−	Ahlborn et al. (2018)
Nam 湖 (南部中央域)	30.7	90.7	4718	約11	約14	Kasper et al. (2015)
Paru 湖 (南東部域)	29.7	92.3	4845	10.7	−	Bird et al. (2014)
Paiku 湖 (南部域)	28.4	85.4	4600	約11.9	約15	Wünnemann et al. (2015)
Pumayum 湖 (南部域)	28.3	90.2	5030	11.4	15.0	Nishimura et al. (2014)

−: データなし

このように地球が寒冷・乾燥気候から温暖・湿潤気候へと回復する際、特に「低緯度帯域」はチベットのどの地域よりも数百年以上速く応答している。

この理由については、前節で述べたように、かなり強い寒冷・乾燥という気候悪化の中でも、「低緯度帯域」では密な植生のかなりの部分が衰退することなく維持されていたことを考えれば、当然の結果であろう。つまり、チベット高原のほとんどの地域の植生が気候悪化の中で衰退する中、「低緯度帯域」のかなりの部分の植生が維持されていたということは、他の地域とは違って、衰退した植生の回復を待つ必要はそれ程なく、気候改善の状況に合わせ、抑制されていた正の植生―アルベド・フィードバック機能を、短期間で活性化させ、拡大させる対応ができたからであろう。このことに加え、インドモンスーンがインド洋から直接ヒマラヤの渓谷を通じ「低緯度帯域」に至るまでの距離が、ヤルツァンポー経由や横断山脈経由でチベットの各地に達するまでの距離よりも遥かに短いという地理的条件も、「低緯度帯域」のHCOやPHWの開始時期がどの地域よりも早くなっている主要因の一つとも考えられる。このようにして、長い寒冷・乾燥化後の地球規模の気候改善への動きに対し、「低緯度帯域」がチベット高原のどの地域よりも敏感で迅速に応答できるのも、その特有な地学的要因の働きによるところが大きいと考えられる。

三 「低緯度帯域」を中心とした主なモンスーン気団の振る舞い

ヒマラヤを南北に横断する渓谷を通じてチベット高原の「低緯度帯域」に引き込まれた夏季モンスーン気

団が、その後どのような動きをするか、また、ヤルツァンポー経由の夏季モンスーン気団と「低緯度帯域」との関わりの有無について、チベット南部を中心に、大学院生の松中哲也君とワン・ジュンボ君の労を厭《いと》わない三年にわたるタフな働きによって採取された総計五〇〇余りの河川水や降水試料を対象に解析を行った。ここでは、モンスーン気団の動きの中でも、特に次の三点について注目し、それぞれの調査で明らかになった結果の概要のみを述べる。興味ある方は原著論文（Nishimura et al., 2020）を参照されたい。

（一）東西の「低緯度帯域」内に入って来た夏季モンスーン気団は、「低緯度帯域」を東経九〇度近くで東西に分けている東西境界山脈（West/East Boundary Mts）（巻頭のチベット地図）を越えて、東西間を相互移動しうるか？

この山脈（標高五二〇〇〜七一〇〇メートル）には東西を横切るいくつかの峠があるが、その中で標高が最も低いカロ峠（四九五〇メートル）に注目し、そこから東西方向に河川水や降水の$\delta^{18}O$がどのように変化するかを見ることによって当問題の検討を行った。その結果、モンスーン気団がカロ峠を越えて西から東へ、あるいはその逆方向に移動していることを示す$\delta^{18}O$の変化は、三年間の調査期間中全く認められなかった。このことから、その東西境界山脈によってモンスーン気団が「低緯度帯域」の西から東へ、または東から西へ流入することは基本的に妨げられていて、西側の「低緯度帯域」におけるモンスーン気団の動きと東側の「低緯度帯域」のそれとは、互いに独立した状態にあると考えられる。

（二）ヤルツァンポー経由の夏季モンスーン気団は、その大河の南岸沿いに連なる山脈を越えて「低緯度帯域」へと南下し、大量に流入して来るか？

降水および河川水の$\delta^{18}O$の比較と共に周辺の植生分布から判断すると、ヤルツァンポー（ギャツァからラーツェ間の川底の標高は三四〇〇～三六〇〇メートル）から「低緯度帯域」へのモンスーン気団の流入は、ヤルツァンポー沿いの南岸（「低緯度帯域」側）に連なる四五〇〇～五〇〇〇メートルの山々の存在によって基本的に妨げられていると判断された。このことから、「低緯度帯域」への夏季モンスーン気団は、これまで言われてきたヤルツァンポー経由ではなくて、主としてヒマラヤ山中の一二の渓谷を経由してくる気団であると考えられる。ただし、南岸の山々の標高が三八〇〇メートルと比較的低くなっているシガツェ付近に限定して、ヤルツァンポー経由のモンスーン気団が、東側の「低緯度帯域」の中央部の東西に延びる山脈（西低緯度帯中央山脈）上に発達するグリーンベルト（つまり低気圧帯）（図33）に向かって引き寄せられている可能性が考えられる。

（三）「低緯度帯域」内に引き込まれたヒマラヤ渓谷経由のモンスーン気団の大部分は、その後、基本的にどのような動きをするのか？

ヒマラヤを横断する主要な一二本の渓谷から「低緯度帯域」に引き込まれたモンスーン気団の動きは、巻頭カラー写真21にまとめて示したように、渓谷に沿って基本的に南から北方向に向かって進むと共に、東西に広がる密な植生上に発達する低気圧帯にも引っぱられながら、「低緯度帯域」全体に拡大していくと考えられる。こうして「低緯度帯域」内を東西に広がりながら、そこを吹き抜けたモンスーン気団の多くはヤルツァンポーを越え、さらにチベット高原を北へ、北東へ、そして北西へと進んで行くと考えられる。その具体的な可能性については次節で述べる。

四　チベット高原上でのインドモンスーンの進化と「低緯度帯域」の働き

これまで報告されたチベット高原の各地域における気候最適期の開始時期の違い（表2）をもとにすると、かなりの寒冷・乾燥化が続いたヤンガードリアス期後（一万一六〇〇年前）の完新世における、チベット高原上のインドモンスーンの回復と発達（進化）の過程について、およそのシナリオが見えてくる。

これまで、ヤンガードリアス期後のチベット高原上へのモンスーン気団の最初の大量流入は、主としてヤルツァンポー経由で行われていたと思われてきた。しかし、これまで知られているチベット高原上の気候最適期の開始時期（表2）を見ると、ヤルツァンポー流域からかなり離れた「低緯度帯域」において最も古い年代（一万一九〇〇〜一万一四〇〇年前）が認められる。このことは、チベット高原上へのモンスーン気団の最初の大量流入は、ヤルツァンポー経由ではなく、主としてヒマラヤを南北に横切る主要な一二本の渓谷（以降、「ヒマラヤ南北横断渓谷」と呼ぶ）経由で起きていたことを示唆している。つまり、ヤンガードリアス期の終了から二〇〇年後の一万一四〇〇年前頃までに、モンスーン気団は「低緯度帯域」（北緯二七・五〜二九・五度）に発達した強い低気圧帯によって、インド洋から「ヒマラヤ南北横断渓谷」を通じて当域に引き込まれ始め、チベット高原上に完新世のモンスーン最盛期が最初に開始された。その結果、まず、「低緯度帯域」に豊かな植生の広がりが回復すると共に、一帯にさらに強い低気圧帯が発達し、当域へのモンスー

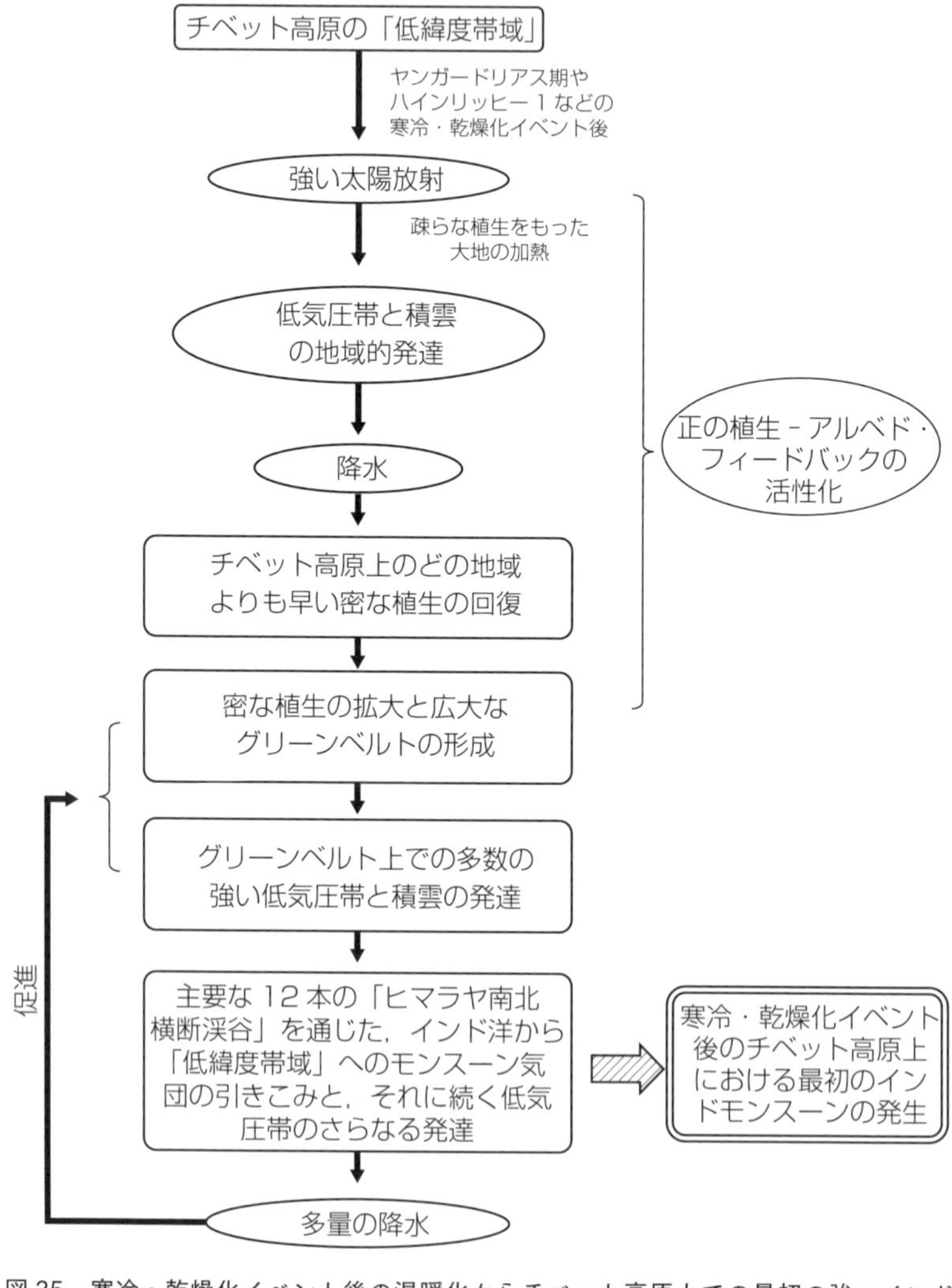

図35　寒冷・乾燥化イベント後の温暖化からチベット高原上での最初の強いインドモンスーンが「低緯度帯域」から発生するまでの主な気象学的プロセスの概略（Nishimura et al., 2020）

ン気団の引き込みがより強化されていったと考えられる。以上のヤンガードリアス期の終了から、チベット高原に最初の強いモンスーンが回復（進化）し出すまでの流れの大筋を図35にまとめて示した。

こうして「低緯度帯域」に引き込まれ、そこを吹き抜けたかなりのモンスーン気団は、ヤルツァンポーを越え、さらに北へ、北東へ、そして北西へと進んで行ったと推察される。そのようなヤルツァンポーを越えたモンスーン気団のその後の振る舞いに関する具体的な手掛かりを得るために、表2のデータのうち、「低緯度帯域」の経度の範囲である東経九三度から八三度付近内にある計一〇か所の湖から得られた気候最適期の開始時期を図36の地図上に示した。

そのうち、北緯三〇・〇～三一・五度（ここでは、この範囲を中緯度域とする）に位置する五つの湖、パル湖、ナム湖、タンラユム湖、タロ湖、およびザブィエ湖の地点は東から北西に向かう線上にあり、その方向は、これまで言われてきたヤルツァンポー沿いに西進して来るモンスーン気団の進行方向（巻頭カラー写真21）と大きく重なっていることになる。この観点をもとにすると、中緯度域のこれら五地点の気候最適期の開始時期は、主としてヤルツァンポー経由のモンスーン気団の影響を一番強く受けているはずである。その中でも最も東側に位置するパル湖周辺は、ヤルツァンポーに加え、その支流であるニヤン川沿いやラサ川沿いからもヤルツァンポー経由のモンスーン気団の多大な影響を受けていると考えられる（図36）。もしそうだとするならば、パル湖での気候最適期の開始時期は、中緯度域の他の四地点のそれらと較べると、最も早くなり、北西方向に向かうにつれてその開始時期は遅くなることが予想される。しかしながら、パル湖での開始時期（一万七〇〇〇年前）は五地点のそれらの平均値（一万八〇〇〇年前）よりも遅く、かつ、パル湖からさらに北西に位置するザブィエ湖やタロ湖での開始時期（それぞれ、一万七〇〇〇年前と一万一二〇〇〇年前）

と較べると、九〇〇キロメートル近くも遠く離れているにもかかわらず、同じか、それよりも五〇〇年も遅れている（図36）。この事実から、中緯度域のそれら五地点の気候改善初期の気候・環境は、ヤルツァンポー経由のモンスーン気団よりも別の供給源からのそれによって強い影響を受けていると推測される。それは、これまで得られた知見をもとにすると、主に一二本の「ヒマラヤ南北横断渓谷」を通じ、インド洋から「低緯度帯域」へと引き込まれたモンスーン気団を除いては考え難く、その気団が向かう方向性とも矛盾しない。このことから、図36が示す中緯度域の気候最適期の開始時期は、「低緯度帯域」を吹き抜けヤルツァンポーを越えたかなりのモンスーン気団が、チベットの南東域、南中央域、そして南西域にまで吹き込み、一万一二〇〇年前頃から、それら中緯度域の寒冷・乾燥化によって衰退した植生を回復させ水循環を活発化させるなど、気候改善に強い影響力を及ぼしていたことを示す有力な証拠と考えられる。

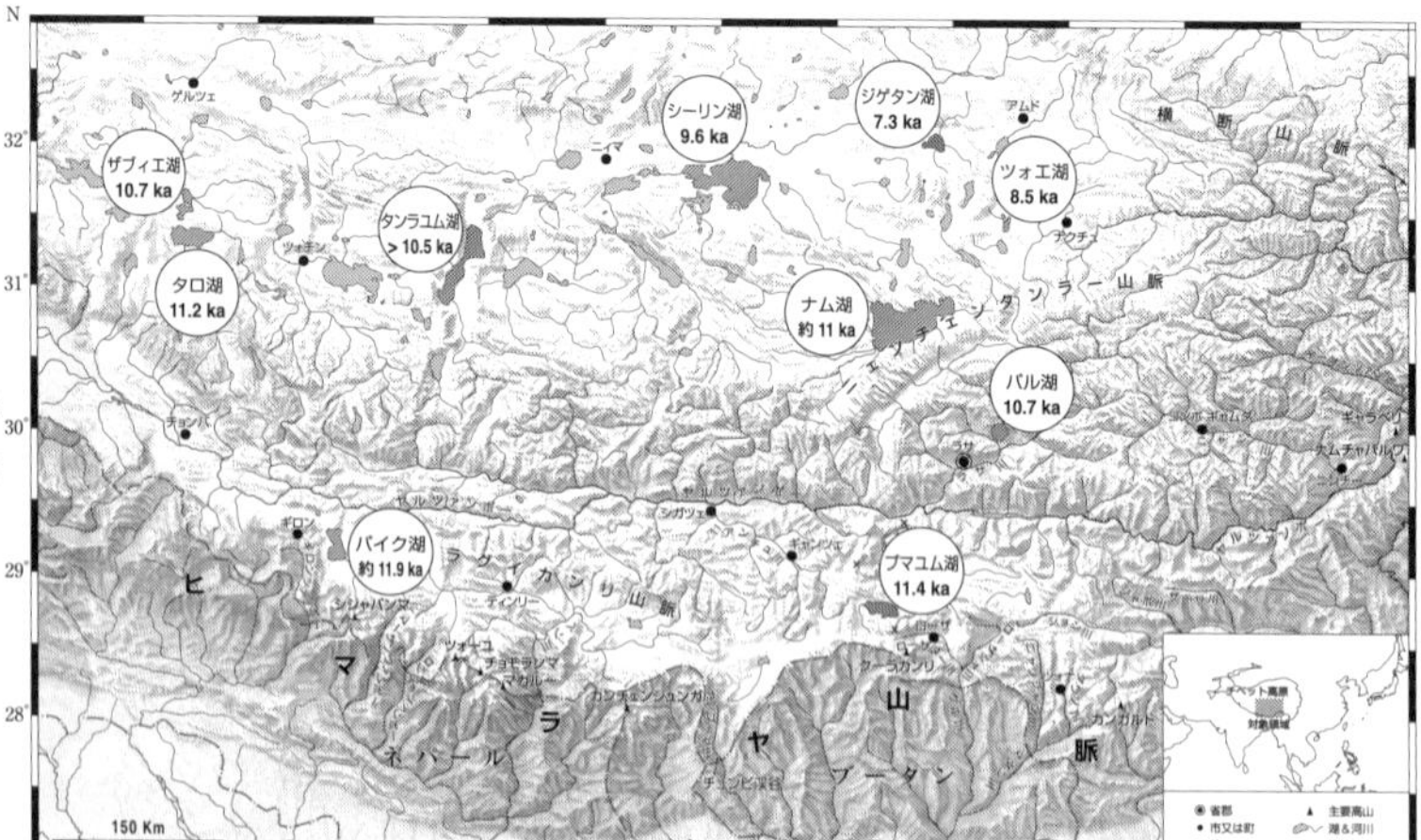

図 36 「低緯度帯域」、およびそれより北部域の各湖の堆積物に記録された、ヤンガードリアス期（1 万 3000 〜 1 万 1600 年前）後にやって来る気候最適期の開始時期の比較（Nishimura et al., 2020）

これに対し、ヤルツァンポーに沿って西進するモンスーン気団の中緯度域への流入はかなり遅れて始まった。中緯度域の東側に位置したパル湖における気候最適期の開始時期から判断すると、ヤルツァンポー沿いに侵入してきたモンスーン気団は、早くても約一万七〇〇〇年前頃にパル湖近くの東経九二度辺りまで達したと考えられる。すなわち、「ヒマラヤ南北横断渓谷」由来のモンスーン気団の流入から遅れること数百年を過ぎて、ようやくヤルツァンポー経由のそれが東経九二度より西側の中緯度域に到達し始めたことになる。しかし、「低緯度帯域」からの先行するモンスーン気団流入の影響を考えると実際は、その時期はもっと遅かったと考えられる。

一方、北緯三一・五度よりも北側の地域（ここでは、中緯度域に対し高緯度域とする）の三地点（ツォエ湖、ジゲタン湖、およびシーリン湖）の気候最適期の開始時期は、いずれも一万年前よりも遅く、平均値が八四〇〇年前となることから（図36）、「低緯度帯域」からのヒマラヤ渓谷由来のモンスーン気団は当地域にそれほど達していないと思われる。この高緯度域に入って来るモンスーン気団の多くは、これまで言われているように、ベンガル湾から東南アジアのユンナン（雲南）を回り込み、主として横断山脈の渓谷沿いにチベット高原に上昇してくる気団であろう。この横断山脈経由の気団は、ヤルツァンポー経由のそれらよりもさらに数百年遅れてチベット高原に入り始め、これまでの知見に従えば、最終的には東経九二度より西側の北緯三一・五度から三四度辺りまで拡大していったと思われる。

以上のように、インドモンスーンは、ヤルツァンポー渓谷と横断山脈の渓谷に加え、一二本の「ヒマラヤ南北横断渓谷」の計三ルートを通じてチベット高原に流入しながら、各流域を中心に発達・拡大（進化）し、寒冷・乾燥化後の植生の復活や水循環の活発化を促すと共に、高原全体の気候改善を促進してきたと考えられる。それら三流域の中でも特に「ヒマラヤ南北横断渓谷」に直結している「低緯度帯域」は、チベット高原のどこよりも早く、モンスーン気団を東経九二度より西側の北緯二八・五度から三一・五度に至る広範囲にまで送り込む（巻頭カラー写真22）、言わば強力な吸引ポンプとして働き、チベット高原の内陸部に至る広範な地域の気候改善に多大な役割を果たしていることは間違いなさそうである。この働きの基本にあるのは、これまで述べてきたように「低緯度帯域」の三つの地学的特性によると思われるが、中でも、ヒマラヤを横切る主要な一二本の渓谷、「ヒマラヤ南北横断渓谷」の存在であろう。

もし、それらの渓谷が存在していなかったら、「低緯度帯域」にモンスーン気団はほとんど入り込めず、代わって、水分をほとんど失い乾燥した気団のみがヒマラヤ山脈を越えてチベットに入っていくことになる。その結果、「低緯度帯域」はヒマラヤ山脈のいわゆるレインシャドゥ（雨の陰）となって乾燥化し植生がほとんど根付かず、さらに北緯三一・五度より以北の内陸部は強い乾燥環境に置かれていた可能性が強い。となれば、チベットの東経九二度より西側に位置する、特に北緯二八・五度から三一・五度のかなりの範囲が高山荒原化、あるいは砂漠化し、歴史に見るようにチベットの中心域となる旺盛な文化や経済を育む風土は生まれなかったであろう。

こうして、チベット高原へのモンスーン気団（水分）の供給には、巻頭カラー写真22に示すように、これまで言われてきたヤルツァンポー経由や横断山脈経由のルートに加え、「ヒマラヤ南北横断渓谷」経由のルートがより重要な働きをしてきたことが分かってきた。

以上のことから、「低緯度帯域」はチベット高原全体の五％にも満たない一地域であるが、チベット高原上のインドモンスーンの盛衰に最も強い影響力を持った、言わばチベットのパワースポットであると言える。もし、モンスーン気団をさらにチベット高原の北へ西へと送り込むポンプとしての「低緯度帯域」の働きが、実際に何らかの原因で長期間弱まった場合には、高原上の中でもまず南部域、南西部域、南中央域、南東部域などのかなり広範囲にわたって乾燥化が進み、続いて、高原全域にわたる植生の衰退、アジアモンスーンの減少、旱魃《かんばつ》……といった環境悪化の連鎖が起りうる。この懸念は、これまで述べてきた我々の結果を含む古環境解析の報告を基にすると現実になりつつあるように思えてくる。約二五〇〇年前に始まるチベット南部域での人間による森林や草原の大規模破壊と、それによる当域の乾燥化が今もなお引き続いて起こっていると推察されるからである。

五　チベット高原上の気候・環境に関するこれまでの議論の再検討の必要性

繰り返しになるが、アジアモンスーンの盛衰は、チベット高原とインド洋や太平洋などの海洋との間の温度勾配に大きく起因している。つまり、チベット高原全体が熱源として熱せられれば熱せられる程、モンスーンは発達する。より熱せられるようになるためには、高原の地表が岩石や土壌でなく、太陽光をよく吸収する植生に覆われることである。そのような状況が作られるためには、夏季に、乾燥気味なチベット高原のできるだけ広い範囲にそれなりの降水がもたらされなくてはならない。その降水をもたらすのは主としてインドモンスーン気団である。

しかしながら、チベット高原へのインドモンスーンの流入は、南側に約二四〇〇キロメートルにわたって連なる六〇〇〇～八〇〇〇メートルのヒマラヤ山脈の高峰が障壁となって大きくさえぎられ、ヤルツァンポー渓谷経由と横断山脈経由の二つのルートからのみに限定されていると言われてきた。その論に従って、チベット高原における降水の分布や植生などを含む気候・環境の議論は、これまで、その二つのルートから入って来るインドモンスーンの広がりにのみ重点が置いてなされてきた。

ところが、今回の我々の調査・研究から、特に「低緯度帯域」にあってチベット高原からインド、ネパール、およびブータンへと流れ下り、ヒマラヤ山脈を南北に横断する主として計一二本の「ヒマラヤ南北横断渓谷」（巻頭カラー写真21、および22）を通じて、前二者のルートからやって来るインドモンスーンの規模に勝るとも劣らないモンスーン気団が、チベット高原に引き込まれていることが初めて明らかになった。加えて、「ヒマラヤ南北横断渓谷」を通じて引き込まれた大量のインドモンスーンは、チベット高原の南部域はもちろんのこと、南東部域、南中央部域、南西部域など広大な範囲にわたって吹き込んでいることが強く示唆された。

これらのことは、「ヒマラヤ南北横断渓谷」を通じて流入して来るインドモンスーン気団は、ヤルツァンポー渓谷と横断山脈渓谷の二つのルートからのそれに較べ、チベット高原上のかなりの範囲における降水の分布、さらには、熱源としての植生の種類や量に多大な影響を及ぼし、アジアモンスーンの盛衰に大きく関わってきた可能性を示している。したがって、この新たな事実と可能性をもとに、チベット高原へのインドモンスーンの主要な玄関口としての「低緯度帯域」の重要性を改めて認識し、チベット高原上のインドモンスーンによる降水の分布をはじめとする気候・環境に関し、これまでなされてきた議論について、今一度再検討される必要がある。

そのためにも、現在の高原上の特に降水の分布と熱源となる植生の種類や分布などが、三つのルートから引き込まれて来るそれぞれのインドモンスーンによって、どの程度、どのように支配されているのか、また、例えば、ヤンガードリアスイベントといった種々の気候寒冷・乾燥イベント後の気候改善に対し、三つのルートから流入して来るそれぞれのインドモンスーンの影響力に、規模的、時間的にどれ程の違いがあったのかなど、具体的に明らかにされなければならない。こうした研究は、アジアモンスーン全体の盛衰の基本的なメカニズムの解明につながる手掛りを得る上でも欠かせない。

このように、チベット高原上における「低緯度帯域」の気候学的役割をさらに詳細に明らかにすべく調査・研究がまたれる。言うまでもなく、それらは、チベット高原の古環境変動のより深い理解と同時に、モンスーンアジア、特に東南アジアと東アジアの将来の気候変動予測の精度向上につながるはずである。

六　「ヒマラヤ南北横断渓谷」は、なぜ「低緯度帯域」に集中しているのか?

ヒマラヤ山脈は東西約二四〇〇キロメートルにわたってそびえ立つ長城である。その山脈を南北に横断し、インドモンスーンの主要な通気道となり得る規模の大きい「ヒマラヤ南北横断渓谷」の多くは、「低緯度帯域」と接する約八〇〇キロメートルの地域に集中している(巻頭のチベット地図と図28)。この地理的状況は、以下に述べるように、決して偶然ではなく必然の結果であると思われる。

ヒマラヤ山脈にインドモンスーンの通気道となる規模の渓谷が全く存在しなかった時代から、「低緯度帯域」は、ヒマラヤ山脈に沿ったどの地域と較べても、夏季においては最も強い太陽放射を受け降水が生じやすい気候・環境に置かれ、かつ、比較的豊かな植生に広く覆われていたはずである。その結果、とりわけ「低緯度帯域」の風化と浸食がより促進され、河川水となった多量の降水はそこからヒマラヤ山脈を北から南へと削り、はけ口を求め、インド洋方向へと流れ下る細々とした幾つもの小渓谷を生じ始めたと推察される。さらに、「低緯度帯域」を低気圧帯とし、インド洋を高気圧帯とする比較的規模の大きい水の循環の輪（つまり、インド洋からの水分を含んだ気団が「低緯度帯域」に引き込まれ、そこで降水となり、河川水となった水が再びインド洋に帰って行く循環系）が、時代とともに両者の間に発達することによって、小渓谷がヒマラヤを刻々とうがち続けてきた。その結果、現在見るように、「低緯度帯域」にインドモンスーンを強く引き込むことができる深く長大な諸渓谷が集中的に形成されたと考えられる。

七　チベット文化揺籃の地としての「低緯度帯域」に関する一考察

チベット関連の本を読んでいると、チベット文化が発祥し発展し始めた場所は、ヤルツァンポー流域だとする記述をしばしば見かける。確かに、チベットを代表する数々の史跡や古寺の分布を地図上でたどると、その多くはヤルツァンポー沿い（特に、東のサンリから西のシガツェに至る地域：巻頭のチベット地図を参照）に集中しているかのように見え、筆者も、当調査を始める前までは諸本に書かれていることを疑うことはなかった。しかしながら、現地を巡るうち、ヤルツァンポー沿いの南側に位置する多くの名所旧跡とその大河との間に、一〇～三〇キロメートルの幅で一〇〇〇～一五〇〇メートルもの標高差がある山々が延々と連なって両者を隔てていること、および、第六章七節で述べたように、その山々をヤルツァンポー経由のモンスーン気団がほとんど乗り越えられないことが分かって、ヤルツァンポーがつくりだす気候・環境がチベットの古代文化史に直接影響を及ぼしてきたとはとても思えなくなってきた。その連なる山々の南側に位置するチベット文化揺籃《ようらん》の地としてゆかりのある主な地域に、まず、古代チベット王朝が生まれ、初代の王が建てた宮殿ユムブ・ラカンや歴代の王を葬った古墳群（蔵王墓《ざおうぼ》）などが点在するチョンギェをはじめとして、特に一一～一五世紀に栄えたギャンツェ、シガツェ、そしてサキャなどの周辺域があげられる（図37）。これらの地域はいずれも、チベット南部域の中でも「低緯度帯域」に属し、そこから四〇〇〇～五〇〇〇メートルの山脈を越えた北側に位置するヤルツァンポー沿いの気候・環境とは多くの点で異なっている。したがって、古代チベット文化を発祥させ、育んできた基本的な気候・環境要因は、大河ヤルツァンポーによって支配されたそれではなく、第六章で述べてきた「低緯度帯域」特有な地学的背景によって支配されたそれではなかったのかと思われる。

しかし、その揺籃の地域の広がりを見ると、それは「低緯度帯域」の中でも北部に限定され、南部域（ヒマラヤ山麓に近い部分）や中央部域には見られない。それらの地域を概観すると、まず、南部域や中央部域の多くは森林限界に近い、あるいはそれを越えた標高にあり、かつなだらかな平地が少なく、乾燥ぎみな環境が多くを占める。それに対し、揺籃の地が集中する北部域の大部分は、標高が四〇〇〇～四三〇〇メートルの範囲の森林限界内にあり、なだらかな平地が広がる比較的湿潤な環境にある。このような環境の違いが、「低緯度帯域」の中でも北部域に古代チベット文化を育む都市域を発達させたのであろう。特に、先にあげた四つの地域は、いずれも中河川沿いの肥沃な平地に広がり、かつては豊かな植生が延々と広がる、いわゆるグリーンベルトのなかに位置していた。こうしたなだらかで豊かな植生の広がりが、ヒマラヤ山脈を横断する主な渓谷から北部域にモンスーンを強く引き込み、豊富な農作物の栽培を可能にし、城郭や寺院などを建設するための潤沢な材木や日常の薪炭の供給をし易くするなど、北部域における古代チベット文化の誕生・発展を支えたことは想像に難くない。したがって、「低緯度帯域」の特有な地学的背景、なかでも「ヒマラヤ南北横断渓谷」の存在がなかったならば、「低緯度帯域」のほとんどは乾燥的な気候・環境に置かれ、チベット文化揺籃の地が生まれる余地はほぼなかったのではないだろうか。今後の研究がまたれる。

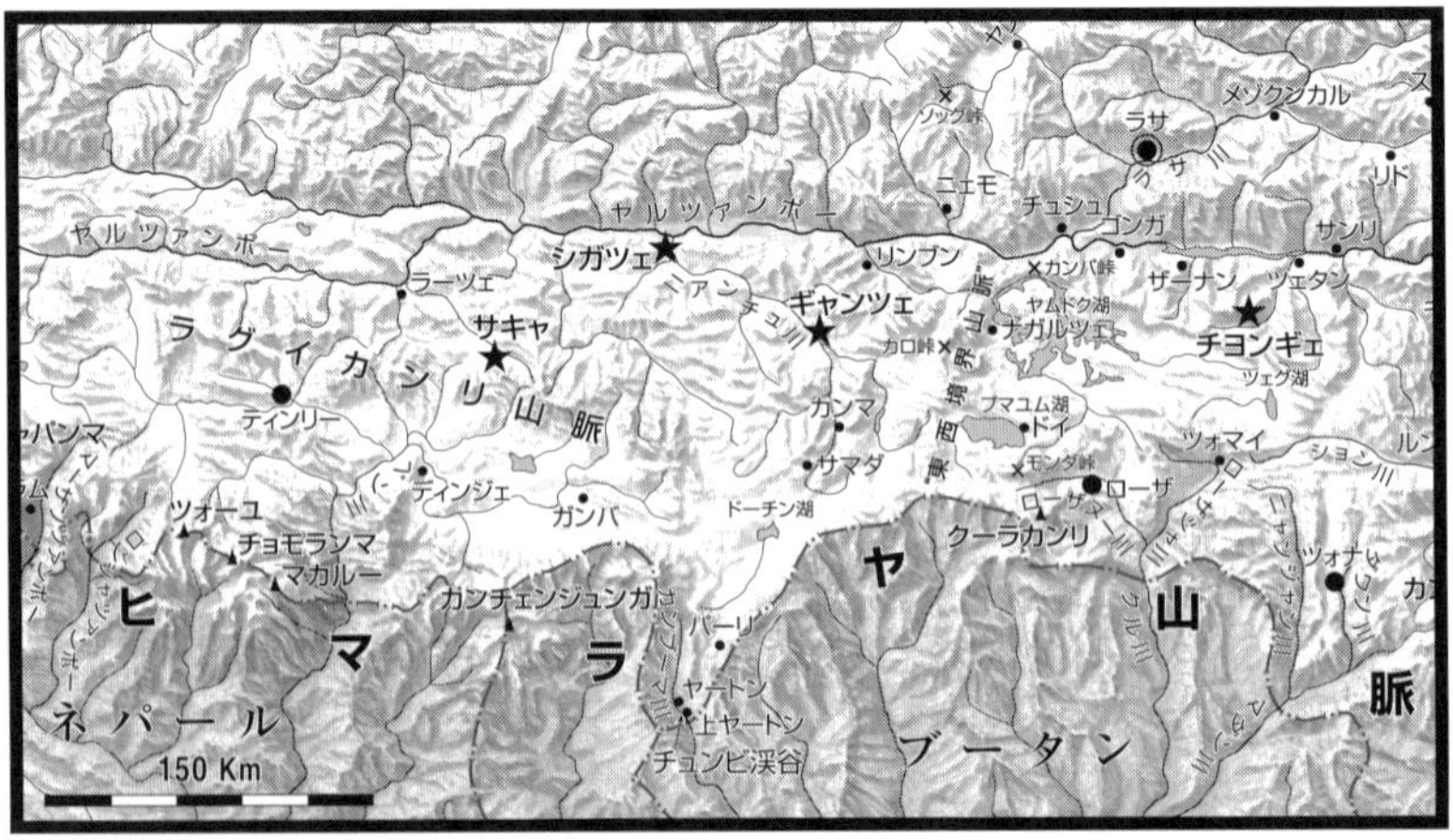

図 37　ヤルツァンポーの南側に点在するチベット文化揺籃の地を★印で示す。

第八章

アジアモンスーンの将来変動の可能性と「天空の森再生」考

第四章から第七章にわたって、アジアモンスーンの原動力であるチベット高原に軸足を置き、アジアモンスーンのなかでも、特にインドモンスーンの盛衰を支配している諸要因と、そのメカニズムを明らかにしようとする調査・研究について述べてきた。この章では、それらの結果をもとに、近い将来の気候・環境変動によってアジアモンスーンが極度に衰退することなく、ある程度安定に維持され、モンスーンアジアへの人的、および経済的な被害がかなり軽減されうる一つの方策を提案したい。

一　将来の気候・環境変動の可能性

近い将来の気候・環境変動と言えば、多くの人は、我々が大気中に排出してきたCO_2を主とする温室効果ガスの増加による地球温暖化（以下、CO_2温暖化）を考えるであろう。CO_2温暖化説を主導してきたのは、二〇〇七年にノーベル平和賞を受賞した「気候変動に関する政府間パネル（ＩＰＣＣ：Intergovernmental Panel on Climate Change)」という国際的な組織である。ところが、二〇〇九年一二月、その地球温暖化を証拠付ける世界各地の少なからぬ気温データが、常識外れの場所で測定されていたり、意図的に改変されたり、また、地球の過去の気温変化に対する作為的な取り扱いなどが、突然、暴露されたのである。クライメートゲート（Climategate）事件と呼ばれるこの騒動は、当時、欧米では盛んに報道されたが、奇妙なことに日本では、その後の学会の反応を含め、ほとんど報道されなかったのである。そんな訳で、この事件は未だに日本の多くの人に知られていないのが実情ではなかろうか。

それ以来、特に欧米では、CO_2温暖化説は厳しい批判にさらされ、様々な疑義をただされ、信頼を大きく失墜させてしまった。その結果、最近の地球温暖化傾向をもたらしている原因は、人為起源CO_2の増加によるのではなく、他の要因とする種々の懐疑論が噴出するに至り、実際に地球が年々温暖化しているか否かすら信用できなくなる混乱が二〇一五年頃まで続いた。しかし、その後の立て直しを経て、現実の地球の様々な地域における気象変化をもとに、CO_2温暖化は地球に気候危機をもたらしうる臨界点にまで至っているとの指摘がなされ、現実味をおびてきている。その現状を直視し、対策を急がなければならないが、その人為的な要因による気温変化にとどまらず、同時に、自然の要因によって比較的近々起こりうる気温変化の可能性についても考えてみることは、後述するように、将来の地球の気候・環境の変化をより具体的に考える上で重要である。

地球規模の気温変化と言えば、地球の公転軌道や自転軸の変化がもとで、数万年から一〇万年周期で長期間（数千年から数万年）にわたって続く、前述したミランコヴィッチ・サイクルがよく知られているが、ここではそれとは原因が全く異なり、今後百年から千年程度の期間にわたって地球規模の気温変化を起こしうる主な自然要因の可能性を概観してみたい。そのような要因として、現在、太陽活動、太陽磁気、太陽風、太陽紫外線、宇宙線などがあげられている。これら五項目は、古くからその可能性が指摘されてきたものである。特に、太陽活動の変動と地球気温との関係はそのケースであるが、太陽光度の変動の実測値をもとに、観測される気温の変化を説明できないというジレンマがあった。つまり、太陽に関する各事象の変動が、地球上の気温変化を引き起こすに至る具体的なメカニズムが明らかになっていなかったがために、ほとんど問題にされないままとなっていた。ところが、一九九五年前後から、その具体的なメカニズムが、フリスークリスチャンセン、スベンスマーク、ラッセンらをはじめとするデンマークのグループを中心に、徐々に明らかにされ始めた。加えて、クライメートゲート事件以降、太陽活動が地球の気温変化に深く関わっている可能性について、これまで反論していた研究者達をも取り込み、活発な議論がなされてきている。

まず、それら関係五項目（太陽活動、太陽磁気、太陽風、太陽紫外線、および宇宙線）と地球の気温変化との関連性について取り上げるが、それらすべてが、現象的には一つにつながって気温変化を引き起こすというものである。すなわち、太陽表面の黒点の数によって示される太陽活動が増大すると、太陽の磁気活動が活発化し、太陽風（主として電子と陽子がバラバラになった状態で太陽から飛んでくる粒子）の噴出が強化される。それによって、宇宙のかなたから常時やって来る様々な宇宙線（主として中性子、陽子、電子、種々の原子核など）の地球大気圏への侵入が大きくさえぎられる。その結果、宇宙線による大気圏内の雲の生成（宇宙線は、大気中の様々な分子に衝突し、それをイオン化する。イオン化された分子は不安定なため、安定化しようと互いに結合し、より大きな分子となる。これが水蒸気の凝結《ぎょうけつ》の種〔核〕となって雲を生成させる）が抑えられ、地球への太陽輻射が増し地球の気温が上昇することになる。また逆に、太陽活動が弱まった（黒点の数が減少する）場合には、地球大気圏に侵入する宇宙線が増加し、雲の生成量の増大によって気温が下がることになる。実際に、西暦一七〇〇年から一九八〇年にわたる気温変化と、地球大気に突入する宇宙線によって生成される放射性同位体の一種であるベリリュウム テン（^{10}Be）の生成量とを、グリーンランドの氷床コアを使って解析した結果、両者（気温変化と^{10}Beの生成量＝宇宙線量）の時間的変化が、極めてよい一致を示していることが分かった。また、過去五〇〇〇年間の太陽の黒点数と地球上の氷床量とを対比すると、黒点数の少ない（つまり、太陽活動が衰退している）期間で氷床の量が増えることも最近明確に示されている。加えて太陽の黒点が増えると共に増加する太陽紫外線も、地球の電離層やオゾン層を加熱し、それを通じて地球を暖める効果があることも分かってきた。そして、活発化した太陽活動による宇宙線を遮断《しゃだん》する効果や太陽紫外線の増大は、これまでの地球の気温上昇率〇・五度を説明するには、十分であろうと言われている。

以上のことから、もし近い将来、太陽活動に大きな変化が起これば、地球の気温は、少なくとも数百年間にわたって、強く影響を受ける可能性が高いと考えられている。

では、比較的最近まで正常に活動してきたと思われる太陽の活動ではあるが、今後、どのような変動をしていくのであろうか。太陽活動の増減（黒点数の増減）には、よく知られている短い一一年周期の他に、九〇年、一四〇〇年、二〇〇〇年、二八〇〇年、四〇〇〇年……など、およそ一〇〇年から数百年にわたる周期、そして、現在のところもっとも長いとされている二一〇〇～二四〇〇年周期など、いくつもの周期の存在が知られていて、変動の解析は容易ではない。しかし、一万年も前からの太陽活動の推移、および最近の詳細な変動傾向をもとにすると、今後の太陽活動はある程度予測できると、太陽研究者の多くは考えていると思われる。

最近の太陽活動は、二〇〇四年頃から急速に衰退し出し、二〇〇八年から二〇〇九年にかけて太陽表面の黒点数が一九一三年以来のゼロに近い低レベルに達した。さらに、その期間の活動周期が一一年から一二年七か月に延びたことが知られている。これらのことは、活動休止状態に入る「太陽の冬眠」の予兆であるとされ、今後、その影響下で地球は寒冷化していく可能性が高いと言われている。

アメリカのスタイバーらの研究によると、太陽活動の衰退期を二つのタイプに分けることができるとされる。二〇〇年程度の衰退期間を示す「マウンダー・タイプ」と、およそ二八〇年の衰退期間をもつ「シュペーラー・タイプ」である。今後の衰退期はどちらのタイプになるか明らかではないが、およそ二〇〇～三〇〇年間にわたる寒冷気候（小氷期）が、比較的近い将来、世界を覆う可能性は高いと思われる。

予想される太陽活動の衰退がやってくるとすれば、今後、地球はどのような寒冷化状態に置かれるのであろうか。例えば、今から三〇〇年余り前の一七世紀初頭から一八世紀半ば近くにかけて、ヨーロッパは、現在の冬季に凍ることのないイギリスのテームズ川やオランダの運河が全面凍結する程の異常な寒波に見舞われた。その期間は小氷期と呼ばれ、丁度、太陽の黒点がほとんどないか、極めて低いレベルとなった「マウンダーミニマム、または極小期」と呼ばれる期間と重なる（図38）。このような過去のデータをもとにすると、地球の気温は二〇～三〇年間で〇・三度下がると予想される。また、「マウンダー極小期」の再来となれば、七〇年で〇・六度程度下がることになると指摘されている。これを、これまで言われてきた最近一〇〇年の温暖化率（〇・六度）と比較すると、寒冷化の速度はそれよりもかなり速いことになる。

太陽活動の低下は、CO_2温暖化とは逆の地球の寒冷化をもたらす。

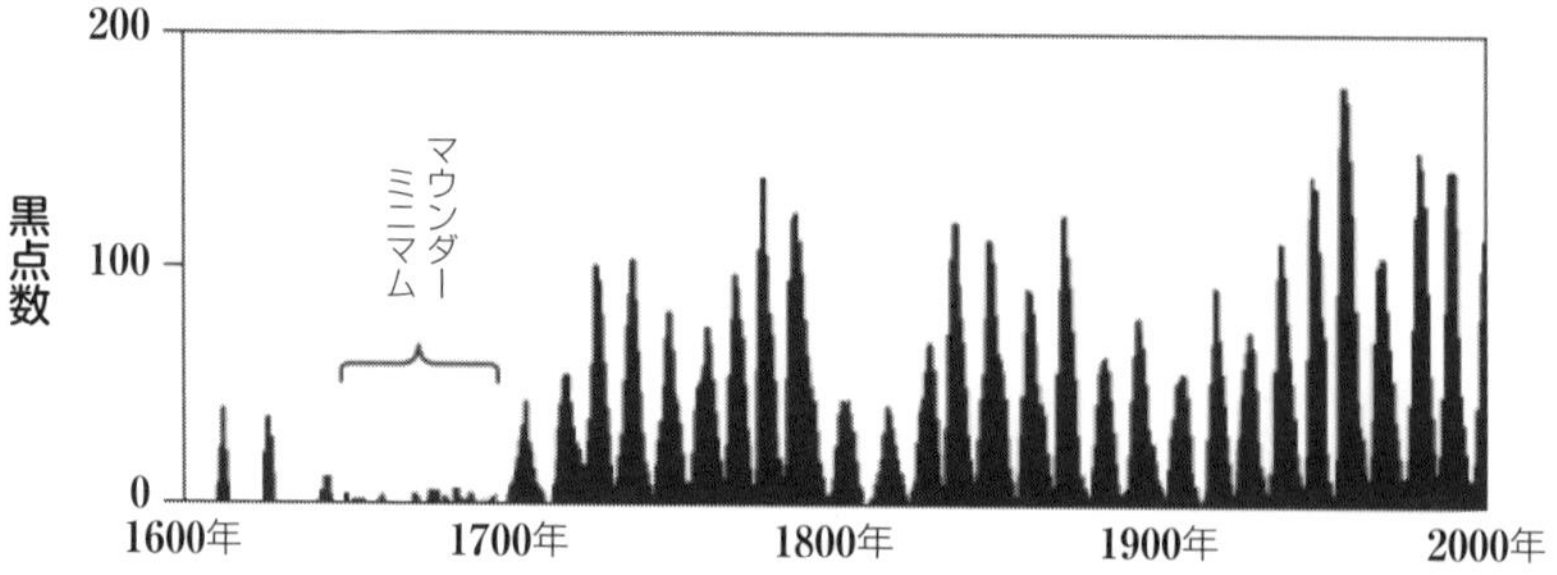

図38　1600年から2000年の間における太陽の黒点数の年変化（柴田一成著『太陽の科学』講談社より）

もし、両者による気温変化が平行して進行すれば、互いに相殺し合って地球の気候・環境はいずれにも急変することなく、ある平衡《へいこう》状態に保たれるのではと期待したくなる。しかし、事はそれ程単純ではなさそうである。温暖化によると考えられる社会的被害は現在年々増大し待ったなしの状態の上、各国から排出される温暖化効果ガスの削減目標が達成されるまでには、様々な国際的、技術的な問題が立ちはだかっている。まずは、残された時間内で、人類社会に対する甚大な被害を回避できる国際的枠組みを、いかに早く確立することができるかが問われている。しかし、近々、太陽活動の低下が始まれば、その寒冷化の速度は温暖化のそれよりも速く、かつ、少なくとも二〇〇～三〇〇年にわたって続くと予想され、温暖化から反転して、次第に長く厳しい寒冷化に直面する可能性があると考えられる。ただ、CO_2温暖化を防止すべく国際的枠組みが確立されれば、その実績をもとに、地球の寒冷化に対しても人類はそれなりの国際的協調対策が取れるかも知れないとの一縷《いちる》の望みを持ちたい。

二　地球の寒冷化とモンスーンアジアの将来

ここでは、前述のような注目すべき小氷期がやって来るとしたならば、チベットをはじめ、特にモンスーンアジア各地にどのような気候・環境変化が起こりうるか、さらにその変化に対する有効な対策はあるのかについて考えてみたい。

予想される寒冷化に、まずチベット高原はどのように応答すると考えられるかを、インドモンスーンの発生や発達に最も敏感に応答する南部域からみてみよう。地球規模の寒冷化と言えば、過去約二万年間、急速で、強い寒冷気候に、少なくとも四回（ハインリッヒ—1、ヤンガードリアス、八・二ka、および五・四〜四・二kaの各イベント）あっている。チベット南部域は高原のその他の地域とは違って、これらのいずれの寒冷化のインパクトに対しても特別な気候・環境変動をほとんど受けることなく、それまでの気候・環境がほぼ変わらずに維持されていたことは第四章で述べた通りである。これは、南部域の植生が、そのような寒冷・乾燥気候の中でも深刻な被害を受けることなく、比較的安定に保たれていたことを意味している。その結果、南部域全体で正の植生—アルベド・フィードバックシステム、つまり、草地や森林による大地の被覆度が高いため、太陽放射が地表面によく吸収され、大地の加熱に続く、水の循環、植生の維持・拡大などが連鎖的に起こるシステムの機能がほぼ維持されていたと言うことである。それに対し、南東部、東部、中央部、西部などのいずれの地域でも、それらの寒冷イベントによって厳しい寒冷・乾燥化が進んだことが知られている。これもすでに述べたように、基本的に寒冷化による深刻な植生破壊によって、負の植生—アルベド・フィードバック効果、すなわち、植生による大地の被覆度が低下したため、地表面は十分加熱されず水循環は抑制され、植生が連鎖的に減少していく効果が強く働いた結果によると考えられる。

したがって、少なくともチベット南部域では、植生がそれ程変わらず健全に保持されていれば、今後やってくると考えられる程度の寒冷化に対しては、特別な影響を心配することなくやり過ごせるはずである。しかしながら、前にも述べたように、三五〇〇年前頃から二五〇〇年前にかけて進んだ人為的な植生破壊によって、南部域の正の植生—アルベド・フィードバック機能は大きく損なわれてしまったと考えられる。その結果、寒冷化に対する応答は相当不安定（敏感）になり、例えば、四〇〇〜二〇〇年前の小氷期の際に見られたように、他の地域同様、南部域は、かなりの寒冷・乾燥化が進み、植生が乏しい環境に移行してしまったと考えられる。この深刻な草地や森林の喪失は、南部域がチベット高原で最も低い緯度に位置し標高が高いことから、アジアモンスーンの発生・発達に欠かせない大陸地表面の加熱領域と同時に、強力な低気圧を形成するための大気・水循環エネルギーとを相当失ってしまったことを意味する。とすれば、予想される寒冷化はさらなる植生破壊をチベット高原全体に広げ、アジアモンスーンのかなりの衰退をもたらすことになる。

加えて、寒冷化によって起こりうる、以下のさらなるアジア規模の気候・環境変化もまた、アジアモンスーンの衰退をもたらし得ると考えられる。そのシナリオは以下のようである。

通常、冬から春にかけて、チベット高原やそれに接している中央アジアに、アジアモンスーンとは起源を異にした寒冷な北東モンスーンによって積雪がもたらされる。その積雪によって、上記の地域を含むユーラシア大陸中央付近に気圧の谷（低気圧）が、それをはさむ両側の東アジアと西ヨーロッパに気圧の峰（高気圧）が、それぞれ発達する、いわゆるユーラシア・パターンと呼ばれる寒冷な偏西風の大きな蛇行が出現する状況がつくられる。地球の寒冷化が進むと、この偏西風の蛇行がさらに発達し、それによって特にユーラシア大陸中央付近には、北極域から極めて寒冷な気団が南に向かって吹き出し易くなる。その結果、チベット高原や中央アジア一帯に、冬から春にかけて、積雪の増加と拡大、および融雪の遅れが生じる。このような気候・環境変化は、次の夏のアジアモンスーンの発達を弱め、降水量を大きく減少させることが以前から知られている。その因果関係は次のように考えられている。

平均標高四五〇〇メートルのチベット高原は、積雪のない状態では大気の熱源としてモンスーンの発達に極めて重要な役割を果たしていることは、これまで述べてきた通りである。しかし、冬季から春遅くまで低温で積雪がある状態では、アルベドの増加や融雪からの土壌水分による大気の冷却効果が大きくなることから、チベット高原は反対に低緯度での冷源としての働きが強くなるのである。このようにチベット高原の地表面の加熱がかなり遅れ、つまるところ、高原とインド洋や太平洋との間の熱的な落差が大きくならず、アジアモンスーンの発達が抑制されることになる。

以上のことから、今後の寒冷化は、主に二種の気候・環境変化をもたらし、いずれも、チベットを中心とするアジアモンスーンの発達を大きく抑制すると考えられる。その一つは、現在のチベット高原全体の植生が人為的な破壊で乏しくなっている上に、寒冷化によるさらなる植生破壊が進み、地表加熱が大幅に減少することによる。もう一つは、寒冷化によって、冬季から春先にかけチベット高原に積雪の増加と拡大が進行し、夏季の高原の地表加熱が遅れることによる。両者ともにチベットの地表の加熱抑制に関係するが、二つの抑制効果が相乗的に働き、アジアモンスーンの発達に相当なマイナス要因となって働くことは間違いない。

では、この地球寒冷化とそれに伴うアジアモンスーンの低下によって、その影響下にある広大なアジア大陸の南部や東部の地域（つまり、モンスーンアジア）は、どのような気候・環境応答をするのであろうか？その地域には世界人口の半分以上の四〇億人余りが住んでいることから、その応答次第によっては深刻な社会問題が生じかねない。しかしながら、このモンスーンアジアの気候・環境応答を議論できる具体的なデータ―例えば、各地域にどの程度の寒冷化と、降水の減少が起きるのかなど―はほとんどないに等しい。したがって、ここでは、その可能性を概観するにとどめる。

まず、お膝元のチベット高原では、繰り返し述べてきたように、寒冷・乾燥化の強まりに乗じて夏季モンスーンが衰退し、草原の大幅な縮小と共に農産物・畜産物のかなりの減少が長期的に起こりうる。それが、チベット社会を大きく特徴づけている人と自然との共生システム（遊牧や牧畜）という風土に、相当の打撃をもたらし、その衰退に追い討ちをかけることが懸念される。

一方、モンスーンの通り道であるヒマラヤ山脈の南麓側の国々（パキスタン、インド、ネパール、ブータン、バングラデシュ）から東南アジア、そして中国南部から東部域にかけても、当然降水の減少が起こりうる。しかし、この一帯は、地形、植生の種類、植生の被覆度、湿度などの環境条件が地域ごとに大きく異なり、一括りに議論することはできない。例えば、自然破壊と共に裸地化が今もなお進むネパール、パキスタン、インドなどの地域では、アルベドの増加によって降水の減少と寒冷化が増幅され、水田稲作やその他の農作物の生産に相当な被害が起こる可能性は高い。それに対し、ブータンのように積極的な自然保護が進んだ緑豊かな国や、自然破壊がある程度あっても強い自然の回復力が勝っている東南アジア諸国や中国南部域では、森林の被覆度がかなり高いがためにモンスーンによる降水の減少と寒冷化は比較的緩和され、これらの地域を特色づける水田稲作の営みに大きな被害が及ぶ程にはならないのではと思われる。しかし、ヨーロッパの小氷期にあたる期間起こった日本の近世の大飢饉《ききん》（厳しい冷害によって稲をはじめとする農作物の収穫が激減し、飢えによる多数の死者が出た）、「天明の飢饉」（一七八一〜一七八七年）と「天保の飢饉」（一八三二〜一八三九年）という史実に思いを寄せると、控えめな予測は禁物であろう。時代が違うという見方もできるが、対するは想定を常に越える自然である。

チベット高原から最も遠く離れた日本や中国東部域もまたアジアモンスーンの影響下にあり、梅雨という降水の恵みを受けている。梅雨の訪れは、概略以下の仕組みによっている。

ヒマラヤ山脈の南麓に沿って西方からやってきたインドモンスーンと、東方から太平洋を渡ってやってきた貿易風がインドシナ半島からフィリピン付近で一つに収束し、その後、一つになった気団は、そこから方向を北に変え北上する。湿気をたっぷり含んだこの気団は、北上しながら中国東部や日本付近で、六月から七月にかけ北からの冷たく乾燥した気団（偏西風による高気圧）と出会って、各地域でそれぞれ梅雨前線を形成し、長雨（梅雨）をもたらすことになる。この長雨はよく知られているように日本では、都市域での生活や工業活動を支える水瓶（ダム湖）を満たし、農山村域では、森林や田畑を十分に潤《うるお》すと同時に貯水池を満たしてくれる。梅雨は時によっては実にうっとうしく、深刻な水害をもたらすが、やって来る暑い夏期に水不足にならないための備えに欠くことのできない慈雨である。この事情は、中国東部（特に揚子江流域）においても基本的に同じである。そんな梅雨が各地域の夏期の水瓶を満たすことができなくなる状況が、寒冷化によるモンスーンの衰退によって長期に続く可能性が高い。それに冷害が加われば、農山村域では稲をはじめとする様々な野菜や果物など農作物の収穫が大きく減少し、一方、都市域では工業生産に支障を来《きた》し、生活必需品の不足と高騰を招く。そのような長期にわたる社会状況は、特に、人口増加の一途をたどっている沿海域を中心とする中国東部の工業大都市圏で、様々な混乱を招くことになる。日本でも想定しておくべき事柄であろう。

こうして、地球の寒冷化によるチベット高原の気候・環境変化は、アジアの南部や東部に多くの社会的影響をもたらす可能性は高い。ところが、そうした影響だけでは終わらず、もっと地球規模の深刻な事態がチベット高原を出発点として起こりうる可能性があると言われる。

予想される寒冷化で、チベット高原から中央アジアにかけて春の積雪の増加と拡大、そして融雪による土壌水分の増加が起こることは前に述べた。それらによって、特にチベット高原のアルベドが増大、つまり太陽光を反射しアジアモンスーンがかなり衰退するような状態が、二〇〇〜三〇〇年にわたると考えられる寒冷化の間続くことになる。このようなアジアモンスーンの長期衰退は、偏西風の風下側にあたる北太平洋から北米北部にかけての中・高緯度の夏の偏西風の循環に、北太平洋北米（ＰＮＡ：Pacific North America）パターーンと呼ばれる大きな蛇行を生じ易くさせると言われる。その際、北米大陸北東部には、寒冷な偏西風の深い気圧の谷（低気圧）が発達し、ＰＮＡパターンが長く存在し続けることになる。この気象状況は、北米大陸北東部に雪氷域を広がり易くさせ、氷期に北米大陸の相当部分を覆っていた、あのローレンタイド氷床の形成・維持を促進させると言われている。したがって、寒冷化に対するチベット高原の反応は、アジアモンスーンの長期的弱まりを介し北米大陸の氷床を発達（つまり、地球のアルベドを増大）させ、地球規模の寒冷化をさらに増幅させていく可能性があることになる。

一九六〇年代から一九七〇年代にかけての太陽活動の低下によって引き起こされたとされる寒冷化によれば、多くの地域で、冬の平均気温が平年より五〜六度低くなったとされている。それにしたがえば、予想される寒冷化（小氷期）によって、あのチベット高原の冬の寒さと強風がここ平地に下りてくるようなものであろうか。加えて、食料やエネルギーなどの経済的、そして政治的問題が噴出してくるなど、やはり、厳しい時代の到来を予想しておく必要があると思われる。

三　モンスーンアジアの気候の安定化に欠かせないチベット高原の豊かな植生

これまでの議論を考え合わせると、予想される気候寒冷化そのものを回避することはできそうにない。しかしながら、寒冷化によって引き起こされるアジアモンスーンの長期的衰退をある程度抑制し、アジア各地で起こりうる被害を軽減できそうな以下の方策があるように思われてくる。

まず、アジアモンスーンができるだけ活発になるための夏季のチベット高原上の基本的な条件は、第五章四節で述べたように、地表のできるだけ多くの部分が熱源領域となって、高原全体が熱源として維持されることである。そのためには、地表は岩石や土壌よりも密な植生で覆われている方がよい。それによってチベット高原は夏季の日射をより効率的に吸収し、加熱される。続いて、高原上のより広い範囲に強い低気圧帯が発達し、アジアモンスーンが強化されることになるからである。

このように、アジアモンスーンの発達には、高原上の豊かな植生の広がりは極めて重要である。一般に寒冷化が進むと植生は衰退し、結果的にモンスーンの衰退を招くのが常であるとこれまで認識されてきた。しかしながら、第四章で議論したように、我々の研究から、チベット南部域の豊かな植生は、少なくとも約二万年前から三〇〇〇年前までの間に起こった地球的規模の気候悪化イベントに対し、いずれも、ほとんど、あるいは全く影響を受けず、南部域でのモンスンーンの衰退が引き起こされなかったことが明らかになった。それに対し、約三〇〇〇年前以降、人間による大規模な植生破壊が進行する中、気候悪化が起きると南部域の植生の衰退（すなわち、熱源領域の減少）がさらに急速に進み、モンスーンが著しく衰退したことが分かった（図27）。

これらのことは、チベット高原上の健全で豊かな植生が広く存在する地域では、最終氷期最寒冷期（二万三〇〇〇～一万九〇〇〇年前間）のような厳寒期を除く気候悪化イベントの期間、植生の大部分は衰退することなく維持され、モンスーンの衰退は実質的に起きないということを意味している。つまり、地球的規模の気候悪化イベントが進む中でも、チベット高原上に強力な低気圧帯を発達させ得る熱源としての豊かな植生領域が大きく損なわれることなく保持されていれば、それが緩衝《かんしょう》機能を発揮し、アジアモンスーンの長期的衰退はある程度抑制され、モンスーンアジアと共に北半球の気候の安定化が維持されることになる。したがって、チベット高原で現在進行している植生破壊をまず食い止めると共に、これまで失われた豊かな植生（熱源領域）を再生することは、今後の気候寒冷化によるアジアモンスーンの衰退を、そして、アジア各地で起こりうる様々な被害をある程度抑制可能な方策になりうると考えられる。

このように、チベット高原上に豊かな植生の広がりを取り戻すことは、モンスーンアジアばかりでなく、北半球の将来の気候をも安定化させる重要な緩衝機能を取り戻すことになる。

四　「天空の森」

チベット高原上で正の植生―アルベド・フィードバック効果をもっとも効率的にもたらす、つまり太陽光をよく吸収する植生は、草原より森林である。したがって、チベット高原での失われた植生の再生にあたっては草原も大切であるが、森林により注目することは重要であろう。

ここでは、森林の再生の話に入る前に、まずチベット高原上の森の現状や歴史について概観しておきたい。ただし、この第八章四節と五節で述べる「チベット高原」とは、標高が三〇〇〇メートル以下で、降水が多く、森林が現在も広く分布しているチベット南部域縁辺部と東部域縁辺部の二つの地域を除くチベット高原の大半を指すことに留意されたい。

標高の高い山々には、森林が分布できる境界線、つまり森林限界領域が存在する。それには、標高や緯度ばかりではなく、日射量、降水量、風の強さ、土壌の発達など様々な環境要因が関係していて、その領域を単純には決められない。例えば、屋久島の最高峰、宮之浦岳のそれは一八〇〇メートル、日本アルプスのそれらは二四〇〇～二八〇〇メートルの範囲、ヨーロッパアルプスのそれは約一八〇〇メートル、赤道に近い中央アンデス山脈とアフリカの最高峰、キリマンジャロ山ではいずれも約三〇〇〇メートルとなっている。

このように富士山（森林限界は約二五〇〇メートル）を例にあげるまでもなく、標高三〇〇〇メートルを超える世界の山々にはほとんど樹木は育っていない。ましてや平均標高四五〇〇メートルの第三の極地と言われるチベット高原にあっては、森林などあろうはずはなく、わずかに草が生えた程度のステップかツンドラが広がるのみであろうと想像していた。ところが、チベット調査開始前に関係資料を見ていると、高原のほぼ東半分における現在の森林限界は四六〇〇メートル程度と書かれてある。つまり、富士山よりさらに一〇〇〇メートル近く高い標高の高山でも森林が存在しうる、あるいは、しているということである。これは当時の筆者にとって驚きであった。そして、四季の富士を見ながら生活をする筆者に、チベット高原では、富士山上に生じるあの大きな傘雲や吊り雲あたりの上空に、文字通り世界でも飛びぬけて高い「天空の森」が広がっていると想像をさせる。

それならば、「天空の森」の現況を知り、かつ、少なくとも、約二万年前の最終氷期最寒冷期（LGM）後から現代にかけての気候・環境変動と共にその森が歴史的にどのような分布変化をしてきたかを知りたいと思い、不案内な関連の文献を探し始めた。しかし、二〇〇〇年当時、そのような研究はほとんど進んでおらず関係する文献は極めて乏しかった。その中で中国の唐らによる文献（1998）に出会った。そこには、広域にわたる多数の花粉分析をもとに、最寒冷期の二万年前頃の「天空の森」はチベット南部、南東部、および東部に限定され、かついずれも、各縁辺域にはりつくように分布するのみであったとされている。その後のグローバルな温暖・湿潤化と共に、「天空の森」は、より標高の高い西方へ北方へと拡大し、気候最適期（一般に九〇〇〇～六〇〇〇年前）の七〇〇〇～六〇〇〇年前頃には、高原の東半分ほどが主にカンバ、マツ、モミ、シラビソウ、ツガなど、落葉広葉樹が混成する針葉樹林で覆われていたとある。これは、基本的にチベット高原上の森林限界線が、氷期で低下し間氷期では上昇することによっている。

その文献を知ってしばらく経ってのことである。唐らが描いた森林の存在分布図には、森林限界より高い標高の地域の除外や、遥か遠くから飛んで来る、いわゆる遠距離飛来花粉に対する考慮が十分になされておらず、かなり大雑把な描き方になっていることに気付かされた。彼らの示した森林帯の存在分布に対する信頼が少なからず失われたが、気候最適期の間、チベット高原に真の「天空の森」がそれなりに発達していたことに基本的に異論はない。なぜならば、その期間、北半球の夏に地球が近日点（太陽に最も近づく位置）を通過していたがために、（熱容量の大きい）海洋が大部分を占める南半球よりも大陸が集中する北半球の方がより強く加熱されることによって、インドモンスーンや南東モンスーンが現在よりはるかに強化されていたという説が広く受け入れられているからである。しかし、その後の六〇〇〇年前から現在にかけて、その森林がどのような運命をたどったのかを知る手掛かりは、当時ほとんど得られなかった。こうして、チベット高原上における「天空の森」の歴史的変化や現況についてよく分からないままにチベットに出かけることになった。

二〇〇〇年、一〇月も下旬。初めてチベットに降り立った空の玄関、ゴンガ（ラサ）空港（標高約三六五〇メートル）の上空から着陸するまでの間、空港を取り巻く風景を機内から覗《のぞ》き込んだ。夏季モンスーンが終わり秋が深まる空港周辺の街路に、ポプラであろうか、黄色に紅葉した長い並木が見えるが、それ以外の平地や山裾には樹木らしいものはほとんど見えない。さらに、山肌は疎らな草地になっているようだ。その後、空港からラサ、ラサ市内、そしてラサからプマユム湖へと巡るが、残念ながら低い灌木《かんぼく》以外、自然の森林に出会うことは全くなかった。しかし、紅葉の長い並木や、あちこちに植樹された樹々を見ていると、チベット高原は自然の森林の生育に適していないとはとても思えない。チベット高原は広大だ。もっと広く見なければとの思いで、ラサを中心とするチベット南部域の東西南北を種々の調査をしながら見てまわった。

その結果、森林限界以下の標高にあるチベット南部域であるが、自然林と呼ばれる森の存在が極めて少ないことにようやく確信を持ち始めた。各街の周辺には、確かにカンバ、モミ、マツ、ビャクシンといった類の木々の繁りをしばしば見かけるのだが、そのほとんどが植樹された人工林（図39）であった。また、山々の麓には、樹木が見られず茂みをなした低木が点在するのみである。このように、いずれの森林限界内であっても、時々見かける灌木と疎らな草本からなる砂漠的な植生が延々と続いていて（巻頭カラー写真23）、チベットの気候最適期の原風景を思わせるような「天空の森」に巡り合うことはほぼ絶望的であろうと感じた。

それならば、日本の寺社周辺に森があるように、古いお寺に行けば自然の森の名残りを期待できるのでは

図39　標高約3,700mのラサ市内に見られる太い白樺の並木道

と、ある時、ラサ郊外の山麓近くにある名刹デプン寺（一四一六年建立）に出かけた。荘厳な伽藍をいくつも擁し、ポタラ宮が完成するまでの間、歴代ダライ・ラマの住居となっていた由緒ある古刹《こさつ》である。境内の山道を息きれぎれになり、休み休み巡っていく。しかし、行けども期待していた自然の大径木《だいけいぼく》の森や林はどこにも見つけることはできなかった。また、シガツェで訪ねた古刹タシェルンポ寺（一四四七年建立）でも同様であった。

さらに、期待を込めて、チベット滞在が長い中国の研究者達に森の存在をたずねても、どこで、どのような自然の森を見たことがあると語る人はいないのである。もう幻の森を追い求めることをやめにしようと思う。そして、「天空の森」と呼べる存在は、六〇〇〇年前頃以降の気候の乾燥・寒冷化によって、または人為的な破壊によって失われてしまったのではないかと、考えを切り換え始める。

時あたかも、二〇〇〇年過ぎから、チベットの森の存在の確認や衰退・喪失に関する原因を明らかにしようとする研究がようやく行われ始めていた。それによると、チベットの気候は基本的に五〇〇〇～四〇〇〇年前頃から寒冷・乾燥化が増し、森林の生育にとって不都合になった。その結果、それまで存在していた森林が次第に衰退し、現在見るような、まばらな低木と草本ばかりが目立つ植生になってしまったと研究者の多くは推察している。

ところが、新たに詳細な調査と証拠をもとに、その結果に反論する研究が二〇〇五年から二〇一七年にかけて比較的活発に行われるようになった。それらによれば、まず、チベットの森はそのような寒冷・乾燥化にそれ程影響を受けず、南部や南東部に規模の大きい森林が六〇〇〇～三〇〇〇年前頃まで存在していたことを示した。加えて、二〇〇七年、チベット南部域、中央部域、そして北部域が互いに境界を接するガムド、ナグー、ダムシュン、レティンなどに近い周辺の山々から、二〇〇〜一〇〇〇年の樹齢を持つネズ(Juniperus)の疎らな樹林帯が〝発見〟された（図40)。これは、南東部や東部域以外のチベット高原にも、わずかであるが自然の森が存続しているという一縷《いちる》の望みにつながる発見である。また、特にドイツのカイザー(Kaiser)グループは、ラサを中心としたチベット南部、および四〇〇〇メートル以上の南東部に、それぞれ四〇〇〇年前と六〇〇〇年前頃に生活していた遊牧民達が、家畜の放牧地や耕作地の拡大、住居地や薪の確保のために森林の大規模な伐採や焼き払いを行っていたことを、各地に残る樹木の木炭片（チャコール）の詳細な解析などをもとに明らかにした。そして、そのような数千年にわたる人間の活動が、森林限界内の本来豊かであった「天空の森」を現在見るような深刻な破壊へと至らしめたと結論づけている。

我々の古環境解析をもとに、二五〇〇年前頃か

図40　ラサから北へ70km余りの標高4,200〜4,300mの山腹に最近存在が確認された古いネズ（Juniperus）の森（Brauning, 2007より）

ら、チベット南部域の気候・環境が急速に乾燥化したことを前に述べた。前述のカイザーらの研究結果を取り込めば、この著しい環境変化は、四〇〇〇年前頃からの南部域の植生（森林と草原）の人為的な破壊の程度が、環境を急速に、より乾燥的に変えるあるレベル（限界値）にまで達したことを示唆している。つまり、これは、地表のアルベド（太陽光の反射率）を低下させ、大地の加熱を促し、さらに、地上の水循環を活発にさせる低気圧帯を持続的に発達させるべく機能をもった森林や草原が、次第に失われることによって引き起こされたと考えられる。

　その後のチベットの歴史の繁栄と共に、森林破壊は進行こそすれ止むことはなかったようである。例えば、チベットは、約一五〇〇年前の西暦五七〇年頃、吐蕃《とばん》とよばれる統一国家として登場し、隣り合う大唐帝国と覇《は》を争うほどの興盛をとげると共に、当時の基盤産業であった遊牧や農耕が盛んになり、森林破壊に拍車がかかったことは想像に難くない。一方、西暦七六三年になると仏教の国教化がなされ、七七五年にチベット最初の寺院、サムイエ寺の建立を皮切りに、西暦一五〇〇年頃にかけて、特に南部域に、規模の大きな相当数の寺院の建設が進められた。現在みるように、ポタラ宮をはじめ、各寺院には幾つもの大伽藍《がらん》があり、それらには大量の巨木が柱、門扉、床、梁《はり》など、いたる所にふんだんに使われているのを見ると、当時の森林伐採の規模の大きさを窺《うかが》い知ることができる。実際に、ラサにあるポタラ宮の造営壁画の中に、ヤルツァンポーの支流ラサ（またはキチュ）川の緑豊かな上流から木材を伐採し、筏《いかだ》に組んで運んでいる様子が描かれ、ラサ川上流周辺域には、それ相当の森が茂っていたことを物語っている。その森は、今はほぼ見る影もなく、稀にネズ、またはビャクシンなどの太く、そびえ立った老木を見つける程度であるという。そんな状況やチベットの植生の現況から、高原の森が一度破壊されると、日本と違って、元に回復する力はほとんど失われてしまうことが分かる。さらに、チベットが中国にとりこまれた一九五〇年以降、特にチベット南東部や東部域の森林が乱伐され、さらに破壊がかなり進んだことはよく知られている。その後もチベットの森林破壊は続き、現在も止まる所を知らないように思われてならない。

今後さらに森林や草地の喪失が進めば、二五〇〇年前に起こったように、モンスーンアジアの気候を安定化させる緩衝機能がさらなる限界値に達した段階で、アジアモンスーンの新たな衰退、それに続くチベット高原の乾燥化の拡大、モンスーンアジアにおける水不足、地球規模の大気・水循環の変動……といったローカルからグローバルへと連鎖する気候・環境の急速な変化が危惧される。以上の現実と可能性から、チベット高原上で進行する森林や草地の植生破壊をまず止める必要があろう。それと同時に、最近の森林・草地の減少とモンスーンアジア各地におけるモンスーンの変化との関係を、より具体的に把握し、チベット高原上の豊かな植生がモンスーンアジアの気候を安定化させる緩衝機能を有することを明白に示す早急な研究が求められる。

五 「天空の森再生」考

予測される太陽活動の低下によって、グローバルな気候の長期的寒冷化が起こりうる。その寒冷化に、まともに抗しきれる対策などあるとは思われないが、前節で述べたように、約五〇〇〇年前頃に始まる人為的な破壊によって失われた本来のチベット高原上の植生、特に「天空の森」を復活させる取り組みは検討に値するのではなかろうか。

すなわち、チベット高原で、現在、荒廃とした山々となっている森林限界以下の東西南北の大部分の山域(例えば、巻頭カラー写真23)に、五〇〇〇年前頃まで存在していた本来の森林を取り戻すことができれば、過去二万年の間、チベット南部域に何度も認められたように、予想される地球の寒冷化を増幅することなく、比較的安定した気候・環境の維持が高原のより広い範囲で可能になると思われる。それによって、我々のチベット古環境解析の結果が示したように、アジアモンスーンが予想される程に衰退することは、まずなくなるのではなかろうか。

「天空の森再生」に先立って、なぜ森林が回復しないままになっているかを明らかにする必要があるが、それはおそらく樹木を育てるための基盤となる土壌が失われ、形成不能な状況になってしまっていることが最大の原因ではなかろうか。であれば、森の再生の前段階として草原の回復が欠かせない。草原を広げ地表の土の流出を抑え、土壌が作られるための土台作りから始める必要があろう。一方、森再生の対象となる地域は、高原温帯湿潤気候帯に属し、森林帯がいまだ残されている標高三〇〇〇メートル以下のチベット南東部縁辺部と東部縁辺部、および標高が森林限界以上で高原寒帯乾燥気候帯となっているチベット北西部域(図5)を除く部分である。つまり、代表的な地域は、現在では森林がほとんど見られない残る五つの気候帯、すなわち高原温帯乾燥気候帯、高原温帯半乾燥気候帯、高原温帯半湿潤気候帯、高原亜寒帯半湿潤気候帯、および高原亜寒帯半乾燥気候帯(図5)にあたる所である。そのうち、森林限界内に入る標高部分の面積はその全体の約半分程度で、日本の面積の約二倍に相当すると思われる。そのかなりの地域は、現在、幸いにもある程度高山草原によって覆われているので、森再生用の土壌作りは幾分やり易いかも知れない。その中で、高原温帯半乾燥気候帯（ほとんどがチベット南部域）の中に入る「低緯度帯域」（図28）の森の再生は、次の理由から最優先になされるべきであろう。それは、第六章で述べたように、その地域はチベット高原で最も低い緯度帯にあって、最も早く最も強く加熱され、正の植生―アルベド・フィードバックが効率的に働き、したがって、ヒマラヤを横切る一〇余りの「ヒマラヤ南北横断渓谷」を経由してチベット内に強いモンスーンを速やかに引き込むことができるからである。さらに、引き込まれたモンスーンは、残る南部域と共にチベット中央域や南西部域までにも吹き込み、対象となる半分近くの地域の森の再生を促進する上で重要な働きをなしうると考えられるからである。

チベット高原に、かつての「天空の森」を再生させる想いを地図上で巡らすのは、心弾む面があるが、実現となると種々の困難がたちまちに立ちはだかる。例えば、森林限界以下といっても標高四〇〇〇～四六〇〇メートルもある起伏の激しい広大な地域での様々な労働を誰が担うか。植林に必要な種々の膨大な数の苗木をどこから調達するか。現在、土壌がすっかり失われ乾燥がちな大地に、かつ寒冷期に入っていく中で、どんな方法で苗木を根づかせるのか。樹木が安定して育つようになるまでは、少なくとも二〇～三〇年、あるいはそれ以上の歳月がかかると思われるが、その間の生育維持・管理に必要な多数のエキスパートを養成し組織化できるか、などなど膨大な人材と資金の問題もあるが、それよりも大きな問題は次の事柄かも知れない。事業の性質上、この「天空の森再生事業」は、国連の下で行う国際的なプロジェクトとして相応しいと思われるが、現在のチベットに多くの外国人が頻繁に出入りすることに神経をとがらせ続けている中国が、その出入国にどれ程の度量を示してくれるかであろう。

このように実行に至るまでには、政治的、技術的、経済的など越えるべき多くの障壁がある。しかし、もし、この国際的な再生事業が実現されれば、これまで述べてきたように、特に、四〇億人余りを擁するモンスーンアジアの気候・環境の安定化が促され、さらには世界的な規模で、地球寒冷化に始まる気候・環境変動の様々な被害を軽減し、多くの生命を守ることにつながると考えたい。

また、「天空の森」の再生は、チベット高原のウォータータワー（貯水塔）としての機能を高めることにもなる。すなわち、アジアの主要河川である揚子江、黄河、ブラマプトラ川、サルウィン川、メコン川など五つの河川は、いずれもチベット高原に源頭を持つことから、チベット高原は、水供給問題を抱える東南アジア、中国、インドなどの貴重なウォータータワーと言われてきた。そのウォータータワーとしての保水力や、さらには、それぞれの河川の下流域の治水効果を高める上でもチベット高原に「天空の森」を再生する意義は大きい。

それは人間ばかりではない。チベット高原は野生動物の楽園とも言われ、チベット特有の種（チベットガゼル、チベットカモシカ、チベット野ロバ、雪豹《ゆきひょう》、口白鹿、チベットスナギツネ、大山猫……）を含む三〇〇〜四〇〇種もが棲むと言われる。中国が侵攻した後、チベットの森林は大々的に乱伐されてきた。それによってさらに多くの森林が失われると共に、様々な野生動物が棲み場所を追われたことであろう。チベット高原から姿を消しつつあると危惧される種々の動物達、さらには植物達が、生態学的に安定した生存域を取り戻す観点からも「天空の森再生」は意義のあることと思われる。これらのことは、チベットに新たな文化・文明の基盤を創ることにもなろう。

結果的には、「天空の森再生」事業にかけた労力や費用を遥かに上回る、気候変動による深刻な被害の回避や生態学的効果が得られると期待される。地球的な視点から検討に値する試みではなかろうか。

終　章

モンスーンアジア文化への原点回帰にむけて

地球のホットスポットとしてのモンスーンアジアの自然

インドモンスーンと東アジアモンスーン（別名、南東モンスーン）を合わせてアジアモンスーンと呼び、その夏季の降水を伴った季節風の影響下にある気候帯をまとめてモンスーンアジアと呼ぶことは、これまで繰り返し述べてきた（図6）。雨季と乾季が巡るモンスーンアジアは、アラビア海沿岸域から東へ、インド亜大陸、東南アジア、そして中国、日本を含む東アジアへと続く、世界で最も広大な広がりを持った一気候帯である。このモンスーン気候が成立したのは、インド亜大陸とユーラシア大陸が衝突をして形成されたチベット・ヒマラヤ山塊が、五〇〇〇メートルを超える高さとなった一〇〇〇万年前以降とされている。

アジアモンスーン発生のメカニズムは、主としてインド洋とそれを取り巻く大陸（ユーラシア大陸西南部、インド亜大陸、およびアフリカ大陸東岸部）との間の海陸の温度差によって起きる海陸風（より暖まった陸は低圧部となり、海から陸内部に向かって吹き込む風）と基本的に同じであると言える。しかし、モンスーンアジアには、一般的な海陸風とは大きく異なり、その風と降水を強力にする気象条件が主に二つある。一つは、世界の屋根と言われる五〇〇〇メートルを超える広大なチベット・ヒマラヤ山塊の存在である。その山塊上の大気層の厚さは平地上のそれに較べ約半分と薄いため、雪がなければ平地より遥かに強い日射を吸収しどこよりも強く大気が加熱され、海陸の温度差が顕著になることである。もう一つは、西太平洋の赤道域から三〇度近い水温を持った表層海水がインド洋に運ばれ、水蒸気をたっぷり含んだ気団が形成され、大陸へのモンスーンによる水蒸気輸送を著しく強化していることである。こうした特異な気象要因が相乗的に働いて、世界に類を見ない巨大なモンスーン気候帯が出現するに至っている。

豊かで活発な水の循環によって特徴づけられるこのモンスーンアジアには、人類に安定した定住の場を提供する上で重要な二つの環境条件が形成された。一つは、長きにわたって続く湿潤な気候の中多様な生態系をもった森林が出現し、それらが互いにつながりあって、日本を含むユーラシア大陸の東側から南側にかけて、長大な森林帯（グリーンベルト）が形成されたことである。もう一つは、チベット・ヒマラヤ山塊の持続する活発な造山運動によって造られた起伏の大きい山岳地形が、夏季モンスーンの降水による激しい浸食を受け、肥沃度の高い土壌を有した大小様々な沖積《ちゅうせき》平野が数多く作られたことである。

延々と続く多様な森林帯は、そこへ進出した人類に、生活に必要な様々な物資を供給すると同時に、切り開かれた森は、畑作農耕の場を提供した。一方、大小の肥沃な沖積平野は、近くの森林と一体となり水田稲作の発祥と発展の場となった。両者において、モンスーンの活発な水循環を背景に、他の様々な物質の循環と再生を意識した自然利用が進んだと思われる。つまり、人と自然とが共生し、基本的に生態系を維持する生産様式が生みだされてきた。こうして、各地に人口が次第に増えると共に、森林資源の利用と水田稲作農耕の集約化が進み、持続性と生産性の高い農業形態がモンスーンアジアに広がり出した。その結果、モンスーンアジアには、過去一万年間余りの間に、ガンジス文明、縄文文明、長江文明、クメール文明など五指に余る様々な文明が各地に誕生した可能性が高いと言われている。そうした歴史を背景に、モンスーンアジアにおける人口は増加の一途をたどり、世界人口の半分以上を擁《よう》する地域となった。こうして、モンスーンアジアは、自然と文明とが共存する地球のホットスポットとし発展してきたことを、ここで改めて認識しておきたい。

「天空の森」の喪失が教えること

モンスーンアジアでは、人と自然との間に持続的な共生関係が基本的につくられてきたとは言え、その長き歴史の中で、自然を一方的に収奪することによって、各地に様々な自然環境破壊の進行が顕在化してきた。チベットはそのような典型的な一地域としてあげられる。

三〇〇〇年前頃までは、チベット高原のおおよそ半分にあたる、南部から東部にかけての地域を、豊かな森林と草原がおおっていたと言われる。その後、森林は建材や薪炭などに利用されると同時に切り開かれ、畑作農耕や遊牧の場となり、一方、草原ではヤクや羊の遊牧が始まった。こうした森林の利用と遊牧は時代と共に次第に盛んになり、古代チベット王国の成立と興隆を強力に後押しすることになった。七世紀後半頃には、チベットは現在のチベット領域を超える範囲を勢力圏に治め、さらに、八世紀後半には隣接した大唐帝国の都長安をも一時占領するほどの大国となった。その興隆は、続く仏教文化の定着と発展と共に一七世紀後半頃まで維持された。しかし、その後のチベットは、中国・清国に占領されたり、その他の外国勢による侵略を受けるなど、昔の栄華は色あせるばかりである。このチベットの一七世紀後半以降の国力の衰退の根本的な原因が、それまで利用してきた森林の過剰伐採による破壊と、過放牧による草原の荒廃にあったことは、これまで述べてきた古環境研究から想像に難くない。その歴史の過程で、約五〇〇〇年前、あのメソポタミア文明を興したシュメール人による叙事詩「ギルガメシュ」に書かれたシュメールの王、ギルガメシュが森の神を殺害するという物語と似た神殺しのドラマがチベットにもあったのかも知れないと想う。

チベットの森林を利用し、遊牧をしていた人々の多くは、森や草原を利用しながらも、循環と再生を基本とした自然と共存する意識を元来持っていたはずである。しかし、一七世紀後半までの長き隆盛の間続いた過剰消費、大量廃棄の文化が、自然環境を取り返しのつかない所まで破壊し、国を支えてきた様々な資源の枯渇を招き、国を亡ぼす大きな一因をなしたと考えられる。また、森林の大々的な喪失は、本来、人間と接触することのない種々の細菌やウイルスなどの病原体を森の生態系から引き出し、人との接触の機会を増やすことになる。この数十年で起きたエイズウイルス、エボラ出血熱、重症急性呼吸器症候群、そして現在も衰えをみせない新型コロナウイルスなどがその例であるが、チベットでも森林の大規模な破壊と共に、そのような感染症や風土病の流行が地域的に起きていて、その混乱も国力を削ぐ一因になったのではないかと思われる。

このチベットの自然環境破壊は、地球の片隅で起きた小さな出来事の一つに過ぎないのだが、それは一国一地域の衰退だけにとどまらず、モンスーンアジア、さらには世界規模での様々な悪影響を懸念させるのである。ここでは、これまで述べてきたように、アジアモンスーンの衰退を引き起こし、モンスーンアジア全体の気候を不安定化し、干ばつ、寒冷化、洪水など長期のしっぺ返しを各地で引き起こしうることを特に強調しておきたい。

現在の地球を俯瞰すると、自然環境の破壊を止め、早急に再生を必要としている地域は、周知のようにチベット高原ばかりでなく、至るところに無残に広がり、さらに拡大しつつあることを見せつけられる。その拡大の勢いの点から、まずはブラジルのアマゾン川流域を中心とする、〝地球の肺〟と言われる熱帯雨林地帯が注目されるが、続いて、中国南部や東南アジアの原生自然帯域、各国の、拡大が続く主要な都市周辺の自然域などが注目される。こうした自然の大規模な改変・破壊が、現在、グローバル経済の浸透で地球の至る所で拡大し、深刻な問題に直面している。

知られているように、大規模に伐採された森は、地球大気の炭酸ガスを減らす吸収源から増やす発生源に変えられている。そして、特に二〇世紀後半以来、新たな未知の病原体が森の生態系から引き出され、人類に数々の感染症を蔓延させてきた。また、様々な地球生物の現状報告は、自然環境の大規模破壊が、地球上の生物と生物とをつなげてきた生態系の網の目を点々と断ち切り、至る所に大きな穴を開け始め、生物多様性の減少を引き起こしていることを伝えている。

さらに、年々身近に迫って来た深刻な気候危機への関与も危惧される。国連食糧農業機関（ＦＡＯ）による一九九〇年から二〇一五年の二五年間に起きた世界における森林の破壊データをもとにすると、毎年地球から喪失する森林面積は約五一〇〇〇平方キロメートル、すなわち日本の九州と四国を合わせた面積になる。その結果、世界の陸上の七五パーセントがすでに改変・破壊されていると言われ、その被害は今後さらに深刻化すると予想されている。地球におけるこのような森林喪失の進行は、当然のことながら広大な植生を減少させ、地球各地のアルベド、すなわち太陽光の反射率を高め、その結果、陸上の大気と水の大規模循環に、無視できない大小の変調をすでに起こしていると考えざるを得ない。現在、世界各地で頻発している気候危機の原因は、人為的温室効果ガスに起因した地球温暖化によると言われ始めているが、そればかりではなく、森林や草原を含む地球自然の大規模破壊による大気と水の大循環の変調も、勝るとも劣らないその主要因の一つとなっていることを、「天空の森」の喪失が教えていると思われてならない。

遅きに失する感をまぬがれないが、こうした地球自然とそこにおける生物多様性は一体となって、我々の生存に欠かせないきれいな大気、きれいな水、そして健全な食べ物を安定に供給し、地域、さらには地球規模の気候の安定化のためにかけがえのない機能を果たしてきたことを、「天空の森」の喪失を介して再認識させられる。

地球環境破壊の克服を目指して

地球環境問題の大きな原因の一つは、人口問題にあると言われる。しかし、世界人口の半分以上が集中するモンスーンアジアは、欧米とは違って、大規模な自然破壊、大気汚染、海洋汚染、などに代表される二〇世紀半ば頃までの地球環境問題とは、ほとんど無縁であったと言われている。これは、アジアモンスーン域の自然環境と調和した稲作農業や畑作農業の発展、集約化が数千年来にわたって行われる中で、活発な水循環を背景に自然の物質循環・再生を高度に利用した、当時、世界に類を見ない生産性と持続性の高い農業形態を確立させてきたことが基本にあったことによるのは間違いないであろう。

しかしながら、アジアモンスーン域においても、最近数十年の急速な近代化と共に、自然環境の破壊や汚染が進み、原風景となっていた多くの自然が、そして伝統的な農業形態が急激に失われている。この現実を前に、地球のホットスポットとしてのモンスーンアジアの豊かで多様な環境と共存し、保全していく道を急ぎ探し当てねばならない。

　地球環境問題の源流は、約一万年前に西アジアで誕生した農耕牧畜文明にあるとされている。それ以前までは長い狩猟採集文明の時代で、人類は自然の様々な生き物や八百万《やおよろず》の神々と共存して生活してきた。しかし、農耕牧畜文明を基礎とし都市文明が発達すると共に、先述の「ギルガメシュ」叙事詩で語られているように、その社会は自然の神々を排し、すべての自然現象を超えた超越神、つまり一神教の性格を強めていった。そこでは、人間は、他の生き物とは異なった特別な能力を神から付与された存在であり、自然は人間が征服するための対象物であり、そして、人類は限りなく直線的に発展すると考える。そのような考えのもとで文明を発達させると共に、自然環境破壊の規模が次第に拡大されてきた。農耕牧畜文明の初期段階の頃は、自然環境破壊の程度は地球全体から見ればごく一部で深刻に考えるほどのものではなかった。しかし、文明が西アジアからヨーロッパへと伝搬すると共にさらに都市文明が発達し、産業革命を引き起こした近代合理主義が広がると、その破壊の規模は加速的に進み、今や人類の生存を脅かすまでに至っている。このような歴史的背景を持つ地球環境問題を克服するために、我々は、今何をすべきなのだろうか。

　その一つの手掛かりが、自然と共に生きてきたモンスーンアジアの長き文化の歴史の中に埋もれていると思われる。すでに述べたように、西アジアで始まった農耕牧畜文明は、自然支配を核とする一神教の考え方をもとに、人間中心の近代合理主義を進めた結果、大規模な地球自然の破壊に歯止めがかからなくなってしまった。一方、東アジアに位置したモンスーンアジアでは、やはり約一万年前頃から狩猟採集文明をへて稲作農耕に中心を置いた文明が、その森林帯（グリーンベルト）の中で多民族によって発展させられてきた。しかしながら、そこでは、いずれの民族も、基本的に、森羅万象の八百万の神々を崇拝し、自然を破壊することなく共存する中で生産性と持続性の高い農耕文明を確立し、少なくとも二〇世紀半ば頃まで維持してきた。したがって、自然を深く畏敬《いけい》し、人間を中心としないその文明の歴史の中に、進行する地球自然破壊を抑制する智慧なるものが、今も脈打っているのではなかろうか。

さすれば、モンスーンアジアの誕生から近年に至るまでの、地史、および古環境変動の歴史を明らかにすると同時に、物質の循環・再生を基調とし、自然と調和しながら、多くの人口を養いうる食糧生産の維持を可能にしてきた農耕文化の発祥・発達、それを支えた精神文化、社会制度、森林・農地の管理などなどの歴史的流れを多面的に検証し光をあてることが今求められている。そうした歴史を土台に、アジアモンスーンばかりでなく地球全体における、多様な自然と人間との持続的な共存関係をつくりあげることが可能な新たで確固たる文明史観の枠組みを引き出すことができるのではなかろうか。さらに、地球環境問題の根本的な原因の一つとなっている、貧困をはじめとする個人間、地域間、国家間の様々な格差の問題を解消すべく社会の制度設計の議論を深める具体的な手掛かりも得られるのではなかろうか。

アジアの唯一の先進国として、モンスーンアジア域の国々から様々な恩恵を受けると共に、環境問題に直接・間接的に関与してきたこれまでの日本の歴史を振り返ると、日本は、そのような国際的研究のリーダーシップを取るべく立ち位置にいることが強く意識される。加えて、日本には、これまで、モンスーンアジアを中心とした民俗学、文化人類学、植物生態学、地球物理学、気象学、地理学など多くの分野での手堅い研究実績の歴史があることを考えると、なおさらである。また、そうしたモンスーンアジア史の研究を土台として引き出された、自然と人間との新たな共生関係を可能にする文化の創造と、それに寄り添う科学技術の進展にも日本の科学者の多面的な寄与が期待される。こうした寄与を通じて、まずは、日本とアジア諸国とのより率直で親密な信頼関係が、この二一世紀中に深く醸成されることを願うものである。

参考文献

気候・環境に関する参考文献

*安成哲三「ヒマラヤの上昇とモンスーン気候の成立」『生物科学』、三二、三六―四四、一九八〇年

*安成哲三「ユーラシア大陸の積雪とENSO」『地学雑誌』、九五―五、八三―九二、一九八九年

*大河内直彦『チェンジング・ブルー：気候変動の謎に迫る』岩波書店、二〇〇八年

*川上紳・常木晃監修『最終氷期の終焉』「地球四六億年の旅」四六号、朝日新聞出版、二〇一四年

気候・環境の情報をもたらす指標物質（プロキシ）に関する参考文献

*安田喜憲『環境考古学事始』日本放送出版協会、一九八〇年

*西村弥亜・三田村緒佐武「有機分子が記録する気候環境変動を読む」小泉格・安田喜憲編『地球と文明の周期』講座「文明と環境」第一巻朝倉書店、一九九五年

*Nishimura, M., Shimokawara, M., Watanabe, T., Mizuno, K., (2006) Efficient GC/MS analysis of hydroxy lipid compounds from geochemical samples using tertiary-butyldimethylsilyl etherification. Organic Geochemistry 37, 1019-1035.

*Shimokawara, M., Nishimura, M., Matsuda, T., Akiyama, N., Kawai, Y., (2010) Bound forms, compositional features, major sources and diagenesis of long chain, alkyl mid-chain diols in Lake Baikal sediments over the past 28,000 years. Organic Geochemistry 41,753-766

* Yu, G., Tang, L.G., Yang, X.D., Ke, X.K, Harrison, S.P., (2001) Modern pollen samples from alpine vegetation on the Tibetan Plateau. Global Ecology & Biogeography, 10, 503-519.
* Tucker, M.E. and Wright, V.P., (1990) Carbonate depositional system 1: marine shallow-water and lacustrine carbonates. Carbonate Sedimentology, Blackwell Science Publications, London, pp108-240.

太陽活動と宇宙線に関する参考文献

* Svensmark, H. and Friis-Christensen, E., (1997) Variation of cosmic ray flux and global cloud coverage: a missing link in solar-climate relationships. Journal of Atmospheric and Solar-Terrestrial Physics. 59-11, 1225-1232.
* 伊藤公紀「地球温暖化問題の新局面」『科学』、六九、六六五―六六九、一九九九年
* 柴田一成『太陽の科学 磁場から宇宙の謎に迫る』日本放送出版協会、二〇一〇年
* Ertykin, A.D. and Wolfendale, A.W., (2011) Cosmic ray effects on cloud cover and their relevance to climate change. Journal of Atmospheric and Solar-Terrestrial Physics. 73-13, 1681-1688.

チベットの森に関する参考文献

* Bräuning, A. (2007) Dendroecological studies in Tibet. Implication of relict juniper forests for climate change and cultural history. Geographische Rundschau International Edition 3, 38-43.
* Kaiser, K., Opgennoorth, L., Schoch, W.H., Miehe, G., (2009) Charcoal and fossil wood from Paleosols, artificial structures indicating Late Holocene woodland decline in southern Tibet (China). Quaternary Science Review 28, 1539-1554.

チベットの古気候・環境解読に関係する参考文献

＊Wang, J., Zhu, L., Nishimura, M. et al., (2009) Spatial variability and correlation of environmental proxies between multiple cores during the past 18000 years in Lake Pumoyum Co, Tibet, China. Journal of Paleolimnology 42, 303-315.

＊Watanabe, T., Matsunaka, T., Nakamura, T., Nishimura, M., et al., (2010) Last Glacial-Holocene geochronology of sediment cores from a high-altitude Tibetan Plateau lake based on AMS 14C dating of plant fossils: implications for paleoenvironmental reconstructions. Chemical Geology 277, 21-29.

＊松中哲也、西村弥亜、村上哲生、井筒康裕、他「チベット高原プマユムツォ湖の水温躍層（20-25 m）以深における一次生産の規模とその維持機構に関する検討」『陸水学雑誌』、七三、一六七―一七八、二〇一二年

＊Nishimura, M., Matsunaka, T., Morita, Y., Watanabe, T. et al., (2014) Paleoclimatic changes on the southern Tibetan Plateau over the past 19,000 years recorded in Lake Pumoyum Co, and their implications for the southwest monsoon evolution. Palaeogeography, Palaeoclimatology, Palaeoecology 396, 75-92.

＊Nishimura, M., Matsunaka, T.,Wang, J., Matoba, S. et al., (2020) Sources and behavior of monsoon air masses in the lowest-latitude region on the Tibetan Plateau, and their paleoclimatic implications. Palaeogeography, Palaeoclimatology, Palaeoecology 554, 109750.

＊西村弥亜・高田将志編『二〇〇一チベット・プマユムツォ湖学術調査・研究報告書』東海大学ヒマラヤ遠征委員会、二〇〇三年

＊西村弥亜編『二〇〇四日中共同チベット・プマユムツォ湖学術調査・研究報告書』東海大学ヒマラヤ遠征委員会、二〇〇七年

＊西村弥亜編『二〇〇六日中共同チベット・プマユムツォ湖学術調査・研究報告書』東海大学ヒマラヤ遠征委員会、

二〇〇九年

あとがき

チベット高原の調査・研究を進める程に、その存在が地球自然に及ぼす影響の大きさや奥深さを幾度となく突きつけられてきた。

広大なアジアに、風を雲を起こし、雨をもたらし、深く谷を穿《うが》ち、いくつもの大河を生み出し、偏西風の蛇行を引き込み、そして、シベリアから日本、中国、東南アジアをへてインドに至る大森林帯を形成するといった様々な自然の営みの中心に、常にチベット高原が現れ出てくる。その度ごとに机上に新たな文献の塚が作られ、蒙《もう》を啓《ひら》かれることになった。日本の約六倍の広大な面積を有し、四五〇〇メートルもの平均標高で地球上にそびえ立つチベット高原という山塊の存在が引き起こす多量の降水を伴った強い季節風、アジアモンスーンは、世界人口の半分以上に及ぶ人々にモンスーンアジアと呼ばれる豊かで安定した生活の場を提供し、その一帯に多種多様な歴史・文化を生み出し、いくつかの画期的な文明誕生の舞台をも造り出してきた。こうした事実との向き合いは、チベット高原への興味をいや増すことになった。さらに、チベット高原の在り方は、アジアにとどまらず、地球全体（特に北半球）の気候・環境にも強い影響力を持っていることが次第に知られるようになって、我調査・研究への熱は高まるばかりである。しかしながら、〝少年老い易くして、学成り難し〟である。チベット高原に地球研究のロマンを追う熱をもう鎮《しず》めなければならない。その火照りの冷めやらぬ中、フィールドサイエンスの楽しさと共に、驚きや感動を一人でも多くの人達、中でも若者に伝えたいとの思いに加え、現在、フィールドサイエンスの調査・研究を進めておられる、あるいは、これまでやってこられた研究者達が、より多くの興味ある探検的な紀行を世に送り出して頂きたいとの思いを持って筆を執った。

試料やデータの採取に必要な様々な装置や大小の道具を作り、それらを現場の作業に適したものに改善しながら、調査を進めていく冒険的試行錯誤はもちろんのこと、その過程での様々な人達や、初めて体験する抗《あらが》い難い数々の自然の姿との出会いは、一つ一つ忘れ難いことばかりである。そうした調査・研究の流れの中で、特に心に残ったことを敢えて選ぶとすれば、以下の四つのことがあげられる。

一つは、第一章から三章にかけて記したことだが、比較的長い時の流れの中で、様々な選択肢がある中から選んだ多くの事柄が、時空を超えて互いにうまくつながり合わなければ調査・研究が成功しえなかったという、ただならぬ偶然の共時性に幾度となく出会ったことである。この不思議なつながりは、一般にシンクロニシティ（Synchronicity）と呼ばれている。しかし、至る所に、経文を書き記《しる》した小さな旗の連なり、タルチョがはためき、大小の磨崖仏《まがいぶつ》が見つめるチベットの奥深い山河に親しんできた我々には、この横文字はなかなか馴染み難く、チベットの隅々に鎮座するとされる自然の神々の存在がいつしか、それを天祐《てんゆう》と言わせるようになった。

二点目は、チベットの壮大でダイナミックな自然と触れ合う中で、様々な見えなきものが意識され、声なき声を聞くような体験をしたことである。これは、チベットで見る人間と自然との関係が、我々の中に時代を越えて培われ、受け継がれて来た日本人本来の自然の見方や接し方に改めて関心を深めることになった。そこを入り口として、人間中心に陥りがちな西洋的な自然の見方や接し方とは大きく違って、特に、近代に入って、哲学、人類学、民俗学などなど、多くの日本の碩学《けんがく》によって提唱された、自然に主体性を置く自然観へと改めて立ち返ることを促された。しかしながら、もろもろの書を読みながらも、とどまる所を知らないグローバルな自然破壊の背後にある大量生産、大量消費、大量廃棄の高炭素社会に、あのチベットもまた飲み込まれていくことは間違いないであろう将来に対し、何の働きかけもできず、座して見ているわが姿に虚しさを禁じえない。

三点目は、予想外の事実が、自分自身半信半疑だった考え・見方から偶然に引き出されてくる、いわゆるセレンディピティ（Serendipity）との出会いである。これも図らず横文字の言葉になってしまったが、ノーベル賞を受賞する人ばかりでなく、研究者であれば誰しも、大なり小なりその僥倖《ぎょうこう》にあずかりたいと願うものである。ここでは、輝かしい話とは全く程遠いが、次にあげる発見にいたる背景を振り返ってみると、セレンディピティが寄り添ってくれる条件が仄《ほの》見えてくるように思われる。

例えば、第三章で取り上げた、チベットの湖底堆積物の年代決定の前に立ちはだかったオールドカーボン問題を解決に導いた発見である。一般に、五万年程度内の堆積物を対象とした古環境研究には、有機物中に含まれる炭素一四（^{14}C）による年代決定は不可欠であるが、特にチベット高原の堆積物には、その年代決定を大きく攪乱《かくらん》させるオールドカーボンの混入という厄介で不可避の問題があった。その対応策をほぼ諦めかけて暗然としていた時に、まったく偶然にも、問題を見事に解消すべく特別な陸上植物微細片が、堆積物中に微量ではあるが存在することに気付かされたのである。この小さな発見は、当時の追い詰められた状況にあって、事をあきらめず、対象物を種々の方向から見つめ直し、働きかけ、考え続けることの大切さを改めて痛感させた。

もう一つの忘れ難い例は、第六章と七章で取り上げた、チベット高原に入ってくるインドモンスーンの新しい主要経路、「ヒマラヤ南北横断渓谷」に関する気付きである。チベットからヒマラヤを眺めるとその北面を見ることになるが、ヒマラヤ山脈の高峰が衝立となって湿ったインドモンスーンの影響がほとんど及ぶはずがないと言われている、その北面のいずれもが一面厚そうな雪で覆われている光景に対する不思議さ、あるいは違和感がその気付きの端緒になった。こうした体験で思い出されるのは、特に、ヒマラヤやチベットなどで研究を展開されていた氷雪物理学者の樋口敬二《けいじ》先生（当時、名古屋大学水圏科学研究所教授）から、足元ばかりでなく、グローバルな視点で状況を俯瞰する習慣性について、さらには、哲学者の梅原猛《たけし》先生（当時、国際日本文化研究センター所長）からは、学問において、できるだけ全体を見てなにかを直観することが大切だということなどについて、それぞれ薫陶《くんとう》を受けた若き日のことである。こうした方々の後押しが、時代を超えて、今回の発見につながったと思えるのである。

末尾になってしまったが、当調査・研究を進めるにあたって、数えきれない多くの人々から頂いたご支援は、一つ一つ忘れ難い。再度、ここに合わせて心からお礼を申し上げたい。特に調査実施を多方面にわたって支援して頂いた東海大学ヒマラヤ遠征委員会と海洋学部、チベットでのフィールド調査を心強く支えて頂いた中国科学院・チベット高原研究所と中国登山協会、および貴重な調査機材を提供して頂いた本田技研工業株式会社の方々には、改めて感謝の意を表さずにはおられない。

本書の原稿の段階で目を通して頂き、大処高所から適宜なコメントを頂いた東海大学ヒマラヤ遠征委員会の高野二郎先生（東海大学副総長）と井上孝先生（東海大学名誉教授）に深くお礼申し上げたい。また、三省堂書店出版事業部の加藤歩美さんはじめ編集室のみなさん、デザイナーさんのご尽力に心からお礼を申し上げる。

二〇二一年七月　静岡市由比にて

〈著者略歴〉
西村　弥亜（にしむら　みつぐ）

石川県生まれ
名古屋大学大学院理学研究科修了　理学博士
米国州立フロリダ アトランティック大学 有機地球化学研究プロジェクト研究員、
愛知学院大学教養部教授、
東海大学海洋学部教授、
東海大学大学院総合理工学研究科教授（兼任）を歴任
専門：古環境変動解析学、有機地球化学

チベット森羅紀行　天空を巡る

2022年３月28日　初版発行

著者　西村　弥亜
発行・発売　株式会社三省堂書店／創英社
〒101-0051　東京都千代田区神田神保町1-1
Tel：03-3291-2295　Fax：03-3292-7687
制作　プロスパー企画
印刷／製本　藤原印刷

ISBN978-4-87923-137-6　C0044